As listas de casamento de

Becky Bloom

3

Outras obras da autora publicadas pela Editora Record

Os delírios de consumo de Becky Bloom
Becky Bloom – Delírios de consumo na 5ª Avenida
A irmã de Becky Bloom
Samantha Sweet, executiva do lar
O segredo de Emma Corrigan

SOPHIE KINSELLA

As listas de casamento de Becky Bloom

Tradução de
ALVES CALADO

4ª EDIÇÃO

EDITORA RECORD
RIO DE JANEIRO • SÃO PAULO
2007

CIP-Brasil. Catalogação-na-fonte
Sindicato Nacional dos Editores de Livros, RJ.

Kinsella, Sophie
K64L As listas de casamento de Becky Bloom /
4ª ed. Sophie Kinsella; tradução de Alves Calado. –
4ª ed. – Rio de Janeiro: Record, 2007.
448p. :

Tradução de: Shopaholic ties the knot
Complemento a: Becky Bloom: delírios de consumo na 5ª Avenida
ISBN 978-85-01-06676-3

1. Romance inglês. I. Alves Calado, Ivanir, 1953- . II. Título.

CDD – 823
04-0332 CDU – 821.111-3

Título original inglês
SHOPAHOLIC TIES THE KNOT

Todas as personagens desta obra são fictícias. Qualquer semelhança com pessoas reais, vivas ou mortas, é mera coincidência.

Direitos exclusivos de publicação em língua portuguesa em todo o mundo, exceto Portugal, adquiridos pela
EDITORA RECORD LTDA.
Rua Argentina 171 – Rio de Janeiro, RJ – 20921-380 – Tel.: 2585-2000
que se reserva a propriedade literária desta tradução

Impresso no Brasil

ISBN 978-85-01-06676-3

PEDIDOS PELO REEMBOLSO POSTAL
Caixa Postal 23.052
Rio de Janeiro, RJ – 20922-970

Para Abigail, que acharia a
solução brilhante num átimo.

Agradecimentos

Escrever este livro foi tremendamente divertido; pesquisá-lo foi ainda mais. Agradeço demais a todos, tanto na Inglaterra quanto nos Estados Unidos, que me permitiram fazer um monte de perguntas idiotas e me deram tanta inspiração.

Obrigada a Lawrence Harvey, do Plaza, que não poderia ter sido mais solícito, e à sempre maravilhosa Sharyn Soleimani, da Barneys. E também a Ron Ben-Israel, Elizabeth e Susan Allen, Fran Bernard, Preston Bailey, Claire Mosley, Joe Dance, da Crate and Barrel, Julia Kleyner e Lillian Sabatelli, da Tiffany, Charlotte Curry, da *Brides*, Robin Michaelson, Theresa Ward, Guy Lancaster e Kate Mailer, David Stefanou e Jason Antony e a adorável Lola Bubbosh.

Um milhão de agradecimentos, como sempre, à minha maravilhosa agente Araminta Whitley e a Celia Hayley, a Linda Evans, que sempre oferece apoio e encorajamento e, claro, a Patrick Plonkington-Smythe.

E finalmente às pessoas que estiveram junto o tempo todo. Henry, Freddy e Hugo, e ao pelotão púrpura. Vocês sabem quem são.

SECOND UNION BANK
300 WALL STREET
NOVA YORK, NY, 10005

Srta. Rebecca Bloom
Apto. B
251 W 11th Street
Nova York
NY 10014

7 de novembro de 2001

Cara Srta. Bloom

Nova Conta Conjunta nº 5039 2566 2319

Temos o prazer de confirmar sua nova conta conjunta com o Sr. Luke J. Brandon, e segue anexa a documentação explicativa. Um cartão de débito será mandado à senhorita em separado.

Nós, do Second Union Bank, nos orgulhamos continuamente da abordagem altamente individual aos clientes. Se tiver alguma dúvida, por favor entre em contato pessoalmente a qualquer momento, e eu ajudarei no que puder. Nenhum assunto é pequeno demais para minha atenção.

Atenciosamente

Walt Pitman
Gerente de Atendimento ao Cliente

SECOND UNION BANK
300 WALL STREET
NOVA YORK, NY, 1005

Srta. Rebecca Bloom
Apto. B
251 W 11th Street
Nova York
NY 10014

12 de dezembro de 2001

Cara Srta. Bloom

Obrigado por sua carta de 9 de dezembro referente à conta conjunta com o Sr. Luke J. Brandon. Concordo que o relacionamento entre banco e cliente deve ser de amizade e cooperação, e, respondendo à sua pergunta, minha cor predileta é o vermelho.

Mas lamento não poder mudar a forma das palavras em seu próximo extrato bancário, como pediu. O item de débito específico ao qual a senhorita se referiu aparecerá no próximo extrato como "Prada, Nova York". Não pode ser mudado para "Conta de gás".

Atenciosamente

Walt Pitman
Gerente de Atendimento ao Cliente

SECOND UNION BANK
300 WALL STREET
NOVA YORK, NY, 1005

Srta. Rebecca Bloom
Apto. B
251 W 11th Street
Nova York
NY 10014

7 de janeiro de 2002

Cara Srta. Bloom

Obrigado por sua carta de 4 de janeiro referente à conta conjunta com o Sr. Luke J. Brandon, e pelos chocolates, que terei de devolver. Concordo que é difícil manter registros de cada comprinha e lamentei saber que um pequenino desentendimentozinho incomum surgiu entre vocês.

Infelizmente é impossível dividir o extrato ao meio como a senhorita sugere, mandando metade para a senhorita e metade para o Sr. Brandon e guardar nosso segredinho. Todos os créditos e débitos são listados juntos.

Por isso chama-se conta conjunta.

Atenciosamente

Walt Pitman
Gerente de Atendimento ao Cliente

Um

Tudo bem. Não entre em pânico. Eu consigo. É definitivamente possível. É simplesmente uma questão de manobrar um pouco à esquerda, levantar um pouquinho e empurrar com mais firmeza... Puxa, que coisa! Qual é a dificuldade de colocar um armário de coquetéis num táxi de Nova York?

Seguro com mais decisão a madeira envernizada, respiro fundo e dou outro empurrão infrutífero. É um dia de inverno com céu azul em Greenwich Village, do tipo em que o ar parece pasta de dente e cada respiração faz a gente ofegar, e as pessoas andam enroladas em seus cachecóis. Mas estou suando. Meu rosto está vermelho e o cabelo caiu do meu novo chapéu de cossaco na frente dos olhos, e percebo que do outro lado da rua todas as pessoas sentadas junto à janela no café Jo-Jo's estão me olhando, achando divertido.

Mas não vou desistir. Sei que vai dar certo.

Tem de dar, porque de jeito nenhum vou pagar um absurdo de frete quando moro ali mesmo na esquina.

— Não vai caber. — O motorista do táxi põe a cabeça para fora da janela e me dá um olhar trivial.

— Vai, sim! Eu coloquei as duas primeiras pernas... — Dou um empurrão desesperado. Se ao menos pudesse *forçar* as outras duas pernas... É que nem levar um cachorro ao veterinário.

— Além disso, eu não tenho seguro — acrescenta ele.

— Isso não importa! São só duas ruas. Eu vou segurando até lá. Vai ficar tudo bem. — O motorista levanta as sobrancelhas e cutuca os dentes com um palito sujo.

— A senhora acha que também vai caber, junto com essa coisa?

— Eu me espremo! Vou dar um jeito! — Frustrada, dou outro empurrão no armário de coquetéis e ele fica entalado contra o banco da frente.

— Ei! Se estragar meu táxi, vai pagar.

— Desculpe — digo sem fôlego. — Certo. Olha, vou começar de novo. Acho que tentei pelo ângulo errado...

Com todo o cuidado possível, tiro a frente do armário de dentro do táxi e volto para a calçada.

— Que diabo é isso, afinal de contas?

— É um armário de coquetéis da década de trinta! Olha, o tampo desce... — Solto a aba da frente com uma pontada de orgulho, mostro os encaixes art déco espelhados dentro. — É aí que a gente põe os copos... e ali estão encaixadas duas coqueteleiras...

Passo de novo a mão no móvel, admirando. No minuto em que o vi na vitrine do antiquário, o Arthur's, soube que o queria pra mim. Sei muito bem que Luke e eu fizemos um pequeno acordo sobre não comprar mais móveis para o apartamento — mas isso é diferente, sem dúvida. Um verdadeiro armário de coquetéis, como nos filmes de Fred Astaire e Ginger Rogers! Vai transformar completamente nossas noites. Todo fim de tarde Luke e eu vamos preparar martínis e dançar músicas antigas, e ver o sol se pôr. Vai dar um clima! Temos de comprar uma daquelas vitrolas antigas, com trombetas grandes, e começar a colecionar discos em 78 rotações, e eu vou começar a usar lindíssimos vestidos para chás à moda antiga.

E talvez as pessoas comecem a passar toda noite para um coquetel. Nós vamos ser conhecidos pelas noitadas inteligentes. O *New York Times* vai fazer uma matéria sobre nós! É! *A hora do coquetel foi reinventada em alto estilo no West Village. O chiquérrimo casal inglês Rebecca Bloom e Luke Brandon...*

Há um som brusco quando a porta do táxi se abre e eu vejo ligeiramente atordoada o motorista sair.

— Ah, obrigada — digo agradecida. — Seria bom mesmo ter alguma ajuda. Se o senhor tiver uma corda, a gente poderia amarrar no teto...

— Nada de teto. Nada de corrida. — Ele bate a porta do passageiro e eu o vejo, horrorizada, entrar de novo no banco do motorista.

— Você não pode ir embora! É a lei! Tem de me levar. É o que o prefeito diz!

— O prefeito não diz nada sobre armários de coquetéis. — Ele revira os olhos e liga o motor.

— Mas como é que vou levar isto para casa? — grito indignada. — Espera! *Volta!* — Mas o táxi já está disparando pela rua, e eu fico na calçada, segurando o armário, imaginando o que fazer em seguida.

Certo. Pense numa outra solução. Talvez eu possa carregá-lo até em casa. Não é tão longe assim.

Abro os braços o máximo possível e consigo pôr as mãos em volta das duas extremidades do armário. Lentamente levanto-o do chão, dou um passo adiante — e imediatamente baixo-o de novo. Meu Deus, é muito pesado. Acho que distendi um músculo.

Certo, talvez não dê pra carregar. Mas ainda posso levá-lo facilmente para casa. Se eu simplesmente mover duas pernas para a frente alguns centímetros... depois as outras duas...

É. Vai dar certo. É meio lento, mas se eu simplesmente seguir em frente... se estabelecer um ritmo...

Esquerda para a frente... direita para a frente...

O macete é não se preocupar com o terreno que estou ganhando, e simplesmente fazer um progresso constante. Provavelmente estarei em casa num instantinho.

Duas adolescentes com casacos almofadados passam por mim e riem, mas estou concentrada demais para reagir.

Esquerda para a frente... direita para a frente...

— Com licença — diz uma voz incisiva e apressada. — Poderia por favor parar de bloquear a calçada? — Eu me viro. E, para meu horror, vejo uma mulher com boné de beisebol e tênis se aproximando com uns dez cachorros presos com guias, todos de formas e tamanhos diferentes.

Ah, meu Deus. O que não entendo é por que as pessoas não passeiam com seus *próprios* cachorros. Puxa, se você não gosta de andar, por que não arranja um gato? Ou um aquário de peixes tropicais?

E agora eles estão em cima de mim. Todos latindo, puxando as guias ...e eu não acredito! Um poodle está levantando a perna junto ao meu lindo armário de coquetéis!

— Pára! — grito. — Tire esse cachorro daí!

— Venha, Flo — diz a mulher, e me lança um olhar maligno enquanto arrasta os cachorros para longe.

Ah, não adianta. Olha até onde consegui ir. Ainda nem cheguei à beira da vitrine do Arthur's, e estou exausta.

— Então — soa uma voz seca atrás de mim. — Talvez você queira que a gente mande entregar.

Giro e vejo Arthur Graham, o dono do antiquário, encostado no portal da loja, todo elegante com paletó e gravata.

— Não sei. — Encosto-me no armário de coquetéis, tentando parecer despreocupada. Como se eu tivesse um monte de outras opções, inclusive a de dar um tempo ali na calçada. — Talvez.

— Setenta e cinco dólares, em qualquer lugar de Manhattan.

Mas eu não moro em qualquer lugar de Manhattan!, quero gemer. Moro ali na esquina!

Arthur dá um sorriso implacável. Sabe que venceu.

— Certo. — Finalmente admito a derrota. — Talvez seja boa idéia.

Vejo quando Arthur chama um homem de jeans que, de modo irritante, vem e levanta o armário como se fosse de papel — e depois acompanho os dois até o interior quente e atulhado da loja, onde me vejo olhando em volta de novo, mesmo tendo estado ali dentro há dez minutos. Eu simplesmente *adoro* esse lugar. Para todo lado que a gente se vire, há algo que dá vontade de ter. Como aquela fantástica cadeira entalhada, e uma manta de veludo pintada a mão... e olha aquele incrível relógio de armário! Todo dia há coisas novas.

Não que eu venha aqui todo dia.

Só estou... você sabe. Supondo.

— Fez uma compra excelente — diz Arthur, sinalizando para o armário de coquetéis. — Sem dúvida você tem muito bom gosto. — Ele sorri para mim, escreve alguma coisa num papelzinho.

— Não tenho certeza — respondo, com um dar de ombros modesto.

Mas suponho que a verdade é que eu realmente tenho bom gosto. Eu costumava assistir ao programa *Antiques Roadshow* todo domingo com mamãe, por isso acho que parte do conhecimento acabou entrando.

— Esta é uma bela peça — digo como quem sabe das coisas, assentindo para um grande espelho com moldura dourada.

— Ah, sim — diz Arthur. — Moderna, claro...

— Claro — digo apressadamente.

Obviamente eu poderia dizer que era moderna. Só quis falar que era uma bela peça *tendo-se em mente que era moderna*.

— Está interessada em material de bar da década de trinta para complementar o armário? — Arthur levanta os olhos. — Copos... jarras... Temos algumas peças lindas.

— Ahh, sim! — rio para ele. — Sem dúvida!

Copos da década de trinta! Puxa, quem quer beber num copo moderno vagabundo quando se tem uma antiguidade?

Arthur está abrindo seu grande caderno com capa de couro onde está escrito "Colecionadores" e eu sinto um ligeiro brilho de orgulho. Sou uma colecionadora! Sou adulta.

— Srta. R. Bloom... material de bar da década de trinta. Tenho o seu número, se recebermos alguma coisa, eu ligo. — Arthur examina a página. — Aqui vejo que você também se interessa por vasos de vidro veneziano...

— Ah! Humm... é.

Já tinha quase esquecido que colecionava vasos venezianos. De fato, nem sei aonde foi parar aquele primeiro.

— E também relógios de bolso do século XIX... — Ele está passando o dedo pela lista. — Saleiros... almofadas em ponto de cruz... — Ele levanta os olhos. — Todos esses interesses continuam ativos?

— Bem... — pigarreio. — Para ser honesta, eu não estou *muito* mais interessada em relógios de bolso. Nem nos saleiros.

— Sei. E nas colheres de geléia vitorianas?

Colheres de geléia? Para que, diabos, eu vou querer um monte de velhas colheres de geléias?

— Sabe de uma coisa? — digo pensativamente. — Acho que de agora em diante vou ficar no material de bar dos anos trinta. Vou fazer uma coleção realmente boa.

— Acho que a senhorita é sensata. — Ele sorri para mim e começa a riscar coisas na lista. — Até breve.

Quando saio da loja para a rua, faz um frio de rachar e flocos de neve começam a cair do céu. Mas estou quente de satisfação. Puxa, que investimento fantástico! Um genuíno armário de coquetéis dos anos trinta — e daqui a pouco vou ter uma coleção de material de bar para combinar! Estou tão satisfeita comigo mesma!

Bom, eu saí para quê, mesmo?

Ah, sim. Dois cappuccinos.

Estamos morando em Nova York há um ano, e nosso apartamento fica na rua 11 Oeste, na parte realmente arborizada e cheia de atmosfera. Todas as casas têm pequenas sacadas com ornamentos, escadas de pedra diante da porta da frente e árvores em toda a calçada. Defronte mora alguém que toca jazz no piano, e nas noites de verão nós vamos até o terraço no telhado, que dividimos com os vizinhos, sentamos em almofadas, bebemos vinho e escutamos a música. (Pelo menos fizemos isso uma vez.)

Quando entro em casa, há uma pilha de correspondência para nós no corredor, e eu a examino rapidamente.

Chato...

Chato...

Vogue inglesa! Hã!

Chato...

Ah. Minha conta do cartão da Saks Quinta Avenida.

Olho o envelope um momento, depois pego-o e ponho na bolsa. Não porque esteja escondendo. Simplesmente porque não há motivo particular para que Luke veja. Há pouco tempo li um artigo muito bom numa revista, intitulado "Informação demais?", onde dizia que a gente deve filtrar os acontecimentos do dia, em vez de dizer ao parceiro tudo que aconteceu e encher a mente dele. Dizia que o lar deve ser um santuário, e que ninguém precisa saber *tudo*. O que, quando a gente pensa direito, faz muito sentido.

De modo que ultimamente venho filtrando um bocado de coisa. Só coisinhas tediosas, comuns, como... bem, como contas de cartões de lojas e o preço exato que eu paguei por um par de sapatos... E sabe de uma coisa?, a teoria deve estar certa, porque isso fez uma tremenda diferença no nosso relacionamento.

Ponho o resto da correspondência debaixo do braço e começo a subir a escada. Não há nenhuma carta da Inglaterra, mas eu não esperava mesmo que houvesse hoje. Porque esta noite... adivinha? Nós vamos viajar para lá! Para o casamento da minha melhor amiga, Suze! Mal posso esperar.

Ela vai se casar com Tarquin, um sujeito muito doce que ela conhece desde que nasceu. (Na verdade ele é primo dela. Mas isso não é contra a lei. Eles verificaram.) O casamento vai ser na casa dos pais dela em Hampshire, e vai haver um monte de champanha, um cavalo com uma carruagem... e, melhor de tudo, eu vou ser dama de honra!

Ao pensar nisso sinto uma pontada de desejo. Estou *tão* ansiosa! Não só por ser dama de honra — mas por ver Suze, meus pais e minha casa. Ocorreu-me ontem que não volto à Inglaterra há mais de seis meses, o que subitamente parece uma eternidade. Perdi totalmente a eleição de papai para capitão do seu clube de golfe, a ambição de sua vida. E perdi o escândalo quando Siobhan, da igreja, roubou o dinheiro que era para o telhado e o usou para ir a Chipre. E, pior de tudo, perdi o noivado de Suze — se bem que ela veio a Nova York duas semanas depois para me mostrar o anel.

Não que eu realmente me importe, porque estou me divertindo tremendamente aqui. Meu trabalho na Barneys é perfeito, e morar no West Village é perfeito. Adoro andar pelas ruas minúsculas e comprar bolinhos na padaria Magnolia nas manhãs de sábado, e voltar andando pelo mercado. Basicamente adoro tudo que tenho aqui em Nova York. A não ser, talvez, a mãe de Luke.

Mas mesmo assim. Nossa casa é nossa casa.

Quando chego ao segundo andar há música saindo pela porta do nosso apartamento, e sinto um frisson por dentro. Deve ser Danny, trabalhando. Provavelmente já terminou! Meu vestido vai estar pronto!

Danny Kovitz mora em cima da gente, no apartamento do irmão dele, e se tornou um dos meus melhores amigos desde que estou morando em Nova York. É um estilista fabuloso, cheio de talento — mas ainda não fez muito sucesso.

Bem, para ser honesta, ele não fez sucesso algum. Cinco anos depois de sair da escola de moda ele ainda está esperando a grande chance. Mas, como sempre diz, ter sucesso como estilista é ainda mais difícil do que como ator. Se você não conhece as pessoas certas nem tem um ex-Beatle como pai, pode esquecer. Sinto pena, porque ele realmente merece o sucesso. Portanto, assim que Suze pediu que eu fosse sua dama de honra, pedi a ele para fazer meu vestido. O fantástico é que o casamento de Suze vai estar cheio de convidados ricos e importantes. Por isso espero que um monte de gente pergunte quem fez meu vestido, e então vai começar todo um boca-a-boca, e Danny estará feito!

Mal posso esperar para ver o que ele fez. Todos os desenhos que me mostrou foram incríveis — e, claro, um vestido feito sob medida terá muito mais trabalho e detalhes do que a gente consegue comprando em loja. Tipo assim, o corpete vai ser um espartilho com barbatanas bordado a mão — e Danny sugeriu colocar um laço de amor-perfeito usando a pedra da sorte de todas as damas e da noiva, o que é tremendamente original.

Minha única ligeira preocupação — uma coisinha de nada — é que o casamento é daqui a dois dias, e eu ainda não experimentei o vestido. Nem vi. De manhã cedo toquei a campainha dele para lembrar que estava indo hoje para a Inglaterra, e, depois de finalmente ter cambaleado até a porta, ele prometeu que terminaria na hora do almoço. Disse que sempre deixa as idéias fermentarem até o último minuto — depois tem um jorro de adrenalina e inspiração, e trabalha numa rapidez incrível. É como ele trabalha, pelo que me garantiu, e nunca perdeu um prazo.

Abro a porta e grito "Olá!" toda animada. Não há resposta. Por isso empurro a porta da nossa sala de estar. Madonna está berrando no rádio, a televisão está ligada na MTV, e o cachorro robô de Danny está tentando subir num dos braços do sofá.

E Danny está caído sobre a máquina de costura numa nuvem de seda dourada, em sono profundo.

— Danny? — digo, frustrada. — Ei, acorda!

Com um susto, Danny se senta e esfrega o rosto magro. O cabelo encaracolado está revolto, e os olhos azul-claros estão ainda mais injetados do que quando atendeu à porta de manhã. Seu corpo magricela veste uma velha camiseta cinza e um joelho ossudo se projeta dos jeans rasgados, com uma casca de ferida que ele ganhou andando de patins no fim de semana. Parece um garoto de dez anos com uma barba de vários dias.

— Becky! — diz ele remelento. — Oi! O que está fazendo aqui?

— Este é o meu apartamento. Lembra? Você está trabalhando aqui porque sua eletricidade pifou.

— Ah, é. — Ele olha em volta, atordoado. — Isso.

— Você está legal? — Olho-o ansiosa. — Trouxe um pouco de café.

Entrego-lhe um copo e ele toma dois goles compridos. Depois seus olhos pousam na pilha de correspondência na minha mão, e, pela primeira vez, Danny parece acordar.

— Ei, essa é a *Vogue* inglesa?

— Hum... é — digo, colocando-a onde ele não possa alcançar. — E aí, como está o vestido?

— Está indo muitíssimo bem! Totalmente sob controle.

— Posso experimentar?

Há uma pausa. Danny olha para o monte de seda dourada à sua frente como se nunca o tivesse visto na vida.

— Não, ainda não — diz finalmente.

— Mas vai ficar pronto a tempo?

— Claro! Sem dúvida. — Ele baixa o pé e a máquina de costura começa a zumbir. — Sabe de uma coisa? — diz Danny acima do ruído. — Eu realmente gostaria era de um copo d'água.

— Já está vindo!

Corro para a cozinha, abro a torneira e espero que o frio chegue. O encanamento do prédio é meio excêntrico, e nós estamos sempre cobrando da Sra. Watts, a dona, para mandar consertar. Mas ela mora a quilômetros, na Flórida, e não parece interessada. E afora isso o lugar é completamente maravilhoso. Nosso apartamento é enorme, pelos padrões de Nova York, com piso de madeira e uma lareira, e enormes janelas do chão ao teto.

(Claro, mamãe e papai não ficaram muito impressionados quando vieram. Primeiro não podiam entender por que não morávamos numa casa. Depois não puderam entender por que a cozinha era tão pequena. Depois começaram a dizer que era uma pena nós não termos quintal, e perguntaram se eu sabia que o Tom, o vizinho, tinha se mudado para uma casa com terreno de mil metros quadrados. Honestamente. Se você tivesse mil metros quadrados em Nova York alguém simplesmente colocaria dez prédios de escritórios em cima.)

— Certo! Então como é... — Eu volto à sala e interrompo a frase. A máquina de costura parou e Danny está lendo meu exemplar da *Vogue*.

— Danny! — uivo. — E o meu vestido?

— Você viu isso? — diz Danny, batendo na página. — "A coleção de Hamish Fargle demonstra o talento e a espirituosidade de sempre" — lê em voz alta. — Me poupe! Ele tem talento zero. Sabe, ele estudou comigo. Roubou totalmente uma das minhas idéias... — Danny me olha, os olhos apertados. — Ele está vendendo para a Barneys?

— Humm... não sei — minto.

Danny está completamente obcecado em vender para a Barneys. É a única coisa que quer no mundo. E só porque trabalho lá como compradora pessoal ele parece achar que eu poderia conseguir um encontro seu com a chefe de compras.

De fato consegui encontros dele com a chefe de compras. Na primeira vez ele chegou uma semana atrasado para a reunião e a mulher tinha ido para Milão. Na segunda, ele estava lhe mostrando um paletó e, quando ela experimentou, todos os botões caíram.

Ah, Deus. Em que eu estava pensando quando pedi que ele fizesse meu vestido?

— Danny, só me diga. Meu vestido vai ficar pronto?

Há uma longa pausa.

— Ele tem mesmo que ficar pronto para hoje? — diz Danny por fim. — Tipo literalmente *hoje*?

— Vou pegar o avião daqui a seis horas! — Minha voz

cresce até um guincho. — Tenho de entrar na igreja em menos de... — Paro e balanço a cabeça. — Olha, não se preocupe. Eu uso outra coisa.

— Outra coisa? — Danny pousa a *Vogue* e me olha com ar vazio. — O que quer dizer com outra coisa?

— Bem...

— Você está me *demitindo*? — Parece até que anunciei que o nosso casamento de dez anos tinha acabado. — Só porque estou um pouquinho atrasado?

— Eu não estou demitindo você! Mas, puxa, não posso ser dama de honra sem vestido, posso?

— Mas o que vai usar então?

— Bem... — Torço os dedos sem jeito. — Tenho um vestidinho de reserva no armário...

Não posso dizer que na verdade tenho três. E dois reservados na Barneys.

— De quem?

— Humm... Donna Karan — digo culpada.

— Donna Karan? — Sua voz se racha diante da traição. — Você prefere Donna Karan a mim?

— Claro que não! Mas, puxa, pelo menos ele está pronto, as costuras estão feitas...

— Use o meu vestido.

— Danny...

— Use o meu vestido! Por favor! — Ele se joga no chão e vem de joelhos até mim. — Vai ficar pronto. Vou trabalhar o dia e a noite.

— Nós não *temos* o dia e a noite! Nós temos umas... três horas.

— Então vou trabalhar as três horas. Eu faço!

— Você realmente pode fazer um espartilho com barbatanas, bordado, em três horas, a partir do zero? — digo, incrédula.

Danny fica abalado.

— Então... é... talvez a gente tenha de repensar o modelo um pouquinho...

— Como?

Ele tamborila os dedos por um momento, depois levanta os olhos.

— Você tem uma camiseta branca lisa?

— Uma *camiseta*? — Não consigo esconder a consternação.

— Vai ficar fantástico. Garanto. — Há o som de um furgão parando do lado de fora e ele olha pela janela. — Ei, você comprou outra antiguidade?

Uma hora depois me olho no espelho. Estou usando uma enorme saia de seda — completada por minha camiseta branca, que agora está totalmente irreconhecível. Danny arrancou as mangas, costurou lantejoulas, repuxou a bainha, criou linhas onde não havia nenhuma — e basicamente transformou-a no top mais fantástico que eu já vi.

— Adorei — digo sorrindo para Danny. — Adorei! Vou ser a dama de honra mais chique do mundo!

— Está uma coisa, não é? — Danny dá de ombros, num movimento casual, mas posso ver que está satisfeito consigo mesmo.

Tomo outro gole do meu coquetel, esvaziando o copo.

— Delicioso. Vamos tomar outro?

— O que era?

— Hmm... — Franzo a vista vagamente para as garrafas enfileiradas no armário de coquetéis. — Não tenho certeza.

Demorou um bocado para trazer o armário de coquetéis escada acima, até o apartamento. Para ser honesta, ele é um pouco maior do que me lembrava, e não sei bem se vai caber naquele pequeno nicho atrás do sofá, onde eu tinha planejado pôr. Mas mesmo assim é fantástico! Está parado orgulhosamente no meio da sala, e nós já começamos a usá-lo. Assim que o móvel chegou, Danny subiu e atacou o armário de bebidas do seu irmão Randall, e eu peguei todas as biritas que pude achar na cozinha. Cada um de nós tomou uma Margarita e um Gimlet, e minha invenção chamada Bloom — vodca, laranja e M&M —, que a gente pega com uma colher.

— Me dê o top de novo. Quero apertar um pouco mais aquele ombro.

Tiro o top, entrego a ele e pego meu agasalho de ginástica, sem me incomodar com o recato. Quer dizer, esse é o Danny. Ele enfia linha numa agulha e começa habilmente a franzir a bainha da camiseta.

— Então, esses seus amigos esquisitos que são primos e estão se casando — diz ele —, qual é o babado?

— Eles não são esquisitos! — Hesito um momento. — Bem, certo, Tarquin é um pouquinho estranho. Mas Suze não é nem um pouco. Ela é minha melhor amiga!

Danny levanta uma sobrancelha.

— Então... eles não conseguiram achar ninguém para casar a não ser um parente? Tipo assim: "Certo, mamãe já está comprometida, minha irmã é gorda demais... o cachorro... mm, não gosto do cabelo...

— Pára! — Eu mesma não consigo parar de rir. — Foi só que de repente eles perceberam que eram feitos um para o outro.

— Como *Harry e Sally, feitos um para o outro*. — Ele faz uma voz de trailer de filme: — Eram amigos. Vieram do mesmo caldeirão genético.

— Danny..

— Certo. — Ele pára e corta a linha. — Então, e você e Luke?

— Que é que tem?

— Você acha que vocês vão se casar?

— Eu... não faço idéia! — digo, sentindo um ligeiro rubor chegando ao rosto. — Não posso dizer que isso tenha passado pela minha cabeça.

O que é mesmo verdade.

Bem, certo. Não é *completamente* verdade. Talvez isso tenha passado pela minha cabeça ocasionalmente. Talvez só umas duas vezes eu tenha rabiscado "Becky Brandon" na minha agenda para ver como ficava. E talvez tenha folheado a *Martha Stewart Weddings* uma ou duas vezes. Só por curiosidade boba.

Talvez também tenha me ocorrido que Suze vai se casar e que ela está com Tarquin há menos tempo do que eu com Luke.

Mas sabe? Não é lá essas coisas. Não sou fanática por casamentos. De fato, se Luke pedisse, eu provavelmente diria não.

Bem... Certo. Eu provavelmente diria sim.

Mas o fato é que não vai acontecer. Luke não quer casar "durante muito tempo, se é que vou querer". Ele disse isso há três anos numa entrevista ao *Telegraph* que eu achei em seu álbum de recortes. (Eu não estava xeretando. Só estava procurando um elástico.) A matéria era principalmente sobre os negócios dele, mas também perguntaram sobre coisas pessoais — e depois puseram como legenda da foto: *Brandon: casamento é último item da agenda*.

O que para mim está absolutamente ótimo. Também é o último item da minha agenda.

Enquanto Danny está terminando o vestido, dou um jeito por alto na casa, o que quer dizer que pego os pratos sujos do café da manhã e deixo de molho na pia, esfrego uma mancha na bancada — e depois passo um tempo arrumando os frascos de temperos na prateleira, segundo a cor. É um serviço gratificante. Quase tão bom quanto era organizar minhas canetas hidrográficas.

— Então, vocês dois acham difícil morar juntos? — diz Danny, vindo à porta e me olhando.

— Não. — Olho-o surpresa. — Por quê?

— Minha amiga Kirsty tentou morar com o namorado. Desastre. Só viviam brigando. Ela disse que não sabe como alguém consegue.

Enfio o vidro de cominho perto do de feno-grego (o que *é* feno-grego?), sentindo-me bem presunçosa. A verdade é que Luke e eu praticamente não tivemos problemas desde que começamos a morar juntos. (A não ser talvez o incidente quando eu repintei o banheiro e sujei seu terno novo de tinta com purpurina dourada. Mas isso não conta, porque, como Luke admitiu depois, ele reagiu com total exagero, e qualquer pessoa com bom senso veria que a tinta estava fresca.)

Agora, pensando bem, devem ter rolado umas discussõezinhas sobre quantas roupas eu compro. Luke certamente já abriu o armário e disse, exasperado: "*Algum dia* você vai usar alguma dessas?"

Talvez tenhamos tido uma ou outra bri... discussão franca sobre quantas horas Luke trabalha. Ele comanda sua própria empresa de divulgação financeira, a Brandon Communications, que tem agências em Londres e Nova York e não pára de se expandir. Ele adora o trabalho, e talvez uma ou duas vezes eu o tenha acusado de gostar mais do trabalho do que de mim.

Mas o fato é que somos um casal maduro e flexível que consegue conversar as coisas. Fomos almoçar recentemente, e tivemos uma longa conversa durante a qual prometi sinceramente que tentaria comprar um pouquinho menos e Luke prometeu sinceramente que tentaria trabalhar um pouco menos. Então Luke voltou ao escritório e eu fui à Dean and DeLuca comprar o jantar. (E achei um incrível azeite extravirgem com laranjas orgânicas esmagadas, para o qual eu *preciso* achar uma receita um dia desses.)

— Viver junto é uma questão de se trabalhar — digo sabiamente. — Você tem de ser flexível. Tem de dar além de receber.

— Verdade?

— Ah, sim. Luke e eu compartilhamos nossas finanças, compartilhamos as tarefas... é tudo uma questão de trabalho de equipe. O fato é que a gente não pode esperar que as coisas continuem como eram. A gente precisa *ceder*.

— Verdade? — Danny parece interessado. — Então quem você acha que cede mais? Você ou Luke?

Fico pensativa um momento.

— Na verdade, é difícil dizer. Acho que é mais ou menos igual dos dois lados.

— Então... todas essas coisas — Danny faz um gesto com a mão mostrando o apartamento atulhado — são principalmente suas ou principalmente dele?

— Hmmm... — Olho em volta, vendo todas as minhas velas de aromaterapia, as almofadas antigas de renda e as pilhas de revistas. Por um instante minha mente salta para o apartamento imaculado e minimalista que Luke tinha em Londres. — Sabe... — digo finalmente. — Um pouco de cada um...

O que é quase verdade. Puxa, Luke ainda tem o laptop no quarto.

— O fato é que não existe atrito entre nós — continuo. — Nós pensamos como um só. Somos tipo... uma unidade.

— Isso é fantástico — diz Danny, pegando uma maçã na fruteira. — Vocês têm sorte.

— Sei que temos. — Olho-o cheio de confiança. — Sabe, Luke e eu somos tão afinados que algumas vezes quase há um... sexto sentido entre nós.

— Verdade? — Danny me encara. — Sério?

— Ah, sim. Eu sei o que ele vai dizer, ou meio que *sinto* quando ele está perto...

— Tipo A Força?

— Acho que sim. — Dou de ombros, casualmente. — É como um dom. Eu não questiono muito...

— Saudações, Obi won Kenobi — diz uma voz profunda atrás de nós, e Danny e eu quase morremos de susto. Eu giro. E ali está Luke, parado na porta com um riso divertido. Seu rosto está vermelho por causa do frio, há flocos de neve em seu cabelo preto, e ele é tão alto que de repente a sala parece um pouco menor.

— Luke! — exclamo. — Você assustou a gente.

— Desculpe. Achei que você sentiria a minha presença.

— É. Bem, eu senti uma coisa... — digo, um tanto desafiadora.

— Claro que sentiu. — Ele me dá um beijo. — Oi, Danny.

— Oi — diz Danny, olhando Luke tirar o sobretudo de caxemira, depois desabotoar os punhos da camisa enquanto simultaneamente afrouxa a gravata, com os mesmos movimentos hábeis e tranqüilos que sempre faz.

Uma vez, quando estávamos muito bêbados, Danny me perguntou:

— Luke faz amor do mesmo modo como abre uma garrafa de champanha? — E, apesar de eu ter gritado, lhe dado um tapa e dito que não era da sua conta, deu pra ver o que ele queria dizer. Luke nunca hesita nem parece confuso. Sempre parece saber exatamente o que quer, e quase sempre consegue, quer seja abrindo uma garrafa de champanha com habilidade ou conseguindo um novo cliente para a empresa, ou na cama, quando nós dois...

Bem. De qualquer modo. Só digamos que, desde que estamos morando juntos, meus horizontes foram ampliados.

Agora ele pega a correspondência e começa a examiná-la rapidamente.

— E aí, como vai, Danny?

— Bem, obrigado — diz Danny, dando uma mordida na maçã. — Como vai o mundo das altas finanças? Viu meu irmão hoje? — Randall, o irmão de Danny, trabalha numa empresa financeira, e Luke almoçou com ele umas duas vezes.

— Hoje, não — diz Luke.

— Certo. Bem, quando encontrar, pergunte se ele engordou. Bem casualmente. Só diga: ora, Randall, você está mais cheinho. E então, quem sabe, comente sobre a entrada que ele escolheu. Ele está totalmente paranóico com medo de engordar. É hilário.

— Amor fraternal — diz Luke. — É lindo, não é? — Ele chega ao fim da correspondência e me olha franzindo a testa ligeiramente.

— Becky, já chegou o extrato da nossa conta conjunta?

— Hmm... não. Ainda não. — Dou-lhe um sorriso tranqüilizador. — Acho que deve chegar amanhã.

Não é totalmente verdade. Nosso extrato chegou ontem, mas eu coloquei direto na minha gaveta de calcinhas. Estou ligeiramente preocupada com alguns itens, por isso vou ver se posso fazer alguma coisa para dar um jeito na situação. A verdade é que, apesar do que eu disse a Danny, estou achando meio complicado esse negócio de conta conjunta.

Não me entenda mal, sou a favor de compartilhar o dinheiro. De fato, com toda a sinceridade, eu *adoro* compartilhar o dinheiro de Luke. Isso me dá o maior barato! Só não gosto quando ele pergunta de repente: "Para que foram esses setenta dólares na Bloomingdale?", e eu não consigo lembrar. Por isso bolei uma reação tática totalmente nova. De tão simples, é brilhante: derramar alguma coisa no extrato para ele não conseguir ler.

— Vou tomar um banho — diz Luke, pegando a correspondência. E está quase saindo da sala quando pára. Lentamente se vira de volta e olha o armário de coquetéis como se o visse pela primeira vez. — O que é isso? — diz lentamente.

— Um armário de coquetéis! — respondo toda animada.

— De onde veio?

— Ele... é... na verdade, comprei hoje.

— Becky... — Luke fecha os olhos. — Pensei que a gente tinha combinado de não trazer mais bosta nenhuma.

— Não é uma bosta! É genuíno dos anos trinta! Nós podemos fazer coquetéis fantásticos toda noite! — Estou meio nervosa com a expressão dele, por isso começo a falar atabalhoadamente. — Olha, eu sei que nós combinamos de parar com os móveis. Mas isso é diferente. Puxa, quando a gente vê uma coisa exclusiva assim, tem de pegar!

Paro e mordo o lábio. Luke anda em silêncio para o armário. Passa a mão pelo tampo, depois pega uma coqueteleira com a boca apertada.

— Luke, só achei que seria divertido! Achei que você gostaria. O cara da loja disse que eu tenho bom gosto...

— Bom gosto... — ecoa Luke como se estivesse incrédulo.

Solto um som ofegante e grito quando ele joga a coqueteleira para o alto, e estou me encolhendo, esperando que ela pouse com um barulho enorme no chão — quando Luke pegaa habilmente. Danny e eu ficamos boquiabertos quando ele joga de novo, gira e faz com que ela role pelo braço.

Não acredito. Estou morando com Tom Cruise.

— Trabalhei de barman num verão — diz Luke, com o rosto se abrindo num sorriso.

— Me ensina! — grito empolgada. — Eu quero fazer isso!

— E eu! — diz Danny.

Ele pega a outra coqueteleira, faz com que ela gire desajeitadamente e joga para mim. Eu tento pegar, mas ela cai no sofá.

— Não está com nada! — zomba Danny. — Qual é, Becky... Precisa treinar para pegar o buquê no casamento.

— Não, não preciso!

— Claro que precisa. Você quer ser a próxima, não quer?

— Danny... — Tento dar um risinho sem graça.

— Vocês deveriam mesmo se casar — continua Danny, ignorando meus olhares furiosos. Ele pega a coqueteleira e começa a jogá-la de uma mão para a outra. — É perfeito. Olhem para vocês. Vocês moram juntos, não querem matar um ao outro, não são parentes... Eu poderia fazer um vestido *fabuloso*... — Ele pousa a coqueteleira com uma expressão subitamente concentrada. — Ei, escute, Becky. Prometa, se você se casar, eu posso fazer o seu vestido.

Isso é assustador. Se ele continuar assim, Luke vai achar que estou tentando pressioná-lo. Pode até achar que eu pedi a Danny para puxar o assunto deliberadamente.

Tenho de restabelecer o equilíbrio de algum modo. Rapidamente.

— Na verdade, não quero me casar — ouço-me falando. — Pelo menos nos próximos dez anos.

— Verdade? — Danny parece frustrado. — Não mesmo?

— É? — Luke ergue os olhos com uma expressão inescrutável. — Eu não sabia.

— Não? — respondo, tentando parecer casual. — Bem, agora sabe.

— Por que não quer se casar nos próximos dez anos? — pergunta Danny.

— Eu... — Pigarreio. — Por acaso há um monte de coisas que eu quero fazer antes. Quero me concentrar na minha carreira, quero... explorar todo o meu potencial... e... conhecer o meu eu verdadeiro antes... e... ser uma pessoa... hmm... inteira.

Paro e enfrento com um ligeiro desafio o olhar interrogativo de Luke.

— Sei — diz ele, assentindo. — Bem, isso parece bem sensato. — Ele olha a coqueteleira que está segurando, depois pousa-a. — É melhor eu ir fazer as malas.

Espere um minuto. Ele não deveria *concordar* comigo.

Dois

Chegamos ao aeroporto de Heathrow às sete horas da manhã seguinte e pegamos nosso carro alugado. Enquanto vamos até a casa dos pais de Suze em Hampshire, olho sonolenta pela janela, para o campo coberto de neve, as cercas vivas e os pequenos povoados, como se nunca os tivesse visto. Depois de Manhattan tudo parece minúsculo e meio... bonitinho. Pela primeira vez percebo por que os americanos chamam tudo na Inglaterra de "gracioso".

— Para onde agora? — pergunta Luke quando chegamos a outra pequena encruzilhada.

— Hmm... sem dúvida você vira à esquerda aqui. Quer dizer... direita. Não, quer dizer, esquerda.

Enquanto o carro balança, enfio a mão na bolsa e pego o convite, só para verificar o endereço exato.

Sir Gilbert e Lady Cleath-Stuart
contam com o prazer de sua companhia...

Olho, ligeiramente hipnotizada, para a letra grandiosa e cheia de arabescos. Meu Deus, ainda não acredito que Suze e Tarquin vão se casar.

Quer dizer, é claro que *acredito*. Afinal de contas, eles já estão namorando há quase um ano, e Tarquin praticamente se mudou para o apartamento que eu dividia com Suze — ainda que os dois pareçam estar passando cada vez mais tempo na Escócia. Eles são realmente um doce, e tranqüilos, e todo mundo concorda que formam um casal fantástico.

Mas só ocasionalmente, quando não estou me concentrando, minha mente grita de súbito: "O quêêê? Suze e Tarquin?"

Puxa, Tarquin era o primo esquisito de Suze. Durante anos ele era apenas aquele cara desajeitado que ficava no canto, com o paletó antiqüíssimo e uma tendência a cantarolar Wagner em lugares públicos. Era o cara que raramente se aventurava fora da segurança do seu castelo na Escócia — e quando fez isso foi para me levar no pior encontro de minha vida (se bem que nós não falamos mais a respeito).

Mas agora ele... bem, ele é namorado de Suze. Mesmo assim continua meio desajeitado, e ainda tendendo a usar suéteres de lã tricotados pela antiga babá. Ainda é meio malacabado. Mas Suze o adora, e é isso que importa.

Exatamente como Bagpuss.

Ah, meu Deus, ainda não posso começar a chorar. Tenho de segurar as pontas.

— Harborough Hall — diz Luke, parando diante de dois pilares de pedra meio desmoronando. — É isso?

— Hmm... — fungo, e tento parecer eficiente. — É, é isso. Entre.

Eu já estive um monte de vezes na casa de Suze, mas sempre me esqueço de como ela é impressionante. Vamos por uma comprida avenida ladeada por árvores e entramos num grande estacionamento de cascalho. A casa é grande e cinza, e de aparência antiga, com colunas na frente e hera crescendo nas paredes.

— Bela casa — diz Luke enquanto vamos para a porta da frente. — Qual é a idade dela?

— Não sei — digo vagamente. — É da família há anos.

Puxo a corda da sineta para ver se, por alguma chance remota, foi emendada. Mas, obviamente, não foi. Bato duas vezes com a aldrava pesada. E quando nem isso adianta empurro a porta e entro no enorme saguão com piso de pedra, onde um velho labrador está dormindo perto de uma lareira crepitante.

— Olá? — grito. — Suze?

De repente noto que o pai de Suze também está dormindo perto da lareira, numa poltrona enorme. Tenho um pouco de medo do pai de Suze. Certamente não quero acordá-lo.

— Suze? — digo um pouco mais baixo.

— Bex! Achei que tinha ouvido alguma coisa!

Levanto os olhos — e ali está Suze no topo da escada, usando um roupão xadrez com os cabelos louros se derramando pelas costas e um sorriso empolgado.

— Suze!

Subo a escada correndo e lhe dou um abraço enorme. Quando me afasto, nós duas estamos meio rosadas em volta dos olhos, e eu dou um riso trêmulo. Meu Deus, como senti saudade de Suze, mais do que percebia.

— Venha ao meu quarto! — diz Suze, puxando minha mão. — Venha ver o meu vestido!

— Ele é lindo de verdade? — pergunto empolgada. — Na foto parecia incrível.

— É simplesmente perfeito! E você *tem* de ver, eu tenho um negócio tipo um espartilho chiquésimo da Rigby and Peller... e os sapatos são estupendos...

Luke pigarreia, e nós duas giramos.

— Ah! — diz Suze. — Desculpe, Luke. Tem café, jornais e tudo o mais na cozinha, ali. — Ela aponta na direção de um corredor. — Você pode comer bacon e ovos, se quiser! A Sra. Gearing faz para você.

— A Sra. Gearing parece meu tipo de mulher — diz Luke com um sorriso. — Vejo vocês depois.

O quarto de Suze é claro, arejado e dá para o jardim. Eu digo "jardim". São uns cinco mil hectares, com gramados indo dos fundos da casa até um bosque de cedros e um lago, onde Suze quase se afogou quando tinha três anos. Também há um roseiral murado, todo de canteiros, caminhos de cascalho e cercas vivas, onde Tarquin pediu Suze em casamento. (Parece que ele se abaixou num dos joelhos e quando se levantou o cascalho estava grudado na calça. Isso é *a cara* do Tarquin.) À direita há uma antiga quadra de tênis e depois grama rústica, indo até uma cerca viva, atrás da qual fica o cemitério da igreja do povoado. Quando olho pela janela agora, posso ver uma tenda enorme brotando atrás da casa e um caminho coberto que está sendo montado, que vai serpentear passando pela quadra de tênis e pelo gramado, até o portão do pátio da igreja.

— Você não vai andar até a igreja, vai? — pergunto, subitamente com medo dos sapatos Emma Hope de Suze.

— Não, sua boba! Vou de carruagem. Mas todos os convidados podem voltar andando até a casa, e haverá gente servindo uísque quente enquanto elas caminham.

— Meu Deus, vai ser espetacular! — digo, olhando um homem de jeans batendo uma estaca no chão. E mesmo contra a vontade não consigo deixar de sentir uma pontada de inveja. Sempre sonhei em ter um casamento gigantesco, espantoso, com cavalos, carruagens e muito estardalhaço.

— Eu sei! Não vai ser incrível? — Suze dá um riso feliz. — Agora eu preciso escovar os dentes...

Ela desaparece no banheiro e eu vou até a penteadeira, onde o anúncio do noivado está preso no espelho. A honorável Susan

Cleath-Stuart e o honorável Tarquin Cleath-Stuart. Nossa. Eu sempre esqueço como Susan é grandiosa.

— Eu quero um título — digo, enquanto Suze volta para o quarto segurando uma escova de cabelo. — Estou me sentindo excluída. Como é que faço?

— Ahh, não, você não quer — diz Suze, franzindo o nariz. — É uma bosta. As pessoas mandam cartas dizendo Cara Srta. Hon.

— Mesmo assim, seria chique. O que eu poderia ser?

— Hmm... — Suze puxa um nó no cabelo. — Dame Becky Bloom?

— Isso me faz parecer com uns noventa e três anos — digo em dúvida. — Que tal... Becky Bloom, MEB? Esses MEB são fáceis de conseguir, não é?

— Moleza — diz Suze, como um segredo. — Você pode conseguir um por serviços prestados à indústria, ou algo assim. Eu poderia indicá-la, se quiser. Agora venha, quero ver o seu vestido.

— Certo! — Ponho minha mala na cama, abro e cuidadosamente retiro a criação de Danny. — O que acha? — Seguro-o com orgulho de encontro ao corpo e faço a seda farfalhar em volta. — É bem legal, não é?

— Fantástico! — diz Suze, olhando-o arregalada. — Nunca vi uma coisa assim! — Ela passa os dedos nas lantejoulas do ombro. — Onde conseguiu? É da Barneys?

— Não, este é do Danny. Lembra? Eu disse que ele estava fazendo um vestido para mim.

— Isso mesmo! — Ela franze o rosto. — Mas quem é o Danny?

— Meu vizinho de cima. O estilista. Aquele com quem a gente trombou na escada daquela vez, lembra?

— Ah, sim. Lembro.

Mas, pelo modo como ela diz, vejo que não se lembra de verdade.

Não posso culpá-la — ela só se encontrou com Danny por uns dois minutos. Ele estava indo visitar os pais em Connecticut e ela estava com um tremendo *jet-lag* na hora, e os dois mal se falaram. Mesmo assim é estranho pensar que Suze não conhece Danny e que ele não a conhece, quando os dois são tão importantes para mim. É como se eu tivesse vidas completamente separadas e, quanto mais tempo fico em Nova York, mas elas se separam.

— Certo, aqui está o meu — diz Suze, empolgada.

Ela abre uma porta do armário e puxa o zíper de uma capa de tecido — e ali está um vestido simplesmente estonteante, todo de seda e veludo branco, com mangas compridas e uma cauda tradicional.

— Meu Deus, Suze — digo, ofegante, com a garganta apertada. — Você vai ficar completamente linda. Ainda não acredito que você vai se casar! Sra. Cleath-Stuart.

— Aaah, não me chame assim! — Suze franze o nariz. — Fico parecendo minha mãe. Mas na verdade *é* bem prático se casar com alguém da família. — Ela fecha o armário. — Porque eu posso manter o nome e pegar o dele, ao mesmo tempo. Por isso posso continuar sendo S C-S nas minhas molduras. — Ela enfia a mão numa caixa de papelão e tira uma linda moldura de vidro, toda de espirais e redemoinhos. — Olha, essa é da nova coleção.

A carreira de Suze é criando molduras para fotos, que vendem em todo o país, e no ano passado ela diversificou para álbuns de fotografia, papel de embrulho e caixas de presente.

— Todo o tema é a partir de formas de conchas — diz ela com orgulho. — Você gosta?

— É linda! — digo passando o dedo pelas espirais. — Como pensou nisso?

— Na verdade foi Tarkie que deu a idéia! A gente estava passeando um dia e ele disse que catava conchas quando era criança, e falou de todas as formas incríveis da natureza... e então a coisa me bateu!

Encarei seu rosto, todo iluminado, e tive uma imagem súbita de Suze e Tarquin andando de mãos dadas pelas charnecas, usando suéteres Aran da Scotch House.

— Suze, você vai ser muito feliz com Tarquin — digo com sinceridade.

— Você acha? — Ela fica ruborizada de prazer. — Verdade?

— Sem dúvida. Quer dizer, olha só para você! Está simplesmente iluminada!

O que é verdade. Eu não tinha notado antes, mas ela parece totalmente diferente da Suze antiga. Ainda tem o mesmo nariz delicado e os malares altos, mas o rosto está mais redondo, mais suave. E ainda está magra, mas há uma espécie de arredondamento... quase um...

Meu olhar desce pelo seu corpo e pára.

Espera um minuto.

Não. Certamente...

Não.

— Suze?

— Sim?

— Suze, você está... — Engulo em seco. — Você não está... grávida?

— Não! — responde ela indignada. — Claro que não! Honestamente, o que foi que lhe deu... — Ela encontra meu olhar, pára, e dá de ombros. — Ah, então certo, estou. Como adivinhou?

— Como adivinhei? Pelo seu... quer dizer, você *parece* grávida.

— Não pareço não! Ninguém adivinhou.

— Devem ter adivinhado. É completamente óbvio!

— Não é! — Ela encolhe a barriga e se olha no espelho. — Está vendo? E assim que eu colocar meu espartilho Rigby and Peller...

Não consigo fazer a cabeça entender. Suze está grávida!

— Então... é segredo? Seus pais não sabem?

— Ah, não! Ninguém sabe. Nem Tarkie. — Ela faz uma careta. — É meio cafona estar grávida no dia do casamento, não acha? Pensei em fingir que o neném foi feito na lua-de-mel.

— Mas você deve estar com pelo menos três meses.

— Quatro. Deve nascer no início de junho.

Encaro-a.

— Então como vai fingir que ele foi feito na lua-de-mel?

— Bem... — Ela pensa um momento. — Pode ser um pouquinho prematuro.

— Quatro *meses*?

— Ninguém vai notar! Você sabe como meus pais são desligados.

É verdade. Uma vez eles chegaram ao internato de Suze para pegá-la no fim de um semestre — o que seria ótimo, só que ela havia saído da escola há dois anos.

— E Tarquin?

— Ah, ele provavelmente nem sabe quanto tempo isso leva — diz Suze despreocupada. — Ele é acostumado com a fazenda de ovelhas, e os carneirinhos só levam uns cinco meses para nascer. Vou dizer a ele que os seres humanos são iguais. — Ela pega a escova de novo. — Sabe, uma vez eu disse a ele que as mulheres precisam comer chocolate duas vezes por dia, para não desmaiar, e ele acreditou piamente.

Suze está certa pelo menos num ponto. Assim que tiver se espremido no espartilho não será possível ver o volume. De fato, quando nós duas nos sentamos diante de sua penteadeira na manhã do casamento, rindo empolgadas uma para a outra, ela parece *mais magra* do que eu. O que é meio injusto.

Tivemos dois dias fantásticos relaxando, assistindo a vídeos antigos e comendo chocolate KitKat sem parar. (Suze está comendo por dois, e eu preciso de energia depois do vôo transatlântico.) Luke trouxe trabalho para fazer e passou a maior parte do tempo na biblioteca — mas pela primeira vez não me importo. Está sendo ótimo passar um tempo com Suze. Ouvi tudo sobre o apartamento que ela e Tarquin estão comprando em Londres e vi fotos do hotel estupendo em Antigua, onde ela e Tarquin vão passar a lua-de-mel, e experimentei a maioria das roupas novas do seu armário.

Há um monte de coisa acontecendo na casa, com floristas, fornecedores de bufês e parentes chegando a cada minuto. O que é meio estranho é que ninguém da família parece particularmente incomodado com isso. A mãe de Suze esteve fora caçando nos dois dias em que estou aqui, e o pai fica no escritório. A Sra. Gearing, a governanta, é quem ficou organizando a tenda, as flores e tudo — e até ela parece bastante relaxada. Quando perguntei a Suze, limitou-se a dar de ombros e disse:

— Acho que estamos acostumados a dar grandes festas.

Ontem à noite houve um grandioso coquetel para um monte dos parentes de Suze e Tarquin que vieram da Escócia, e eu esperava que todo mundo estivesse falando do casamento, pelo menos. Mas a cada vez que eu tentava empolgar alguém com relação às flores, ou sobre como aquilo era romântico, recebia olhares vazios. Só quando Suze mencionou que Tarquin iria comprar um cavalo para ela como presente de casamento todos se animaram de súbito, e começaram a falar sobre criadores que conheciam, sobre cavalos que tinham comprado e como um grande amigo tinha uma jovem égua castanha fantástica, pela qual Suze talvez se interessasse.

Puxa, honestamente, ninguém nem me *perguntou* como era o meu vestido.

De qualquer modo, não me importo, porque ele é maravilhoso. Nós duas estamos maravilhosas. Ambas fomos maquiadas por um artista fantástico, e o cabelo está penteado com coques altos. O fotógrafo tirou supostas fotos "naturalistas", comigo abotoando o vestido de Suze (ele nos fez repetir três vezes, e no final meus braços estavam doendo). E agora Suze está soltando ahs e ohs tentando se decidir entre umas seis tiaras de família enquanto eu tomo uns goles de champanha. Só para não ficar nervosa.

— E sua mãe? — diz a cabeleireira a Suze, enquanto puxa fiapos em volta de seu rosto. — Ela não quer fazer uma escova?

— Duvido — diz Suze, fazendo careta. — Ela não é chegada a esse tipo de coisa.

— O que ela vai usar? — pergunto.

— Só Deus sabe. A primeira coisa em que encostar a mão, acho. — Suze me encara, e eu faço uma careta de simpatia. Ontem à noite a mãe de Suze desceu para o coquetel vestindo uma saia camponesa e um agasalho de lã estampada, com um grande broche de diamante na frente. Veja bem, a mãe de Tarquin estava ainda pior. Realmente não sei de onde Suze conseguiu tirar seu sentido de estilo.

— Bex, será que você não podia dar um jeito para que ela

não ponha nenhum vestido de jardinagem hediondo? — diz Suze. — Ela vai ouvir você, sei que vai.

— Bem... certo — digo em dúvida. — Vou tentar.

Quando saio do quarto, vejo Luke vindo pelo corredor com seu fraque e calças listradas.

— Você está muito linda — diz ele com um sorriso.

— Estou? — Faço um pequeno rodopio. — É um belo vestido, não é? E cai muito bem...

— Eu não estava olhando o vestido. — Os olhos de Luke encontram os meus com um brilho maroto, e sinto um tremor de prazer. — Suze está decente? — pergunta ele. — Eu só queria desejar sorte.

— Ah, sim. Entre. Ei, Luke, você nunca vai adivinhar!

Nos últimos dois dias eu estava morrendo de vontade de contar a Luke sobre o bebê de Suze, e agora as palavras saem antes que eu possa evitar.

— O quê?

— Ela... — Ah, meu Deus, não posso contar a ele. Não posso. Suze vai me matar. — Ela... arranjou um vestido de noiva realmente lindo — termino sem graça.

— Bom! — diz Luke, dando-me um olhar curioso. — Isso é que é uma surpresa. Bem, só vou entrar para dar uma palavrinha. Vejo você depois.

Cautelosamente vou até o quarto da mãe de Suze e bato de leve.

— Oláááá? — troveja uma voz de volta, e a porta é escancarada por Caroline, a mãe de Suze. Ela deve ter um metro e noventa de altura, com pernas compridas e magras, cabelos grisalhos num coque e rosto marcado pelo tempo, que se abre num sorriso quando me vê.

— Rebecca! — estrondeia ela, e olha o relógio. — Ainda não está na hora, está?

— Ainda não! — Dou um sorriso cauteloso e uma sacada em sua roupa, um suéter azul-marinho antiqüíssimo, culote e botas de montaria. Ela tem uma figura incrível para uma mulher da sua idade. Não é de espantar que Suze seja tão magra. Olho o quarto em volta, mas não posso ver nenhuma caixa de roupa ou de chapéu.

— Então, é... Caroline... eu estava imaginando o que você planeja usar hoje. Como mãe da noiva!

— Mãe da noiva? — Ela me encara. — Santo Deus, eu acho que sou. Não tinha pensado nisso desse modo.

— Certo! Então você... não tem uma roupa especial pronta?

— É meio cedo para estar me vestindo, não é? — diz Caroline. — Só vou enfiar alguma coisa antes da gente sair.

— Bem, por que você não me deixa ajudá-la a escolher? — digo com firmeza, e vou para o armário. Abro as portas, me preparando para um choque. E fico boquiaberta de espanto.

Não acredito. Esta tem de ser a coleção de roupas mais extraordinária que já vi. Trajes de montaria, vestidos de baile e conjuntos estilo anos trinta disputam espaço com sáris indianos, ponchos mexicanos... e uma extraordinária variedade de bijuterias tribais.

— Essas roupas! — digo, ofegante.

— Eu sei. — Caroline olha para elas, sem dar importância. — Um monte de lixo velho.

— *Lixo* velho? Meu Deus, se eu achasse alguma coisa dessas num antiquário em Nova York... — Pego um casaco de cetim azul-claro com acabamento de fita. — Isto é fantástico.

— Você gosta? — diz Caroline, surpresa. — Pode levar.

— Eu não poderia aceitar!

— Menina, eu não quero.

— Mas o valor sentimental... Quer dizer, suas lembranças...

— Minhas lembranças estão aqui. — Ela bate na cabeça. – Não aí. — Ela examina a confusão de roupas, depois pega um pequeno pedaço de osso numa tira de couro. — Bom, *disso* eu gosto.

— Isso? — digo tentando demonstrar um pouco de entusiasmo. — Bem, é...

— Foi me dado por um chefe masai, há muitos anos. Nós estávamos viajando de carro ao alvorecer, para achar uma manada de elefantes, quando um chefe nos fez parar. Uma mulher estava com febre depois de ter dado à luz. Nós ajudamos a baixar a temperatura e a tribo nos homenageou com presentes. Já esteve em Masai Mara, Rebecca?

— Hmm... não. Na verdade nunca estive na...

— E essa coisinha linda. — Ela pega uma bolsinha bordada. — Comprei num mercado de rua em Konya. Barganhei com meu último maço de cigarros antes de fazermos uma caminhada subindo o Nemrut Dagi. Já esteve na Turquia?

— Não, também não — digo, sentindo-me bastante inadequada. Meu Deus, como viajei pouco! Reviro a mente, tentando pensar em algum lugar onde estive e que possa impressioná-la. Mas é uma lista muito débil. Algumas vezes na França, Espanha, Creta... E só. Por que não estive em algum lugar empolgante? Por que não fiz caminhadas na Mongólia?

Pensando bem, eu ia à Tailândia uma vez. Mas decidi ir à França e gastar numa bolsa Lulu Guinness o dinheiro das minhas economias.

— Na verdade, não viajei muito — admito com relutância.

— Pois precisa, querida! — estrondeia Caroline. — Deve ampliar seus horizontes. Aprender a vida com pessoas de verdade. Uma das amigas mais queridas que tenho no mundo é uma camponesa boliviana. Nós moemos milho juntas nas planícies dos Llanos.

— Uau.

Um pequeno relógio sobre a lareira bate a meia hora, e de repente percebo que não estamos indo a lugar nenhum.

— E então... tem alguma idéia para uma roupa de casamento?

— Alguma coisa quente e colorida — diz Caroline, pegando um grosso poncho vermelho e amarelo.

— Hmmm... Não sei se seria totalmente adequado... — Enfio-me entre os casacos e vestidos, e de repente vejo um clarão de seda damasco. — Ahh! Isso é lindo.

Trago-o para fora e não acredito. É Balenciaga.

— Minha roupa de sair — diz Caroline, numa reminiscência. — Viajamos pelo Expresso do Oriente até Veneza, depois exploramos as cavernas de Postojna. Conhece aquela região?

— Você tem de usar isso! — digo, com a voz subindo até um grasnido de empolgação. — Vai ficar espetacular. E é tão romântico, usar sua roupa de sair!

— Acho que talvez seria divertido. — Ela o segura de encontro ao corpo com mãos vermelhas marcadas pelo tempo, que me fazem encolher sempre que as olho. — Ainda deve caber, não é? Bom, deve haver um chapéu por aí, em algum lugar... — Ela deixa a roupa de lado e começa a remexer numa prateleira.

— Então... você deve estar bem feliz com a Suze — falo, pegando um espelho de mão, esmaltado, e examinando-o.

— Tarquin é um garoto querido. — Ela se vira e bate confidencialmente no nariz adunco. — Muito bem-dotado.

Isso é verdade. Tarquin é a décima quinta pessoa mais rica

do país, ou algo do tipo. Mas estou meio surpresa em perceber que foi a mãe de Suze que puxou o assunto.

— Bem, sim... — digo. — Se bem que não acho que Suze realmente precise do dinheiro...

— Não estou falando do dinheiro! — Ela me dá um sorriso de quem sabe das coisas, e de repente percebo o que é.

— Ah! — sinto-me ruborizando furiosamente. — Certo! Sei!

— Ah, todos os homens Cleath-Stuart são assim São famosos por isso. Nunca houve um divórcio na família — acrescenta ela, enfiando um chapéu de feltro verde na cabeça.

Nossa. Agora vou olhar Tarquin de um modo meio diferente.

Demoro um tempo para persuadir Caroline a trocar o chapéu de feltro verde por um chique cloche preto. Enquanto volto pelo corredor para o quarto de Suze, ouço algumas vozes familiares no corredor embaixo.

— Todo mundo sabe. A febre aftosa foi causada por pombos-correio.

— Pombos? Está me dizendo que essa epidemia gigantesca que acabou com rebanhos de gado por toda a Europa foi causada por alguns pombos inofensivos?

— Inofensivos? Graham, eles são bichos daninhos!

Mamãe e papai! Corro até a balaustrada — e ali estão eles, parados perto da lareira. Papai está de fraque e calças listradas, com uma cartola debaixo do ombro, e mamãe está vestida com um casaco azul-marinho, saia floral e sapatos vermelhos que não combinam exatamente com o chapéu vermelho.

— Mamãe?

— Becky!

— Mamãe! Papai! — Desço correndo a escada e envolvo

os dois num abraço, respirando o cheiro familiar de talco Yardley e Tweed.

Essa viagem está ficando mais emocional a cada minuto. Não vejo meus pais desde que eles foram me visitar em Nova York há quatro meses. E mesmo então eles só ficaram por três dias, antes de ir para a Flórida ver os Everglades.

— Mamãe, você está incrível! Fez alguma coisa no cabelo?

— Maureen pôs umas luzes — diz ela, parecendo satisfeita. — E ainda fui hoje cedo até a casa de Janice para ela fazer meu rosto. Sabe, ela fez um curso de maquiagem profissional. É uma verdadeira especialista!

— Dá pra... ver! — digo debilmente, olhando as tiras vívidas de blush e corretivo pintadas nas bochechas de mamãe. Talvez eu consiga limpá-las acidentalmente de propósito.

— Então, Luke está aqui? — pergunta mamãe, olhando em volta com os olhos enormes, como um esquilo procurando uma noz.

— Por aí — digo. E mamãe e papai trocam olhares.

— Mas ele está aqui? — Mamãe dá um risinho tenso. — Vocês vieram no mesmo avião, não foi?

— Mamãe, não se preocupe. Ele está aqui. Verdade.

Mamãe ainda não parece convencida — e honestamente não posso culpá-la. A verdade é que houve um incidente de nada no último casamento em que estivemos todos. Luke não apareceu, e eu fiquei completamente desesperada, e acabei... hmm...

Bem. Foi só uma mentirinha de nada. Quer dizer, ele *poderia* estar lá, no meio de toda aquela gente. E se não fosse aquela estúpida foto em grupo ninguém jamais saberia.

— Sra. Bloom! Olá!

Ali está Luke, passando pela porta da frente. Graças a Deus.

— Luke! — Mamãe dá um riso que é um trinado cheio de alívio. — Você está aqui! Graham, ele está aqui!

— Claro que está! — diz meu pai, revirando os olhos. — Onde acha que ele estava? Na lua?

— Como vai, Sra. Bloom? — diz Luke, com um sorriso, e lhe dá um beijo na bochecha.

— Ora, Luke, você deve me chamar de Jane. Eu já disse.

O rosto de mamãe está rosa de felicidade, e ela está agarrando o braço de Luke como se ele pudesse desaparecer numa explosão de fumaça. Ele me dá um sorrisinho, e eu sorrio feliz de volta. Estava ansiando há tanto tempo por esse dia, e agora chegou. É como o Natal. De fato, é melhor do que o Natal. Pela porta da frente aberta posso ver convidados do casamento passando pelo cascalho coberto de neve, de fraque e chapéus elegantes, e há uma espécie de atmosfera empolgada, cheia de expectativa.

— E onde está a noivinha? — pergunta papai.

— Aqui — diz a voz de Suze. Todos olhamos para cima. E ali está ela, flutuando escada abaixo, segurando um estonteante buquê de rosas e hera.

— Ah, Suzie — diz mamãe, e aperta a boca com a mão. — Ah, que vestido! Ah... Becky! Você vai ficar... — Ela se vira para mim com olhos suavizados e pela primeira vez parece ver meu vestido. — Becky... é isso que você vai usar? Vai congelar!

— Não vou não. A igreja vai ter aquecimento.

— É lindo, não é? — diz Suze. — Tão incomum.

— Mas é só uma camiseta! — Ela dá um puxão insatisfeito na manga. — E o que é essa parte esgarçada? Nem tem um acabamento decente!

— Foi feita sob encomenda — explico. — É completamente único.

— Único? Você não tem de ficar igual às outras?

— Não há outras — explica Suze. — A única pessoa que

eu teria convidado é a irmã de Tarquin, Fenny. Mas ela disse que se fosse dama de honra de novo acabaria com as chances de se casar. Vocês conhecem o ditado: "Três vezes como dama..." Bem, ela já foi umas noventa e três vezes! E está de olho num cara que trabalha na City, por isso não quer se arriscar.

Há um silêncio curto. Dá pra ver o cérebro de mamãe trabalhando intensamente. Ah, meu Deus, *por favor*, não...

— Becky, meu amor, quantas vezes você foi dama de honra? — diz ela, um tanto casualmente. — Houve o casamento do tio Malcolm e da tia Sylvia... mas acho que foi só, não foi?

— E de Ruthie e Paul — lembro.

— Nesse você não foi dama — diz mamãe imediatamente. — Foi... menina das flores. Então são duas vezes, incluindo hoje. É, duas.

— Você ouviu isso, Luke? — diz papai com um riso. — Duas.

Honestamente, *qual é* a dos meus pais?

— Bem, de qualquer modo! — digo, tentando rapidamente mudar de assunto. — Então... é...

— Claro que Becky tem uns bons dez anos antes de precisar ficar preocupada com uma coisa assim — diz Luke em tom casual.

— O quê? — Mamãe enrijece, e seus olhos saltam de Luke para mim, e de volta. — O que disse?

— Becky quer esperar pelo menos dez anos antes de se casar — diz Luke. — Não é, Becky?

Há um silêncio perplexo. Posso sentir meu rosto ficando quente.

— Hmm... — Pigarreio e tento dar um sorriso despreocupado. — É... é isso mesmo.

— Verdade? — diz Suze, encarando-me arregalada. — Eu nunca soube disso. Por quê?

— Para eu poder... é... explorar todo o meu potencial — murmuro, não ousando olhar para mamãe. — E... conhecer meu eu verdadeiro.

— Conhecer seu eu verdadeiro? — A voz de mamãe está ligeiramente esganiçada. — Por que precisa de dez anos para isso? Eu poderia lhe mostrar em dez minutos!

— Mas Bex, quantos anos vai ter daqui a dez anos? — diz Suze, franzindo a testa.

— Não precisam ser dez anos exatamente — digo, sentindo-me meio irritada. — Sabe, talvez... oito bastem.

— Oito? — Mamãe parece que quer irromper em lágrimas.

— Luke — diz Suze, parecendo perturbada. — Você sabia disso?

— Falamos a respeito um dia desses — diz Luke com um sorriso tranqüilo.

— Mas eu não entendo — insiste ela. — E quanto a...

— À hora? — corta Luke rapidamente. — Você está certa. Acho que devemos ir andando. Sabiam que são cinco para as duas?

— Cinco minutos? — De repente Suze fica petrificada. — Verdade? Mas eu não estou pronta! Bex, onde estão as suas flores?

— É... no seu quarto, eu acho. Coloquei em algum lugar...

— Bem, vá pegar! E papai está onde? Ah, merda, eu quero um cigarro...

— Suze, você não pode *fumar*! — digo horrorizada. — É ruim para o... — E paro bem na hora.

— Para o vestido? — sugere Luke, solícito.

— É. Ela poderia... deixar cair uma cinza.

Depois de achar minhas flores no quarto de Suze, refazer o batom e descer a escada de novo, só resta Luke no saguão.

— Seus pais já foram — diz ele. — Suze disse que nós também temos de ir, e que ela vai chegar com o pai, de carruagem. E achei um casaco para você — acrescenta ele, pegando uma jaqueta de pele de carneiro. — Sua mãe está certa, você não pode ir andando assim.

— Ah — concordo com relutância. — Mas vou tirar quando chegar à igreja.

— A propósito, sabia que o seu vestido está se descosturando atrás? — diz ele enquanto me ajuda a vestir a jaqueta.

— Verdade? — Olho-o consternada. — Está horroroso?

— Parece muito bonito. — A boca de Luke se retorce num sorriso. — Mas talvez você precise de um alfinete de segurança depois do casamento.

— Danny desgraçado! — balanço a cabeça. — Eu sabia que deveria ter optado pelo Donna Karan.

Enquanto Luke e eu caminhamos sobre o cascalho até o caminho coberto pela tenda, o ar está imóvel e silencioso, e um sol aquoso está saindo. O toque dos sinos se reduziu a um único tilintar, e não há ninguém a não ser um único garçom apressado. Todo mundo já deve estar na igreja.

— Desculpe se puxei um assunto delicado naquela hora — diz Luke enquanto começamos a andar para a igreja.

— Delicado? — Levanto as sobrancelhas. — Ah, o quê, *aquilo*? Não é um assunto nem um pouco delicado!

— Sua mãe ficou meio chateada...

— Mamãe? Honestamente, ela não se incomoda. De fato... ela estava de brincadeira!

— Brincadeira?

— É — digo um tanto desafiadora. — Brincadeira.

— Sei. — Luke segura meu braço quando tropeço ligeiramente no tapete de fibra de coco. — Então você ainda está decidida a esperar oito anos antes de se casar.

— Sem dúvida — assinto. — Pelo menos oito anos.

Andamos mais um pouco em silêncio. À distância posso ouvir cascos no cascalho, deve ser a carruagem de Suze partindo.

— Ou, sabe, talvez seis — acrescento casualmente. — Ou... quem sabe cinco. Tudo depende.

Há outro longo silêncio, rompido apenas pelo som suave e rítmico dos nossos passos no caminho. A atmosfera entre nós está ficando bem estranha, e não ouso olhar para Luke. Pigarreio e esfrego o nariz, e tento pensar num comentário sobre o tempo.

Chegamos ao portão da igreja, e Luke se vira e me olha — e de repente seu rosto está desprovido da expressão zombeteira de sempre.

— Sério, Becky — diz ele. — Você realmente quer esperar cinco anos?

— Eu... não sei — digo confusa. — Você quer?

Há um momento de silêncio imóvel entre nós, e meu coração começa a martelar.

Ah, meu Deus. Ah, meu Deus. Talvez ele vá... talvez ele esteja para...

— Ah! A dama de honra! — O vigário sai do pórtico e Luke e eu damos um pulo. — Tudo pronto para começarmos?

— Eu... é... acho que sim — digo, cônscia do olhar de Luke. — Sim.

— Bom! É melhor você entrar! — acrescenta o vigário para Luke. — Não vai querer perder a ocasião!

— Não — diz ele depois de uma pausa. — Não, não vou.

Luke dá um beijo no meu ombro e entra sem dizer mais nada, e eu fico olhando, ainda completamente confusa.

Será que nós acabamos de falar sobre... Será que Luke realmente estava dizendo...

Então há o som de cascos, e sou arrancada do devaneio. Viro-me e vejo a carruagem de Suze vindo pela estrada como algo saído de um conto de fadas. Seu véu está voando ao vento e ela está sorrindo radiante para algumas pessoas que pararam para olhar, e eu nunca a vi mais linda.

Honestamente, não estava planejando chorar. De fato, já havia até planejado um modo de me impedir isso, recitando o alfabeto de trás para a frente com sotaque francês. Mas enquanto ajudo Suze a ajeitar sua cauda sinto umidade em volta dos olhos. E quando a música do órgão cresce e nós começamos a entrar lentamente na igreja apinhada, tenho de fungar com força a cada dois compassos, junto com o órgão. Suze está segurando com força o braço do pai e a cauda desliza pelo velho chão de pedras. Eu venho logo atrás, tentando não fazer barulho com os saltos dos sapatos e esperando que ninguém note que meu vestido está descosturando.

Chegamos à frente — e ali está Tarquin, esperando, com o seu padrinho. Ele parece alto e ossudo como sempre, e o rosto ainda me faz lembrar uma fuinha, mas tenho de admitir que ele está bem impressionante com a bolsa de couro e o *kilt* escocês. E agora está olhando para Suze com amor e admiração tão transparentes que posso sentir o nariz começando a comichar de novo. Ele se vira brevemente, encontra meu olhar e ri nervoso — e eu dou um sorrisinho embaraçado de volta. Para ser honesta, nunca poderei olhá-lo de novo sem pensar no que Caroline disse.

O vigário começa seu discurso do "Meus amados", e eu me sinto relaxar de prazer. Vou adorar cada palavra familiar. É como olhar o início de um filme predileto, com meus dois melhores amigos fazendo os papéis principais.

— Susan, aceita este homem como seu legítimo esposo? — O vigário tem sobrancelhas gigantescas e hirsutas, que ele ergue a cada pergunta, como se tivesse medo de que a resposta fosse "não". — Para amá-lo, confortá-lo, honrá-lo na saúde e na doença, até que a morte os separe?

Há uma pausa, e então Suze diz:

— Sim — numa voz clara como um sino.

Eu gostaria de que as damas de honra tivessem de dizer alguma coisa. Não teria de ser muito. Só um rápido "Sim" ou "Aceito".

Quando chegamos à parte em que Suze e Tarquin precisam dar as mãos, Suze me entrega seu buquê, e aproveito a oportunidade para girar e olhar rapidamente para as pessoas nos bancos. O lugar está totalmente apinhado, de fato não há espaço para todo mundo se sentar. Há um monte de homens de *kilt* e mulheres com roupas de veludo, e lá está Fenny e toda uma turma dos seus amigos de Londres, todos usando chapéus Philip Treacy, pelo que parece. E lá está mamãe espremida contra papai, também com um lenço encostado nos olhos. Ela ergue os olhos para mim e eu sorrio — mas ela apenas soluça de novo.

Viro-me de volta, e Suze e Tarquin estão se ajoelhando, e o vigário está entoando severamente:

— O que Deus uniu o homem não há de separar.

Olho para Suze e ela dá um sorriso radiante para Tarquin. Está completamente perdida nele. Agora pertence a ele. E, para minha surpresa, sinto-me ligeiramente vazia por dentro. Suze está casada. Tudo mudou.

Faz um ano que fui morar em Nova York, e adorei cada minuto. Claro que adorei. Mas subconscientemente, percebo, sempre deixei no fundo da cabeça a idéia de que, se tudo desse errado, eu sempre poderia voltar a Fulham e ter minha vida antiga com Suze. E agora... não posso.

Suze não precisa mais de mim. Tem outra pessoa, que sempre virá em primeiro lugar na sua vida. Olho o vigário pôr as mãos em cima da cabeça de Suze e de Tarquin para abençoá-los

— e minha garganta fica ligeiramente apertada quando me lembro de todo o tempo que passamos junto. A ocasião em que fiz uma horrível comida indiana para economizar dinheiro e ela ficou dizendo que estava deliciosa, enquanto sua boca queimava. A vez em que ela tentou seduzir meu gerente de banco para ele aumentar meu limite de saque a descoberto. Sempre que eu entrava em encrenca, ela estava ali para ajudar.

E agora tudo estava acabado.

De repente sinto necessidade de um pouco de conforto. Viro-me e rapidamente examino as fileiras de convidados, procurando o rosto de Luke. Por alguns instantes não consigo ver e, mesmo que eu continue com o sorriso confiante, sinto um pânico ridículo crescendo por dentro, como uma criança que percebeu que foi deixada na escola; que todo mundo foi apanhado na saída, menos ela.

Até que de repente o vejo. De pé atrás de uma coluna perto dos fundos, alto, moreno e sólido, os olhos fixos nos meus. Olhando para mim e ninguém mais. E quando olho de volta para ele, sinto alívio. Eu também fui apanhada; tudo bem.

Saímos no adro, com o som de sinos atrás, e uma multidão que se juntou do lado de fora começa a aplaudir.

— Parabéns!— grito, dando um enorme abraço em Suze. — E para você também, Tarquin!

Sempre fiquei meio sem jeito perto de Tarquin. Mas agora que o vejo com Suze, casado com Suze, a falta de jeito parece se dissolver.

— Sei que vocês vão ser felizes de verdade — digo calorosamente, e dou um beijo em cada bochecha dele, e nós dois rimos enquanto alguém joga confete. Os convidados já estão se amontoando do lado de fora da igreja como doces saindo de um vidro, falando, rindo e chamando uns aos outros em vozes altas e confiantes. Apinham-se em volta de Suze e Tarquin, beijando, abraçando e apertando mãos, e eu me afasto um pouquinho, imaginando onde Luke estará.

Todo o adro está cheio de gente, e não posso deixar de olhar para alguns parentes de Suze. Sua avó está saindo da igreja muito devagar e com movimentos régios, segurando uma bengala, e é seguida por um rapaz de fraque, com aparência obediente. Uma garota magra e pálida, com olhos enormes, está usando um gigantesco chapéu preto, segurando um cachorrinho pug e fumando um cigarro atrás do outro. Há todo um exército de irmãos quase idênticos, de *kilt*, parados perto do portão da igreja, e eu me lembro de Suze contando sobre a tia que teve seis filhos antes de finalmente ter meninas gêmeas.

— Aqui. Ponha isso. — De repente a voz de Luke está no meu ouvido, e me viro. Ele está segurando a jaqueta de pele de carneiro. — Você deve estar congelando.

— Não se preocupe. Estou bem!

— Becky, tem neve no chão — diz Luke com firmeza, e põe o casaco sobre os meus ombros. — Casamento muito bom — acrescenta.

— É. — Olho-o cautelosamente, imaginando se por acaso podemos fazer a conversa voltar para o que estávamos falando antes do casamento. Mas Luke está olhando para Suze e Tarquin, que agora estão sendo fotografados sob o carvalho. Suze está absolutamente radiante, mas Tarquin parece diante de um pelotão de fuzilamento.

— Ele é um cara muito legal — diz Luke, assentindo para Tarquin. — Meio esquisito, mas legal.

— É. É mesmo. Luke...

— Gostariam de um copo de uísque quente? — interrompe um garçom, vindo com uma bandeja. — Ou champanha?

— Uísque quente — digo agradecida. — Obrigada. — Tomo alguns goles e fecho os olhos enquanto o calor se espalha pelo corpo. Se ao menos chegasse aos pés!, que, para ser honesta, estão congelando totalmente.

— Dama de honra! — grita Suze de repente. — Cadê a Bex? Precisamos de você para uma foto.

Meus olhos se abrem.

— Aqui! — grito, tirando a jaqueta de pele de carneiro dos ombros. — Luke, segure minha bebida...

Corro pela multidão e me junto a Suze e Tarquin. E é engraçado, mas agora que todas as pessoas estão me olhando não sinto mais frio. Dou o sorriso mais radiante, seguro minhas flores e dou o braço para Suze quando o fotógrafo manda, e, entre as fotos, aceno para mamãe e papai, que abriram caminho até a frente da multidão.

— Vamos voltar para a casa logo — diz a Sra. Gearing, vindo beijar Suze. — As pessoas estão ficando com frio. Vocês podem terminar as fotos lá.

— Certo — diz Suze. — Mas vamos tirar uma de mim e Becky juntas.

— Boa idéia! — concorda Tarquin imediatamente, e parte num alívio óbvio para falar com o pai, que é igualzinho a ele, só que quarenta anos mais velho. O fotógrafo tira alguma fotos minhas com Suze rindo uma para a outra, depois pára e recarrega a máquina. Suze aceita um copo de uísque de um garçom e eu levo a mão sub-repticiamente atrás para ver o quanto do meu vestido se descosturou.

— Bex, escute — diz uma voz em meu ouvido. Olho, e Suze está me olhando sério. Está tão perto que posso ver cada grão de purpurina em sua sombra dos olhos. — Preciso te perguntar uma coisa. Você não quer mesmo esperar dez anos para se casar, quer?

— Bem... não — admito. — De verdade, não.

— E você acha que Luke é o homem certo? Só... honestamente. Cá entre nós.

Há uma longa pausa. Atrás de mim posso ouvir alguém dizendo:

— Claro, nossa casa é bastante moderna. Mil oitocentos e cinqüenta e três. Acho que foi construída...

— É — digo por fim, sentindo um rosa profundo surgir nas bochechas. — É, acho que é mesmo.

Suze me olha interrogativamente por uns instantes mais — e abruptamente parece chegar a uma decisão.

— Certo! — diz ela, pousando o uísque. — Vou jogar meu buquê.

— O quê? — Olho-a, perplexa. — Suze, não seja estúpida. Você ainda não pode jogar o seu buquê!

— Posso, sim! Posso jogar quando eu quiser.

— Mas você deve jogar quando estiver indo para a lua-de-mel!

— Não me importo — diz Suze obstinadamente. — Não posso esperar mais. Vou jogar agora.

— Mas você deve fazer isso no *fim*!

— Quem é a noiva? Você ou eu? Se eu esperar até o fim não vai ser divertido! Agora, fique ali. — Ela aponta com a mão imperiosa para um pequeno monte de grama coberto de neve. — E largue suas flores. Você nunca vai pegá-lo se estiver segurando alguma coisa! Tarkie? — Ela levanta a voz. — Vou jogar meu buquê agora, certo?

— Certo! — grita Tarquin animado. — Boa idéia.

— Vá, Bex!

— Honestamente! Eu nem quero pegar! — digo, ligeiramente carrancuda.

Mas acho que sou a única dama de honra — por isso ponho minhas flores na grama e vou para o montinho, como foi ordenado.

— Quero uma foto disso — diz Suze para o fotógrafo. — E onde está Luke?

O negócio ligeiramente estranho é que ninguém está vindo comigo. Todo mundo se afastou. De repente noto que Tarquin e seu padrinho estão andando e murmurando no ouvido das pessoas, e gradualmente todos os convidados se viram com rostos luminosos e cheios de expectativa.

— Pronta, Bex? — grita Suze.

— Espere! — grito. — Não há gente suficiente! Deveria haver um monte, todas juntas...

Sinto-me tremendamente estúpida ali sozinha. No duro, Suze está fazendo isso totalmente errado. Será que ela nunca foi a um casamento?

— Espera, Suze — grito, mas é tarde demais.

— Pega, Bex! — grita ela. — Peeega!

O buquê vem girando pelo ar, e eu tenho de dar um ligeiro pulo para pegá-lo. É maior e mais pesado do que eu esperava, e por um momento só fico olhando-o atordoada, meio deliciada em segredo, e meio totalmente furiosa com Suze.

E então meu olhar focaliza. E eu vejo o envelopezinho. *Para Becky*.

Um envelope endereçado a mim no buquê de Suze?

Olho perplexa para Suze, e com o rosto brilhando ela assente para o envelope.

Com os dedos trêmulos eu abro o cartão. Há uma coisa dentro. É...

É um anel, todo enrolado em algodão. Há uma mensagem na letra de Luke. E ela diz...

Ela diz Você Quer...

Olho, incrédula, tentando manter o controle, mas o mundo está turvo, e o sangue martela na minha cabeça.

Levanto os olhos, atordoada, e ali está Luke, adiantando-se em meio às pessoas, o rosto sério mas os olhos quentes.

— Becky... — começa ele, e há um minúsculo ofegar por todo o adro. — Você quer...

— Sim! Siii-immmm! — Ouço o som jubiloso rasgando o ar antes mesmo de perceber que eu abri a boca. Meu Deus, estou tão cheia de emoção que minha voz nem *parece* a minha. De fato, parece mais...

Mamãe.

Não acredito.

Enquanto giro, ela aperta a boca com a mão, horrorizada.

— Desculpe! — sussurra, e uma onda de risos perpassa a multidão.

— Sra. Bloom, eu me sentiria honrado — diz Luke, com os olhos brilhando num sorriso. — Mas acho que a senhora já está comprometida.

Depois me olha de novo.

— Becky, se eu tivesse de esperar cinco anos, esperaria. Ou oito, ou mesmo dez. — Ele pára, e há um silêncio completo, a não ser por um minúsculo sopro de vento, espalhando confete no ar. — Mas espero que um dia, preferivelmente antes disso, você me dê a honra de se casar comigo, certo?

Minha garganta está tão apertada que não consigo falar. Faço um movimento minúsculo com a cabeça e Luke segura minha mão. Desdobra meus dedos e pega o anel. Meu coração está martelando. Luke quer casar comigo. Devia estar planejando isso o tempo todo. Sem dizer nada.

Olho o anel, e sinto os olhos começando a ficar turvos. É um antigo anel de diamante, engastado em ouro, com minúsculas garras curvas. Nunca vi outro igual. É perfeito.

— Posso?

— Pode — sussurro, e olho enquanto ele o coloca no meu dedo. Luke me olha de novo, e me beija, e os aplausos começam.

Não acredito. Estou noiva.

Três

Tudo bem. É, posso estar noiva, mas não vou perder a cabeça.

De jeito nenhum.

Sei que algumas garotas ficam loucas, planejando o maior casamento do universo e pensando apenas nisso... mas não serei assim. Não vou deixar que isso tome conta da minha vida. Quer dizer, vamos estabelecer nossas prioridades. A coisa mais importante não é o vestido, não são os sapatos, nem o tipo de flores que teremos, não é? É a promessa de um compromisso de toda a vida. É jurar fidelidade um ao outro.

Paro de passar o hidratante e olho o reflexo no espelho do meu antigo quarto.

— Eu, Becky — murmuro solenemente. — Eu, Rebecca. Aceito você, Luke.

Aquelas palavras antigas dão um arrepio na coluna da gente, não é?

— Para ser seu... meu... marido. Na fartura, na riqueza...

Paro, franzindo a testa. Isso não parece muito correto. Mesmo assim posso aprender quando estiver mais perto. O fato é que a promessa é o que importa, nada mais. Não precisamos arrebentar a boca do balão. Só uma cerimônia simples, elegante. Nada de confusão, de lufa-lufa. Puxa, Romeu e Julieta não precisaram de um grande casamento com amêndoas açucaradas e *vol-au-vents*, precisaram?

Talvez devêssemos nos casar em segredo, como eles! De repente sou apanhada por uma visão de Luke e eu ajoelhados diante de um padre italiano, alta noite, em alguma minúscula capela de pedra. Meu Deus, isso seria romântico. E então, de algum modo, Luke pensaria que estou morta, e cometeria suicídio, e eu também, e seria incrivelmente trágico, e todo mundo diria que fizemos isso por amor, e o mundo inteiro aprenderia com o nosso exemplo...

— Caraoquê? — A voz de Luke do lado de fora do quarto me traz de volta ao mundo real. — Bem, certamente é uma possibilidade.

A porta se abre e ele estende uma xícara de café. Ele e eu estamos na casa de meus pais desde o casamento de Suze, e quando saí da mesa do café da manhã ele estava bancando o juiz para meus pais que discutiam sobre se os pousos na lua foram de verdade.

— Sua mãe já arranjou uma data possível para o casamento — diz ele. — O que você acha do...

— Luke! — Levanto a mão para impedi-lo. — Luke. Vamos dar um passo de cada vez, certo? — Dou-lhe um sorriso gentil. — Quer dizer, a gente mal acabou de noivar. Primeiro vamos nos adaptar a isso. Não há necessidade de sair correndo e marcando datas.

Olho o espelho, sentindo-me muito adulta e com orgulho de mim mesma. Pela primeira vez na vida não estou correndo. Não estou ficando empolgada demais.

— Você está certa — diz Luke depois de uma pausa. — Não, você está certa. E a data que sua mãe sugeriu seria perto demais.

— Verdade? — Tomo um gole de café, pensativa. — Então... só para saber... quando foi?

— Vinte e dois de junho. Este ano. — Ele balança a cabeça. — Loucura, realmente. É só daqui a alguns meses.

— Loucura — digo revirando os olhos. — Quer dizer, não há pressa, há?

Vinte e dois de junho. Honestamente! Qual é a da mamãe?

Se bem que... imagino que um casamento no verão seria legal, em teoria.

Na verdade não há nada nos *impedindo* de casar este ano. E se fosse em junho eu poderia começar a procurar o vestido de casamento agora mesmo. Poderia começar a experimentar grinaldas. Poderia começar a ler *Noivas*! É!

— Por outro lado — acrescento casualmente —, não há motivo *real* para demorar, há? Quer dizer, agora que a gente decidiu, de certa forma, a gente poderia... ir em frente. Por que ficar embromando?

— Tem certeza? Becky, não quero que você se sinta pressionada...

— Tudo bem. Tenho certeza. Vamos nos casar em junho!

Vamos nos casar! Logo! Viva! Vejo-me no espelho de novo. E um riso enorme, empolgado, se espalhou no meu rosto.

— Então vou dizer a mamãe que vai ser no dia vinte e dois. — Luke interrompe meus pensamentos. — Sei que ela vai adorar. — Ele olha o relógio. — Na verdade, tenho de ir agora.

— Ah, sim — falo, tentando juntar algum entusiasmo. — É, você não quer se atrasar para ela, não é?

Luke vai passar o dia com sua mãe, Elinor, que está em Londres a caminho da Suíça. A versão oficial é que ela vai se hospedar com amigos e "desfrutar o ar da montanha". Claro que todo mundo sabe que ela vai fazer uma plástica no rosto pela zilhonésima vez.

E esta tarde mamãe, papai e eu vamos nos encontrar com eles para tomar chá no Claridges. Todo mundo andou exclamando sobre a coincidência feliz de Elinor estar aqui, de modo que as duas famílias poderão se conhecer. Mas cada vez que penso nisso meu estômago dá cambalhotas. Eu não me importaria se fossem os pais verdadeiros de Luke — o pai e a madrasta, que são realmente uma graça e moram em Devon. Mas eles acabaram de viajar para a Austrália, para onde a irmã por parte de pai de Luke se mudou, e provavelmente só vão voltar logo antes do casamento. De modo que quem resta para representar Luke é Elinor.

Elinor Sherman. Minha futura sogra.

Tudo bem... não vamos pensar nisso. Só vamos seguir com o dia de hoje.

— Luke... — Eu paro, tentando achar as palavras certas. — Como acha que vai ser? Nossos pais se encontrando pela primeira vez? Você sabe, a sua mãe... e minha mãe... quer dizer, elas não são exatamente parecidas, não é?

— Vai dar tudo certo! Elas vão se entender maravilhosamente, tenho certeza.

Ele honestamente não faz a mínima idéia do que estou falando.

Sei que é uma coisa boa Luke adorar a mãe. Sei que os filhos devem amar a mãe. E sei que ele a via muito pouco quando era pequeno, e que está tentando compensar o tempo perdido... mas mesmo assim. *Como* ele pode ser tão dedicado a Elinor?

Quando chego à cozinha, mamãe está arrumando as coisas do café da manhã com uma das mãos e segurando o telefone sem fio com a outra.

— É — ela está dizendo. — É isso mesmo. Bloom. B-l-o-o-m. Perto de Oxshott, Surrey, e pode mandar por fax? Obrigada.

— Bom. — Ela desliga o telefone e ri para mim. — É o anúncio, vai sair no *Surrey Post*.

— *Outro* anúncio? Mamãe, quantos você fez?

— Só o número padrão — diz ela na defensiva. — *The Times*, o *Telegraph*, o *Oxshott Herald* e o *Esher Gazette*.

— E o *Surrey Post*.

— É. De modo que são só... cinco.

— Cinco!

— Becky, a gente só se casa uma vez!

— Eu sei. Mas honestamente...

— Agora escute. — Mamãe está com o rosto rosado. — Você é nossa única filha, Becky, e não vamos poupar nenhum gasto. Queremos que tenha o casamento dos seus sonhos. Sejam os anúncios, as flores ou uma carruagem com cavalos como Suze teve... nós queremos que você tenha.

— Mamãe, eu queria falar disso com você — falo sem jeito. — Luke e eu vamos colaborar com os custos...

— Bobagem! — diz mamãe rapidamente. — Não queremos ouvir isso.

— Mas...

— Sempre achamos que iríamos pagar por um casamento um dia. Estivemos separando dinheiro especialmente para isso, já há alguns anos.

— Verdade? — Encaro-a, sentindo um súbito jorro de emoção. Mamãe e papai vêm economizando esse tempo todo e nunca disseram uma palavra. — Eu... eu não fazia idéia.

— É, bem. Nós não íamos contar, íamos? Agora! — Mamãe salta rapidamente para a eficiência total. — Luke falou que nós conseguimos uma data? Sabe, não foi fácil! Todos os lugares estavam reservados. Mas falei com Peter, da igreja, ele teve um cancelamento e pôde nos colocar às três da tarde daquele sábado. Caso contrário, seria preciso esperar até novembro.

— Novembro? — Faço uma careta. — Não é um mês bom para casamento.

— Exato. Então eu disse a ele para marcar. Coloquei na folhinha, olha.

Pego a folhinha da geladeira, que para cada mês tem uma receita diferente usando Nescafé. Folheio até junho, e ali está escrito em hidrográfica, com letras grandes: "CASAMENTO DE BECKY".

Olho aquilo, sentindo-me ligeiramente esquisita. Está acontecendo mesmo. Realmente vou me casar. Não é só fingimento.

— E andei tendo umas idéias sobre o toldo — acrescenta mamãe. — Vi um lindo, listrado, em alguma revista por aí, e pensei: preciso mostrar isso a Becky...

Ela leva a mão atrás e pega uma pilha de revistas. *Brides, Modern Bride, Wedding and Home*. Todas brilhantes, suculentas e convidativas, como um prato de docinhos grudentos.

— Meu Deus! — digo, forçando-me a não saltar cobiçosa sobre uma delas. — Ainda não li nenhum desses negócios de noivas. Nem sei como são!

— Nem eu — diz mamãe imediatamente, enquanto folheia habilmente um exemplar de *Wedding and Home*. — Não li direito. Só dei uma olhadinha para ter alguma idéia. Quer dizer, o que mais tem é anúncio...

Hesito, com os dedos correndo sobre a capa de *You and Your Wedding*. Mal posso acreditar que agora tenho o direito de ler essas revistas. Às claras! Não preciso chegar perto da prateleira e dar olhadelas minúsculas, culpadas, como se estivesse enfiando um biscoito na boca e imaginando se alguém vai ver.

O hábito é tão entranhado que quase não posso rompê-lo. Mesmo estando com um anel de noivado no dedo, pego-me fingindo que não estou interessada.

— Acho que faz sentido dar uma olhadinha — digo casualmente. — Sabe, só para uma informação básica... só para saber o que existe disponível...

Ah, dane-se. Mamãe nem está ouvindo mesmo, por isso eu posso muito bem parar de fingir que não vou ler cada uma daquelas revistas avidamente de cabo a rabo. Afundo-me toda feliz numa cadeira e pego a *Brides*, e nos próximos dez minutos as duas ficamos completamente em silêncio, devorando as fotos.

— Aqui! — diz mamãe de repente. Ela vira sua revista para eu ver a foto de um enorme toldo de listras brancas e prateadas. — Não é legal?

— Muito bonito. — Meu olhar desce interessado até as fotos dos vestidos da noiva, do buquê da noiva... e então meu olhar pousa na data.

— Mamãe! — exclamo. — Isso é do ano passado! Por que estava olhando revistas de casamento no ano passado?

— Não faço idéia! — diz mamãe sem jeito. — Devo ter... pegado numa sala de espera de médico ou alguma coisa assim. De qualquer modo, você está tendo alguma idéia?

— Bem... não sei. Acho que só quero alguma coisa simples.

Uma visão de mim mesma num grande vestido branco com uma tiara brilhante salta de súbito na minha cabeça... meu belo príncipe esperando... uma multidão aplaudindo...

Certo, pára. *Não* vou arrebentar a boca do balão. Já decidi isso.

— Concordo — diz mamãe. — Você quer uma coisa elegante e de bom gosto. Ah, olha, uvas cobertas com folhas de ouro. A gente podia fazer isso! — Ela vira uma página. — Olha, duas damas de honra gêmeas idênticas! Não é uma graça? Conhece alguém que tenha gêmeas, meu amor?

— Não — digo, lamentando. — Acho que não. Aah, é possível comprar um relógio especial de contagem regressiva para o casamento! E uma agenda de casamento com diário da noiva combinando, para aquelas lembranças especiais. Acha que eu posso comprar uma dessas?

— Sem dúvida — diz mamãe. — Se não comprar, vai desejar ter comprado. — Ela pousa sua revista. — Sabe, Becky, uma coisa que eu lhe digo é: nada de meias medidas. Lembre-se: isso só acontece uma vez...

— Olááá? — Nós duas levantamos a cabeça ao ouvirmos uma batida na porta dos fundos. — Sou só eu! — Os olhos brilhantes de Janice espiam pelo vidro, e ela dá um acenozinho. Janice é nossa vizinha do lado, e nos conhecemos há muito. Está usando uma blusa floral num tom virulento de turquesa, e sombras nos olhos combinando, e há uma pasta de papel sob o seu braço.

— Janice! — grita mamãe. — Venha tomar um café.

— Eu adoraria — diz Janice. — Trouxe meu Canderel. — Ela entra e me dá um abraço. — E aí está a garota especial! Becky, meu amor, parabéns!

— Obrigada — digo com um riso acanhado.

— Olha só esse anel!

— Dois quilates — diz mamãe imediatamente. — Antiguidade. É herança de família.

— Herança de família! — ecoa Janice sem fôlego. — Ah, Becky! — Ela pega um exemplar de *Modern Bride* e dá um pequeno suspiro desejoso. — Mas como vai organizar o casamento morando em Nova York?

— Becky não precisa se preocupar com nada — diz mamãe com firmeza. — Eu posso fazer tudo. Isso é tradição, de qualquer modo.

— Bem, vocês sabem onde estou, se precisarem de ajuda — diz Janice. — Já marcaram a data?

— Vinte e dois de junho — diz mamãe por cima do grito do moedor de café. — Três da tarde na igreja de St Mary.

— Três da tarde! Que lindo. — Janice pousa a revista e me dá um olhar subitamente sério. — Bom, Becky, há uma coisa que eu quero dizer. A vocês duas.

— Ah, é? — digo, ligeiramente apreensiva, e mamãe pousa a cafeteira. Janice respira fundo.

— Eu teria enorme prazer em fazer a maquiagem para o seu casamento. A sua e a de todas as damas.

— Janice! — exclama mamãe deliciada. — Que idéia gentil! Pense só, Becky. Maquiagem profissional!

— É... fantástico.

— Aprendi muita coisa no curso, todos os truques. Tenho um livro cheio de fotos que você pode olhar, para escolher seu estilo. De fato, eu trouxe ele comigo, olha! — Janice abre a pasta e começa a folhear cartões laminados de mulheres que parecem ter se maquiado nos anos setenta. — Esta aqui chama-se Princesa Debutante, para o rosto jovem — diz sem fôlego. — Bom, aqui temos a Noiva Radiante de Primavera, com rímel extra-à-prova-d'água... Ou Cleópatra, se quiser uma coisa mais dramática.

— Fantástico! — digo debilmente. — Talvez eu dê uma olhada quando chegar mais perto.

De jeito nenhum, nem em um milhão de anos, vou deixar Janice chegar perto do meu rosto.

— E você vai pedir a Wendy para fazer o bolo, não é? — pergunta Janice enquanto mamãe põe uma xícara de café diante dela.

— Ah, sem dúvida — diz mamãe. — Wendy Prince, que mora na Maybury Avenue — acrescenta para mim. — Você se lembra, ela fez o bolo da aposentadoria do seu pai, com o cortador de grama em cima. As coisas que aquela mulher é capaz de fazer com um saco de confeitar!

Eu me lembro daquele bolo. O glacê era de um verde sinistro e o cortador de grama era feito com uma caixa de fósforos pintada. Ainda dava para ver a marca através do verde.

— Sabe, aqui há uns bolos de casamento realmente incríveis — digo, segurando hesitante um exemplar da *Brides*. — De um lugar especial em Londres. Talvez a gente possa ir dar uma olhada.

— Ah, mas amor, a gente tem de pedir à Wendy! — diz mamãe, surpresa. — Ela vai ficar arrasada se a gente não pedir. Sabe que o marido dela acaba de ter um derrame? Aquelas rosas de açúcar são o que estão ajudando a segurar a barra.

— Ah, certo — digo pousando a revista, cheia de culpa. — Não sei. Bem... então, certo. Tenho certeza que vai ser lindo.

— Ficamos muito satisfeitos com o bolo de casamento de Tom e Lucy. — Janice suspira. — Guardamos o último andar para o primeiro batizado. Sabe, eles estão morando com a gente. Vão dar uma passada aqui para dar os parabéns, tenho certeza. Dá para acreditar que já estão casados há um ano e meio!

— É mesmo? — Mamãe toma um gole de café e dá um breve sorriso.

O casamento de Tom e Lucy ainda é uma ligeira ferida aberta na nossa família. Quer dizer, nós amamos Janice e Martin, de modo que nunca dizemos nada, mas, para ser honesta, nenhum de nós gosta muito de Lucy.

— Há algum sinal de que eles... — Mamãe faz um gesto vago, eufemístico. — Começaram uma família — acrescenta num sussurro.

— Ainda não. — O sorriso de Janice se apaga por um momento. — Martin e eu achamos que eles provavelmente querem *curtir* um ao outro primeiro. Eles formam um casal muito feliz. Adoram um ao outro! E, claro, Lucy tem sua carreira...

— Acho que sim — diz mamãe, pensando. — Se bem que não é bom esperar *demais*...

— Bem, eu sei — concorda Janice. As duas se viram para me olhar. E de repente percebo o que querem dizer.

Pelo amor de Deus, eu só estou noiva há um dia! Me dêem uma chance!

Escapo para o quintal e ando um tempo, tomando meu café. A neve está começando a derreter e dá para ver trechos de grama verde e pedaços de roseiras. Enquanto ando pelo caminho de cascalho, pego-me pensando em como é bom estar de novo num jardim inglês, ainda que esteja meio frio. Manhattan não tem nenhum jardim como esse. Há o Central Park, e há pequenas praças floridas. Mas não há nenhum jardim inglês decente, com gramados, árvores e canteiros de flores.

Cheguei ao roseiral e estou olhando de volta para a casa, imaginando como um toldo ficaria no gramado, quando subitamente há um rumor de conversa no jardim vizinho. Imagino se é Martin, e estou para pôr a cabeça por cima da cerca e dizer olá quando uma voz de mulher vem claramente por cima da neve, dizendo:

— Defina frígida! Porque se você me perguntar...

Ah, meu Deus, é Lucy. E parece furiosa. Há uma resposta murmurada, que só pode ser de Tom.

— E você é um tremendo especialista, não é?

Murmúrios.

— Ah, dá um tempo!

Esgueiro-me pé ante pé até a cerca, desejando desesperadamente poder ouvir os dois lados da conversa.

— É, talvez se nós tivéssemos uma vida que prestasse, talvez se você organizasse alguma coisa de vez em quando, talvez se nós não estivéssemos presos num buraco de merda...

Meu Deus, a voz de Lucy é prepotente. E agora a voz de Tom se ergueu, na defensiva.

— Nós fomos a... você só fez reclamar... fez um tremendo esforço...

Crac!

Merda. *Merda*. Pisei num graveto.

Por um instante penso em correr. Mas é tarde demais, a cabeça deles já apareceu por cima da cerca, Tom todo corado e perturbado, e Lucy rígida de fúria.

— Ah, oi! — digo tentando parecer tranqüila. — Como *vão*? Eu só estou... é... dando uma voltinha... e deixei cair meu... lenço.

— Seu lenço? — Lucy olha o chão, cheia de suspeitas. — Não estou vendo nenhum lenço.

— Bem... é... E então... como vai a vida de casados?

— Ótima — diz Lucy rapidamente. — Parabéns, a propósito.

— Obrigada.

Há uma pausa incômoda, e eu me pego passando os olhos pela roupa de Lucy, vendo a blusa (gola pólo azul, provavelmente M&S), calça (Earl Jeans, bem legal, na verdade) e botas (salto alto com laço, Russell & Bromley).

Esta é uma coisa que sempre fiz, verificar a roupa dos outros e listar na mente como numa página de moda. Eu pensava que era a única a fazer isso. Mas então me mudei para Nova York — e lá todo mundo faz. Sério, todo mundo. Na primeira vez em que você se encontra com alguém, seja uma dama rica da sociedade ou um porteiro, eles lhe dão uma rápida olhada de cima a baixo antes mesmo de dizer olá. Chamo isso de olhada de Manhattan.

— Então, como é Nova York?

— Fantástico! Realmente empolgante... eu adoro o meu trabalho... é um lugar incrível para se morar!

— Nunca fui — diz Tom, desejoso. — Quis passar a lua-de-mel lá.

— Tom, não começa de novo — diz Lucy, incisiva. — Certo?

— Talvez eu pudesse ir fazer uma visita — diz Tom. — Poderia ir passar o fim de semana.

— É... sim! Talvez! Vocês dois poderiam ir... — Deixo no ar, inepta, enquanto Lucy revira os olhos e vai batendo os pés na direção da casa. — De qualquer modo, foi ótimo ver vocês, e fico feliz em ver que a vida de casados está tratando vocês... é... tratando vocês, de qualquer modo.

Corro de volta para a cozinha, morrendo de vontade de contar a mamãe o que acabei de ouvir, mas não há ninguém lá.

— Ei, mamãe! Acabei de ver Tom e Lucy!

Corro escada acima, e mamãe está descendo a escada do sótão, puxando uma enorme trouxa branca toda enrolada em plástico.

— O que é isso? — pergunto, ajudando-a a trazer o pacote para baixo.

— Não diga nada... — Suas mãos estão tremendo enquanto ela abre o zíper da capa de plástico. — Só... olhe!

— É o seu vestido de casamento! — digo pasma enquanto ela tira a renda branca e espumante. — Eu não sabia que você ainda tinha!

— Claro que ainda tenho! — Ela tira alguns pedaços de papel de seda. — Tem trinta anos, mas ainda está como novo. Bom, Becky, isso é só uma idéia...

— O que é só uma idéia? — digo, ajudando-a a tirar a cauda.

— Talvez nem caiba em você...

Lentamente eu a olho. Ah, meu Deus. Ela está falando sério.

— Na verdade, acho que não cabe — digo, tentando parecer casual. — Tenho certeza que você era muito mais magra do que eu! E... mais baixa.

— Mas somos da mesma altura! — diz mamãe, perplexa. — Ah, anda, experimente, Becky!

Cinco minutos depois estou me olhando no espelho do quarto de mamãe. Pareço um croquete de salsicha dentro de babados em camadas. O corpete é apertado e rendado, com mangas fofas e gola em babados. É justo até os quadris, onde há mais babados, e depois se abre numa cauda em camadas.

Nunca usei nada menos lisonjeiro na vida.

— Ah, Becky! — Eu levanto os olhos. E, para meu horror, mamãe está em lágrimas. — Sou tão boba! — diz ela, rindo e enxugando os olhos. — É só... minha menininha, com o vestido que eu usei...

— Ah, mamãe... — Dou-lhe um abraço impulsivo. — É um... vestido realmente lindo...

Como exatamente eu acrescento: mas não vou usar?

— E cabe perfeitamente em você — diz mamãe engolindo em seco, e procura um lenço de papel. — Mas a decisão é sua. — Ela assoa o nariz. — Se achar que não combina com você... é só dizer. Eu não me importo.

— Eu... bem...

Ah, meu Deus.

— Vou pensar — consigo dizer finalmente, e dou um sorriso débil.

Guardamos o vestido de volta na sacola, almoçamos alguns sanduíches e assistimos a um velho episódio de *Changing Rooms* na nova TV a cabo que mamãe e papai mandaram instalar. E então, mesmo sendo um pouco cedo, subo e começo a me preparar para ver Elinor. A mãe de Luke é uma daquelas mulheres de Manhattan que sempre parecem absoluta e totalmente imaculadas, e hoje, principalmente, quero me igualar a ela na elegância.

Visto o conjunto DKNY que comprei para o Natal, meia-calça nova em folha e meus novos sapatos da liquidação da Prada. Depois examino cuidadosamente a aparência, procurando fiapos ou rugas no tecido. Desta vez não vou ser apanhada. Não vou ter um único fiapo desgarrado ou um pedacinho amarrotado no qual seus olhos de raios X possam dar um zoom.

Praticamente decidi que estou bem, quando mamãe entra atabalhoadamente no meu quarto. Está vestida com elegância num conjunto Widsmoor roxo e seu rosto brilha de ansiedade.

— Como estou? — diz ela com um risinho. — Elegante o suficiente para o Claridges?

— Está linda, mamãe! Essa cor cai bem em você. Só me deixe...

Pego um lenço de papel, umedeço na pia e passo em suas bochechas, onde ela copiou o blush estilo texugo de Janice.

— Pronto. Perfeito.

— Obrigada, querida! — Mamãe se olha no espelho do armário. — É, vai ser bom. Conhecer finalmente a mãe de Luke.

— Hâ-hã — digo sem querer me comprometer.

— Espero que nos tornemos muito boas amigas! Que a gente possa fazer juntas os preparativos para o casamento... Você sabe, Margot, do outro lado da rua, é amicíssima da mãe do genro dela. Diz que não perdeu uma filha, que ganhou uma amiga!

Mamãe parece realmente empolgada. Ah, meu Deus. Como posso prepará-la para a verdade?

— E Elinor certamente deve ser um amor, pelo modo como Luke a descreve. Ele parece gostar tanto dela!

— É, gosta — admito de má vontade. — Gosta incrivelmente.

— Hoje cedo ele estava contando à gente sobre todo o maravilhoso trabalho de caridade que ela faz. Ela deve ter um coração de ouro.

Enquanto mamãe fala, eu me desligo e recordo uma conversa que tive com a madrasta de Luke, Annabel, quando ela e o pai dele vieram nos visitar.

Adoro Annabel. Ela é muito diferente de Elinor, muito mais suave e quieta, mas com um sorriso lindo que ilumina todo o rosto. Ela e o pai de Luke moram numa área tranqüila de Devon, perto da praia, e eu realmente gostaria de que pudéssemos passar mais tempo com eles. Mas Luke saiu de casa aos dezoito anos, e praticamente nunca volta. De fato, tenho a sensação de que ele acha que o pai desperdiçou ligeiramente a vida acomodando-se como um advogado provinciano, em vez de conquistar o mundo.

Quando eles foram a Nova York, Annabel e eu acabamos tendo uma tarde só para nós. Andamos pelo Central Park falando de um monte de coisas diferentes, e parecia que nenhum assunto era proibido. Então finalmente respirei fundo e perguntei o que sempre quis saber — como ela pode suportar Luke ser tão fascinado por Elinor. Quer dizer, Elinor pode ser a mãe biológica dele, mas Annabel esteve junto a vida toda. Era Annabel quem cuidava dele quando ele ficava doente, que o ajudava com o dever de casa e fazia o jantar toda noite. E agora foi posta de lado.

Por um instante pude ver a dor no rosto de Annabel. Mas então ela esboçou um sorriso e disse que entendia completamente. Que desde pequenino Luke era desesperado para conhecer a mãe verdadeira e agora que estava tendo a chance de passar tempo com ela deveria ter esse direito.

— Imagine se a sua fada madrinha aparecesse — disse ela. — Você não ficaria fascinada? Não esqueceria de todo mundo durante um tempo? Ele precisa desse tempo com ela.

— Ela não é a fada madrinha! É a bruxa velha e má!

— Becky, ela é a mãe natural dele — disse Annabel, com uma censura gentil. E então mudou de assunto. Não iria falar de Elinor, nem de ninguém.

Annabel é uma santa.

— É uma pena que eles não tenham se visto enquanto Luke crescia! — está dizendo mamãe. — Que história trágica! — Ela baixa a voz, ainda que Luke tenha saído de casa. — Hoje mesmo Luke estava me contando como a mãe dele ficou desesperada para levá-lo para a América. Mas o novo marido americano não quis! Coitada. Deve ter sofrido horrores. Deixar o filho para trás!

— Bem, sim, talvez — digo, sentindo uma leve rebelião. — Só que... ela não *tinha* de ir embora, tinha? Se estava sofrendo tanto, por que não disse ao novo marido aonde ir?

Mamãe me olha, surpresa.

— Isso é muito duro, Becky.

— Ah... acho que sim. — Dou de ombros ligeiramente e pego o delineador labial.

Não quero agitar as coisas antes mesmo de começarmos. Então não vou dizer o que acho de verdade: que Elinor nunca demonstrou qualquer interesse por Luke até que sua empresa de divulgação começou a se dar muito bem em Nova York. Luke sempre foi louco para impressioná-la — de fato, esse foi o verdadeiro motivo para ele ter expandido a empresa até Nova York, ainda que não admita. Mas ela o ignorou completamente, a vaca, até que ele começou a ganhar alguns contratos realmente grandes e a ser mencionado nos jornais, e subitamente Elinor percebeu que ele poderia ser útil. Logo antes do Natal ela fundou sua instituição de caridade — a Fundação Elinor Sherman — e nomeou Luke diretor. Depois deu um grande concerto de gala para o lançamento — e imagine quem gastou umas vinte e cinco horas ajudando-a até ficar tão exausto que o Natal foi um fracasso absoluto?

Mas não posso falar nada com ele sobre isso. Quando puxei o assunto uma vez, Luke ficou na defensiva e disse que eu sempre tive problema com sua mãe (o que é meio verdade) e que ela estava sacrificando um tempo enorme para ajudar os necessitados, e o que mais eu queria, sangue?

E para isso realmente não pude achar uma resposta.

— Ela provavelmente é uma mulher muito solitária — diz mamãe. — Coitada, sozinha. Morando em seu apartamentozinho. Ela tem um gato para fazer companhia?

— Mamãe... — Ponho a mão na cabeça. — Elinor não mora num apartamentozinho. É um dúplex na Park Avenue.

— Um dúplex? Como um sobrado geminado? — Mamãe faz uma careta de simpatia. — Ah, mas não é o mesmo que uma boa casa, não é?

Desisto. Não adianta.

Enquanto entramos no saguão do Claridges, o lugar está cheio de gente elegante tomando chá. Garçons de paletó cinza caminham com bules de chá listrados de branco e verde, e todo mundo conversa animadamente, e não estou vendo Luke ou Elinor em lugar nenhum. Enquanto olho em volta, sou tomada por uma súbita esperança. Talvez eles não estejam. Talvez Elinor não tenha podido vir! Podemos simplesmente tomar uma xícara de chá sozinhos! Graças a Deus...

— Becky?

Giro — e meu coração se aperta. Ali estão eles, num sofá do canto. Luke tem aquela expressão radiante de sempre que vê sua mãe, e Elinor está sentada na beira do assento com um conjunto xadrezinho com acabamento de pele. O cabelo é um rígido capacete com laquê, e as pernas, dentro de meias claras, parecem ter ficado ainda mais finas. Ela ergue os olhos, aparentemente sem expressão — mas posso ver pelo tremor das pálpebras que está dando a olhada de Manhattan em mamãe e papai.

— É ela? — sussurra mamãe, perplexa, enquanto entregamos nossos casacos. — Meu Deus! Ela é muito... nova!

— Não é não — murmuro. — Ela teve muita ajuda. — Mamãe me olha sem compreender por um momento; depois a ficha cai.

— Quer dizer... ela fez uma *plástica*?

— Não só uma. Então não puxe o assunto, certo?

Nós duas esperamos enquanto papai entrega seu sobretudo, e posso ver a mente de mamãe trabalhando; digerindo essa nova informação, tentando encaixá-la em algum lugar.

— Coitada — diz subitamente. — Deve ser terrível se sentir tão insegura. Para você ver o que é viver na América.

Enquanto nos aproximamos do sofá, Elinor ergue os olhos e sua boca se estende três milímetros, o que é o seu equivalente de um sorriso.

— Boa tarde, Rebecca. E parabéns pelo noivado. Tremendamente inesperado.

O que isso quer dizer?

— Muito obrigada! — digo forçando um sorriso. — Elinor, gostaria de apresentar meus pais, Jane e Graham Bloom.

— Como vai? — diz papai com um sorriso amigável, estendendo a mão.

— Graham, não faça cerimônia! — exclama mamãe. — Agora vamos ser uma família só! — Antes que eu possa impedi-la, ela está envolvendo a espantada Elinor num abraço. — Nós estamos tão felizes em conhecer você, Elinor! Luke contou tudo sobre você!

Enquanto ela se levanta de novo, vejo que amassou a gola de Elinor e não consigo evitar um sorrisinho.

— Isso aqui não é uma beleza? — continua mamãe enquanto se senta. — Muito grandioso! — Ela olha em volta, com os olhos brilhantes. — Bom, o que vamos tomar? Uma bela xícara de chá ou alguma coisa mais forte para comemorar?

— Chá, eu acho — diz Elinor. — Luke...

— Vou providenciar — diz Luke, ficando de pé.

Meu Deus, eu odeio o modo como ele se comporta perto da mãe. Normalmente é tão forte e seguro! Mas com Elinor parece um lacaio. Ainda nem me disse olá.

— Bom, Elinor — diz mamãe. — Eu lhe trouxe uma coisinha. Vi ontem e não pude resistir!

Ela pega um embrulho em papel dourado e entrega a Elinor. Meio rigidamente, Elinor tira o papel — e pega um caderninho de capa almofadada, com as palavras "Mãe do Noivo" gravadas na frente, em letras prateadas cheias de arabesco. Ela olha aquilo como se mamãe tivesse lhe dado um rato morto de presente.

— Eu tenho um igual! — diz mamãe em triunfo. Ela enfia a mão na bolsa e pega um caderninho equivalente, com "Mãe da Noiva", em cor-de-rosa. — Chama-se Kit de Planejamento das Mães! Há um espaço para a gente anotar os menus, as listas de convidados... os esquemas de cor... e há um bolsinho de plástico para as amostras, olha... Assim a gente pode se manter coordenada! E aqui é a página de idéias... Eu já anotei algumas, de modo que, se você quiser contribuir com alguma coisa... ah, e se houver alguma comida especial de que você goste... O fato é que nós queremos que você se envolva ao máximo possível. — Ela dá um tapinha na mão de Elinor. — De fato, se você quisesse ficar hospedada conosco um tempo, para podermos nos conhecer...

— Minha agenda está bastante cheia — diz Elinor com um sorriso invernal enquanto Luke reaparece, segurando seu celular.

— O chá está vindo. E... Eu acabo de receber um telefonema ótimo. — Ele olha em volta com um sorriso contido. — Acabamos de conseguir o NorthWest Bank como cliente. Vamos administrar o lançamento de toda uma nova divisão de varejo. Vai ser enorme.

— Luke! — exclamo. — É maravilhoso!

Luke vem cortejando o NorthWest há séculos, e na semana passada admitiu que achava que o havia perdido para outra agência. De modo que isso é realmente fantástico.

— Muito bem, Luke — diz papai.

— Isso é brilhante, meu amor! — cantarola mamãe.

A única que não disse nada é Elinor. Ela nem prestou atenção, mas está olhando dentro de sua bolsa Hermès.

— O que acha, Elinor? — digo deliberadamente. — É uma boa notícia, não é?

— Espero que isso não interfira no seu trabalho na fundação — diz ela, e fecha a bolsa.

— Não deve interferir — diz Luke com tranqüilidade.

— Claro, o trabalho de Luke na sua fundação é voluntário — observo com doçura. — Ao passo que isto são negócios.

— Realmente. — Elinor me dá um olhar pétreo. — Bem, Luke, se você não tem tempo...

— Claro que eu tenho tempo — diz Luke, me lançando um olhar chateado. — Não vai ser problema.

Fantástico. Agora os dois estão putos comigo.

Mamãe esteve olhando essa troca de palavras numa ligeira perplexidade, e quando o chá aparece seu rosto se clareia de alívio.

— Exatamente o que o médico mandou! — exclama, enquanto um garçom arruma os lugares e põe um bule de chá e uma bandeja de prata com bolos. — Elinor, posso servir para você?

— Coma um bolo desses — diz papai, animado, a Elinor. — E um pouco de creme batido!

— Acho que não. — Elinor se encolhe ligeiramente, como se partículas de creme pudessem flutuar pelo ar e invadir seu corpo. Ela toma um gole de chá, depois olha para o relógio. — Acho que tenho de ir.

— O quê? — Mamãe ergue os olhos, surpresa. — Já?

— Luke, pode pegar o carro?

— O quê? — Agora é minha vez de encarar. — Luke, o que está acontecendo?

— Vou levar mamãe ao aeroporto.

— Por quê? Ela não pode pegar um táxi?

Quando as palavras saem da minha boca, percebo que fui um tanto grosseira — mas honesta. Esta deveria ser uma bela reunião familiar. Só estamos aqui há uns três segundos.

— Há umas coisas que eu preciso discutir com o Luke — diz Elinor, pegando sua bolsa. — Nós podemos fazer isso no carro. — Ela se levanta e espana uma migalha imaginária da saia. — Foi um prazer conhecê-la — diz a mamãe.

— Você também! — exclama mamãe, saltando numa última tentativa de amabilidade. — Foi um prazer enorme conhecê-la, Elinor! Vou pegar o seu número com Becky e podemos ter algumas boas conversas sobre o que vamos usar! Não queremos ficar descombinando uma com a outra, não é?

— De fato — diz Elinor, olhando os sapatos de mamãe. — Adeus, Rebecca. — Elinor assente para papai. — Graham.

— Adeus, Elinor — diz papai numa voz que só por fora é educada. Mas quando o olho vejo que ele não está nem um pouco impressionado. — Vejo você mais tarde, Luke. — Enquanto os dois desaparecem pela porta, ele olha o relógio. — Doze minutos.

— O que quer dizer? — diz mamãe.

— Foi o tempo que ela nos concedeu.

— Graham! Tenho certeza que ela não quis... — Mamãe pára ao notar que o caderno azul da "Mãe do Noivo" ainda está na mesa em meio ao papel de embrulho. — Elinor esqueceu a agenda do casamento! — exclama ela, pegando o caderno. — Becky, corra atrás dela.

— Mamãe... — Respiro fundo. — Para ser honesta... Eu não me incomodaria com isso. Não sei se ela ficou tão interessada assim.

— Eu não contaria com ela para nenhuma ajuda — diz papai. Ele estende a mão para o creme batido e põe uma pilha enorme sobre o seu bolinho.

— Ah. — Mamãe olha do meu rosto para o de papai. E lentamente afunda em sua poltrona, segurando o caderno. — Ah, sei.

Ela toma um gole de chá, e posso ver que está lutando intensamente para pensar em algo gentil para dizer.

— Bem... ela provavelmente só não quer interferir! — diz finalmente. — É totalmente compreensível.

Mas nem ela parece tão convencida assim. Meu Deus, odeio Elinor.

— Mamãe, vamos terminar o nosso chá — digo. — E por que não vamos fazer umas compras?

— Sim — diz mamãe depois de uma pausa. — É, vamos fazer isso! Agora que você falou, acho que gostaria de um par de luvas novas. — Ela toma um gole de chá e parece mais animada. — E talvez uma bela bolsa.

— Vamos nos divertir um bocado — falo, e aperto seu braço. — Só nós.

Franton, Binton and Ogleby
Advogados
Suíte 503, 739 Third Avenue
Nova York, NY 10017

Srta. Rebecca Bloom
Apto. B
251 W 11th Street
Nova York
NY 10014

11 de fevereiro de 2002

Cara Srta. Bloom

Esperamos ser os primeiros a parabenizá-la pelo seu noivado com o Sr. Luke Brandon, cujo anúncio vimos no *New York Times*. Esta deve ser uma ocasião muito feliz para a senhorita, e estamos enviando nossos melhores votos.

Temos certeza de que neste momento a senhorita deve estar inundada por ofertas não solicitadas, até mesmo de mau gosto. Mas nós oferecemos um serviço único e pessoal, para o qual gostaríamos de chamar sua atenção.

Como advogados de divórcios por mais de trinta anos de experiência, sabemos a diferença que um bom advogado pode fazer. Esperemos e rezemos para que a senhorita e o Sr. Brandon nunca cheguem a esse momento doloroso. Mas, se chegarem, somos especialistas nas seguintes áreas:

- **Contestar** acordos pré-nupciais
- **Negociar** pensões
- **Obter** injunções nos tribunais
- **Descobrir** informações (com a ajuda de nosso detetive particular)

Não pedimos que entre em contato conosco agora. Simplesmente guarde esta carta junto de suas lembranças de casamento — e, caso surja a necessidade, a senhorita saberá onde estamos.

Parabéns, de novo.

Ernest P. Franton
Sócio

Cemitério Anjos da Paz Eterna

Westchester Hills, Condado de Westchester

Nova York

Srta. Rebecca Bloom
Apto. B
251 W 11th Street
Nova York
NY 10014

13 de fevereiro de 2002

Cara Srta. Bloom

Esperamos ser os primeiros a parabenizá-la pelo seu noivado com o Sr. Luke Brandon, cujo anúncio vimos no *New York Times*. Esta deve ser uma ocasião muito feliz para a senhorita, e estamos enviando nossos melhores votos.

Temos certeza de que neste momento a senhorita deve estar inundada por ofertas não solicitadas, até mesmo de mau gosto. Mas nós oferecemos um serviço único e pessoal, para o qual gostaríamos de chamar sua atenção.

Um presente de casamento diferente

Que melhor modo seus convidados terão para demonstrar o apreço pelo amor que vocês têm um pelo outro do que dando-lhes lotes contíguos no cemitério? Na paz e tranqüilidade de nossos jardins meticulosamente cuidados, a senhorita e seu marido descansarão juntos, como viveram, por toda a eternidade.*

Um par de lotes no prestigioso Jardim da Redenção está disponível no momento pelo preço especial de 6.500 dólares. Por que não colocá-los em sua lista de presentes — e deixar que seus entes queridos lhes dêem o presente que de fato vai durar para sempre?**

De novo, parabéns, e que tenham uma vida longa e abençoada juntos.

Hank Hamburg
Diretor de Vendas

*Em caso de divórcio, os lotes podem ser trocados para lados opostos do cemitério.

**A Hamburg Family Mortuaries, Inc., se reserva o direito de realocar espaço de sepulturas, com aviso prévio de trinta dias, no caso de utilização do terreno para outros fins imobiliários-(ver termos e condições em anexo).

Quatro

Mas quem se importa com Elinor?

Nós teremos um casamento lindo, com ou sem sua ajuda. Como disse mamãe, pior para ela, e ela vai se arrepender no dia, quando não se sentir fazendo parte das comemorações. Na verdade, nós nos animamos um bocado depois de sairmos do Claridges. Fomos à liquidação da Selfridges, mamãe achou uma bolsa linda e eu comprei um novo rímel que dá mais volume aos cílios, enquanto papai ia tomar uma caneca de cerveja, como sempre faz. E então todos fomos jantar, e quando chegamos em casa estávamos bem mais animados e achando tudo muito engraçado.

No dia seguinte, quando Janice veio tomar café, nós lhe contamos tudo e ela ficou realmente indignada por nós, e disse que se Elinor achava que teria a maquiagem feita de graça ia ver só! Então papai se juntou e fez uma boa imitação de Elinor olhando o bolinho com creme batido como se aquilo fosse acertá-la na cara, e todos começamos a rir histericamente — até que Luke desceu e perguntou o que era tão engraçado, e tivemos de fingir que estávamos rindo de uma piada do rádio.

Realmente não sei o que faço em relação a Luke e sua mãe. Parte de mim acha que devo ser honesta. Deveria contar como ela deixou todos nós chateados, e como mamãe ficou realmente magoada. Mas o problema é que no passado eu já tentei ser honesta com ele em relação a Elinor, e isso sempre provocou uma discussão enorme. E eu *realmente* não quero ter discussões agora, quando acabamos de noivar, e tudo é lindo e feliz.

Porque, afora Elinor, tudo corre perfeitamente. Só para provar, no avião de volta a Nova York eu respondi ao questionário de *Wedding and Home* sobre "Vocês estão prontos para o matrimônio?" e nós recebemos nota máxima! "Parabéns, vocês são um casal comprometido e amoroso, capaz de resolver seus problemas. As linhas de comunicação estão abertas entre os dois, e vocês encaram de frente a maioria das questões."

Certo, talvez eu tenha trapaceado um pouquinho. Como na pergunta: "Com que parte do casamento você está mais ansiosa?" Eu ia colocar (a) "Escolher os sapatos", até que vi que o (c) "Assumir um compromisso por toda a vida" valia dez pontos, enquanto o (a) só valia dois.

Mas acho que todo mundo também dá uma olhadinha nas respostas. Elas provavelmente se encaixam de algum modo.

E pelo menos eu não pus o (d) "Sobremesa". (Zero ponto.)

— Becky?

— Sim?

Chegamos ao apartamento há uma hora e Luke está examinando a correspondência.

— Você não viu o extrato da conta conjunta, viu? Eu tenho de ligar para o banco.

— Ah, ele veio. Desculpe, eu esqueci de falar.

Corro ao banheiro e pego o extrato no esconderijo, sentindo uma leve pontada de apreensão.

Pensando bem, houve uma pergunta sobre questões financeiras no questionário. Acho que marquei (b) "Nós temos padrões de gastos semelhantes, e o dinheiro nunca é assunto de discussão entre nós".

— Aqui está — falo em tom casual, entregando o papel.

— Só não sei por que a gente está sempre com o saldo estourado nessa conta — diz Luke. — Nossos gastos da casa não podem aumentar todo mês... — Ele examina a página, que está coberta de grossas manchas brancas. — Becky... por que esse extrato está cheio de corretivo?

— Eu sei! — digo em tom de desculpas. — Sinto muito. O vidro estava ali, eu estava mexendo nuns livros, e ele... derramou.

— Mas é quase impossível de ler!

— É? — digo inocentemente. — Ah, meu Deus, que pena. Mas não faz mal. Essas coisas acontecem... — E estou para arrancar o extrato de seus dedos quando de repente seus olhos se estreitam.

— Isso aqui diz...? — Ele começa a raspar o extrato com a unha, e de repente uma grande mancha de corretivo cai.

Droga. Eu deveria ter usado ketchup, como no mês passado.

— Miu Miu. Foi o que eu *pensei*. Becky, o que Miu Miu está fazendo aqui? — Ele raspa de novo, e o corretivo começa a cair da página como neve.

Ah, meu Deus. Por favor, não veja...

— Sephora... e Joseph... Não é de espantar que tenha ultrapassado o limite de saque! Becky, essa conta deveria ser para gastos de casa. Não para saias Miu Miu!

Certo. Lute ou fuja.

Cruzo os braços desafiadoramente na frente do queixo..

— Então... uma saia não é um gasto doméstico. É isso que está me dizendo?

Luke me encara.

— Claro que sim!

— Bem, sabe, talvez esse seja o problema. Talvez nós dois precisemos esclarecer um pouco nossas definições.

— Sei — diz Luke depois de uma pausa, com a boca se retorcendo ligeiramente. — Então você está me dizendo que classificaria uma saia Miu Miu como gasto com a casa.

— Eu... talvez sim! Ela está "na casa", não está?

Talvez eu esteja num terreno ligeiramente inseguro aqui.

— E de qualquer modo... — continuo depressa — De qualquer modo, no fim do dia, o que importa? O que *qualquer coisa dessas* importa? Nós temos nossa saúde, temos um ao outro, temos a... a beleza da vida. Essas são as coisas que importam. Não o dinheiro. Não contas de banco. Não os detalhes mundanos que destroem a alma. — Faço um gesto amplo com a mão, sentindo que estou fazendo um discurso de aceitação do Oscar. — Nós estamos neste planeta por muito pouco tempo, Luke. Um tempo curto demais. E quando chegarmos ao fim, o que vai contar mais? Um número num pedaço de papel... ou o amor entre duas pessoas? Saber que algumas quantias insignificantes batiam... ou saber que você era a pessoa que queria ser?

Quando chego ao fim, estou engasgada com o meu próprio brilho. Ergo os olhos ofuscada, meio esperando que Luke esteja à beira das lágrimas e sussurrando: "Você me deixou doido."

— Muito interessante — diz Luke rispidamente. — Só para constar, no meu dicionário "despesas domésticas" significa gastos conjuntos para manter este apartamento e a nossa vida. Comida, combustível, produtos de limpeza e assim por diante.

— Ótimo! — Dou de ombros. — Se esta é a definição estreita... francamente *limitada* que você quer usar, então tudo bem.

A campainha da porta toca e eu abro, vendo Danny parado no corredor.

— Danny, uma saia Miu Miu é um gasto doméstico? — pergunto.

— Sem dúvida — diz Danny, entrando na sala de estar.

— Está vendo? — Levanto as sobrancelhas para Luke. — Mas, tudo bem, continue com sua definição.

— Então você soube? — diz Danny morosamente.

— O quê?

— A Sra. Watts está vendendo o prédio.

— O quê? — Eu o encaro. — Sério?

— Assim que terminar o aluguel, nós vamos ter de sair.

— Ela não pode fazer isso!

— Ela é a proprietária. Pode fazer o que quiser.

— Mas... — Olho para Danny, perplexa, depois me viro para Luke, que está colocando uns papéis na pasta. — Luke, ouviu isso? A Sra. Watts está vendendo o prédio!

— Eu sei.

— Você *sabia*? Por que não me contou?

— Desculpe. Eu ia contar. — Luke não parecia preocupado.

— O que vamos fazer?

— Nos mudar.

— Mas não quero me mudar. Eu adoro isso aqui!

Olho a sala em volta sentindo uma pontada. Este é o lugar onde Luke e eu fomos felizes durante o último ano. Não quero ser arrancada daqui.

— Então quer ouvir o que vai ser de mim? — diz Danny. — Randall vai alugar um apartamento com a namorada.

Olho-o cheia de alarme.

— Ele está botando você na rua?

— Praticamente. Disse que eu tenho de começar a colaborar, caso contrário posso começar a procurar casa nova. Mas como é que eu vou fazer isso? — Danny levanta as mãos.

— Até estar com minha coleção pronta, não vai ser possível. É o mesmo que ele encomendar uma caixa de papelão para mim.

— Então, é... como está indo a nova coleção? — pergunto cautelosamente.

— Sabe, ser um estilista não é fácil como parece — diz Danny na defensiva. — Não se pode ser criativo sob encomenda. É tudo questão de inspiração.

— Talvez você pudesse arranjar um trabalho — diz Luke, pegando o sobretudo.

— Um trabalho?

— Eles devem precisar de estilistas na... sei lá, na Gap.

— Gap? — Danny o encara. — Você acha que eu devo passar a vida desenhando *camisas pólo*? Então que tal aahh, duas mangas aqui, três botões na gola, algumas nervuras... Como é que eu posso conter minha empolgação?

— O que vamos fazer? — pergunto a Luke, meio choramingando.

— Com o Danny?

— Com o nosso apartamento!

— Vamos achar um lugar — diz Luke em tom tranqüilizador. — E isso me lembra. Mamãe quer almoçar com você hoje.

— Ela voltou? — digo consternada. — Quer dizer... ela voltou!

— Tiveram de adiar a cirurgia. — Luke faz uma pequena careta. — A clínica foi posta sob investigação pelas autoridades médicas da Suíça enquanto ela estava lá, e todos os procedimentos foram adiados. Então... à uma hora, no La Goulue?

— Ótimo — digo sem entusiasmo.

Então, quando a porta se fecha atrás de Luke, eu me sinto meio mal. Talvez Elinor tenha mudado de idéia. Talvez queira enterrar as armas e se envolver com o casamento. Nunca se sabe.

Eu tinha planejado ser bem tranqüila e só dizer às pessoas que tinha ficado noiva se me perguntassem: "Como foi a viagem?"

Mas quando chega a hora me pego correndo para o departamento de compras pessoais da Barneys, onde trabalho, estendendo a mão e dizendo:

— Olhem!

Erin, que trabalha comigo, levanta os olhos espantada, vê meus dedos e depois põe a mão na boca.

— Ah, meu Deus! Ah, meu Deus!

— Eu sei!

— Você ficou noiva? Do Luke?

— É, claro que foi do Luke! Vamos nos casar em junho!

— O que você vai usar? Estou com tanto ciúme! Deixa eu ver o anel! Onde comprou? Quando eu ficar noiva vou direto à Harry Winstons. E esqueça um mês de salário, estamos falando de pelo menos três anos... — Ela pára enquanto examina meu anel. — Uau.

— Era da família de Luke — digo. — Da avó dele.

— Ah, certo. Então... não é novo? — Seu rosto cai ligeiramente. — Ah, bem...

— É uma antiguidade — digo cuidadosamente, e sua expressão se anima de novo.

— Antiguidade! Um anel que é uma antiguidade! Que idéia maneira!

— Parabéns, Becky — diz Christina, minha chefe, e me dá um sorriso caloroso. — Sei que você e Luke vão ser muito felizes juntos.

— Posso experimentar? — diz Erin. — Não! Desculpe. Esqueça que eu falei. Eu só... Uma antiguidade!

Ela ainda está olhando o anel quando minha primeira cliente, Laurel Johnson, entra no departamento. Laurel é presidente de uma empresa que aluga jatos particulares, e é uma das minhas clientes prediletas, mesmo me dizendo o tempo todo que acha tudo na loja caro demais e que compraria todas as roupas no K-Mart se não fosse o seu emprego.

— O que é isso que estou vendo? — diz ela, tirando o casaco e sacudindo o cabelo escuro e encaracolado.

— Estou noiva! — digo rindo de orelha a orelha.

— Noiva! — Ela se aproxima e examina o anel com olhos escuros e inteligentes. — Bem, espero que você seja muito feliz. Tenho certeza de que será. Tenho certeza de que o seu marido terá o bom senso de manter o pau fora da lourinha que veio trabalhar como estagiária dele e disse que nunca tinha conhecido um homem que a enchesse de espanto antes. *Espanto*. Já ouviu uma merda dess... — Ela pára no meio da frase e põe a mão na boca. — Droga.

— Não faz mal — digo em tom reconfortante. — Você foi provocada.

Laurel tomou uma decisão de Ano-Novo de não falar mais sobre o ex-marido ou a amante dele, porque seu terapeuta Hans lhe disse que isso não é saudável. Infelizmente ela está achando difícil manter a decisão. Não que eu a culpe. O ex dela parece um porco total.

— Sabe o que Hans me disse semana passada? — pergunta ela enquanto abro a porta da minha sala de provas. — Disse para eu anotar uma lista de tudo que quisesse dizer àquela mulher. E rasgar. Disse que eu teria um sentimento de liberdade.

— Ah, certo — digo interessada. — E o que aconteceu?

— Eu anotei tudo. E depois mandei para ela pelo correio.

— Laurel! — falo tentando não rir.

— Eu sei. Eu sei. Hans não ficou satisfeito. Mas se ele soubesse a vaca que ela é...

— Ah, entre! — digo antes que Laurel comece a falar de quando achou a estagiária loura e seu marido comendo morangos tirados um do outro em sua cozinha. — Esta manhã estou um pouco atrasada...

Depois de me lembrar do que Laurel quer hoje e arranjar umas peças para ela, já ultrapassamos o incidente dos morangos e chegamos à primeira briga na Madison.

— Nunca senti tanta satisfação! — diz ela, enfiando a mão na manga de uma blusa de seda. — Ver o choque naquele rostinho redondo quando acertei nela! Nunca tinha acertado uma mulher antes! Foi a melhor coisa! — Ela enfia a outra mão na blusa e eu me encolho quando há um agourento som de coisa se rasgando.

— Eu pago — diz ela sem perder o pique. — Certo. O que mais você tem?

Algumas vezes acho que Laurel vem experimentar roupas só para brigar com elas.

— A propósito, já contei do quê ela o chama? De William. Acha que o som é melhor do que Bill. Bill é a porra do *nome* dele, pelo amor de Deus.

— Bom, aqui está o casaco... — digo tentando distrair sua atenção. — O que acha?

Laurel o veste e se olha no espelho.

— Está vendo? — diz finalmente. — Está perfeito. Não sei por que procuro outras pessoas. Vou levar. E outra blusa dessas. Sem o rasgo. — Ela solta o ar, feliz. — Eu sempre me sinto melhor quando venho ver você, Becky. Não sei por quê.

— É um mistério — digo rindo, e faço uma anotação no meu caderno.

Uma das melhores coisas de trabalhar como compradora

pessoal é que você realmente fica íntima das clientes. De fato, algumas delas parecem amigas. Quando conheci Laurel ela tinha acabado de se separar do marido. Estava com raiva dele e de si mesma. E tinha um nível de confiança de aproximadamente zero. Bom, não estou querendo me gabar, mas quando lhe encontrei o vestido Armani perfeito para usar numa fantástica gala de um balé onde ele estaria — quando a olhei se examinando ao espelho, levantando o queixo, sorrindo e se sentindo de novo uma mulher bonita —, honestamente achei que tinha feito uma diferença na vida dela.

Enquanto Laurel coloca de novo sua roupa de trabalho, saio da sala de provas, segurando uma pilha de roupas.

— Eu não posso usar isso — vem uma voz abafada da sala de Erin.

— Se você ao menos experimentasse... — posso ouvir Erin dizendo.

— Você sabe que eu nunca uso essa cor! — A voz se eleva, e eu congelo.

É um sotaque inglês.

— Não vou mais perder tempo! Se você me traz coisas que eu não uso...

Aranhas minúsculas estão subindo e descendo pelas minhas costas. Não acredito. Não pode ser...

— Mas você pediu um novo estilo! — diz Erin, desanimada.

— Ligue quando você tiver o que eu pedi.

E, antes que eu possa me mexer, ali está ela, saindo da sala de provas de Erin, alta, loura e imaculada como sempre, os lábios já se curvando num riso superior. O cabelo está liso e os olhos azuis brilham, e ela parece no topo do mundo.

Alicia Billington.

Alicia, a Vaca Pernalta.

Encontro os olhos dela — e é como um choque elétrico em todo o meu corpo. Dentro de minhas calças cinza de corte masculino posso sentir as pernas começando a tremer. Não pus os olhos em Alicia Billington durante bem mais de um ano. Deveria ser capaz de lidar com isso. Mas é como se aquele tempo tivesse se concentrado num nada. As lembranças de todos os nossos contatos são fortes e doloridos como sempre. O que ela fez comigo. O que tentou fazer com Luke.

Está me olhando com o mesmo ar superior que costumava adotar quando era divulgadora e eu era uma repórter recém-formada. E mesmo eu me dizendo firmemente que cresci um bocado desde então; que sou uma mulher forte com uma carreira bem-sucedida e nada a provar... ainda posso me sentir encolhendo por dentro. Voltando a ser a menina que sempre se sentiu meio frágil; que nunca sabia o que dizer.

— Rebecca! — diz ela, olhando-me como se achasse tremendamente divertido. — Bom, eu nunca iria imaginar!

— Oi, Alicia — digo, e de algum modo consigo me obrigar a dar um sorriso cortês. — Como vai?

— Eu tinha ouvido dizer que você trabalhava numa loja, mas achei que deveria ser piada. — Ela dá um risinho. — No entanto... aqui está você. Faz sentido, verdade.

Eu não "trabalho numa loja" simplesmente! Quero gritar com fúria. Sou uma compradora pessoal! É uma profissão que exige conhecimento! Eu ajudo pessoas!

— E ainda está com Luke, não está? — Ela me dá um olhar zombeteiro-preocupado. — A empresa dele finalmente voltou aos trilhos? Sei que ele passou um tempo difícil.

Não posso acreditar nessa mulher. Foi ela que tentou sabotar a empresa de Luke. Foi ela que montou uma empresa de divulgação rival que deu em nada. Foi ela que perdeu todo o dinheiro do namorado — e aparentemente teve de ser salva pelo pai.

E agora está se comportando como se tivesse ganhado.

Engulo em seco várias vezes, tentando achar a resposta certa. Sei que valho mais do que Alicia. Deveria ser capaz de dar a resposta perfeita, educada mas espirituosa. Mas, de algum modo, ela não vem.

— Eu também estou morando em Nova York — diz ela em tom tranqüilo. — Portanto imagino que vamos nos ver de novo. Talvez você me venda um par de sapatos. — Ela me lança um último olhar superior, pendura a bolsa Chanel no ombro e sai do departamento.

Quando ela saiu, há silêncio ao redor.

— O que era *aquilo*? — diz Laurel finalmente, depois de sair da sala de provas ainda vestida pela metade, sem que eu notasse.

— Era... Alicia, a Vaca Pernalta — digo, meio tonta.

— Mais parece Alicia, a Vaca Bundona — diz Laurel. — Eu sempre digo, não existe uma vaca igual a uma vaca inglesa. — Ela me dá um abraço. — Não se preocupe com isso. Quem quer que seja, ela só está com ciúme.

— Obrigada — digo, e coço a cabeça, tentando limpar os pensamentos. Mas, para ser honesta, ainda estou meio chocada. Nunca pensei que poria os olhos em Alicia de novo.

— Becky, sinto muito! — diz Erin enquanto Laurel volta à sala de provas. — Eu não tinha idéia de que Alicia e você se conheciam!

— Eu não tinha idéia de que ela era sua cliente!

— Ela não aparece muito. — Erin faz uma careta. — Nunca conheci ninguém tão cheia de frescura. Qual é a história entre vocês duas?

Ah, nada!, quero dizer. Ela só me sujou nos jornais sensacionalistas e quase arruinou a carreira de Luke, e para mim foi uma vaca completa desde o momento em que a conheci. Nada demais.

— Uma historinha de nada, a nossa — digo finalmente.

— Sabia que ela ficou noiva também? De Peter Blake. Dinheiro muito antigo.

— Não entendo. — Minha testa se franze. — Achei que ela tinha se casado ano passado. Com um cara inglês. Ed... não sei das quantas.

— Casou! Só que não casou. Ah, meu Deus, você não sabe a história? — Duas clientes vêm passando pela área de compras pessoais, e Erin baixa a voz. — Fizeram o casamento e estavam na recepção, quando entrou Peter Blake, acompanhando alguém. Alicia não sabia que ele ia, mas parece que no minuto em que descobriu quem ele era, partiu direto para cima. Tipo *partiu* de verdade... mas o que Alicia podia fazer? Já estava casada! — O rosto de Erin está brilhando de alegria. — Então ela foi até o padre e disse que queria anular.

— Ela fez o *quê*?

— Pediu para anular! No meio da recepção de casamento! Disse que eles não tinham consumado, de modo que não contava. — Erin dá um risinho gorgolejante. — Dá para acreditar?

Não posso evitar um riso frouxo, em resposta.

— Com Alicia eu posso acreditar em qualquer coisa.

— Ela disse que sempre consegue o que quer. Parece que o casamento vai ser de *morrer*. Mas ela é a própria noiva-godzilla. Praticamente obrigou uma das damas a fazer plástica no nariz e saqueou todos os floristas de Nova York... a organizadora do casamento está pirando! Quem está organizando o seu casamento?

— Minha mãe — respondo, e os olhos de Erin se arregalam.

— Sua mãe é organizadora de casamentos? Eu nunca vi isso!

— Não, sua tonta — digo, rindo e começando a me animar. — Minha mãe está organizando o casamento. Ela já está com tudo sob controle.

— Ah, certo. — Erin assente. — Bem, isso provavelmente facilita as coisas. Então você pode se manter à distância.

— É. Deve ser realmente simples. Vamos cruzar os dedos! — acrescento, e as duas rimos.

Chego ao La Goulue à uma hora em ponto, mas Elinor ainda não está. Sou levada a uma mesa e tomo minha água mineral enquanto espero. O lugar está agitado, como sempre nesta hora, principalmente com mulheres bem-vestidas. Ao redor há conversas e o brilho de dentes caros e jóias caras, e aproveito a oportunidade para espiar desavergonhadamente. Na mesa ao lado, uma mulher usando delineador pesado e um broche enorme está dizendo com ênfase:

— Hoje em dia simplesmente não é possível mobiliar um apartamento com menos de cem mil dólares.

— Então eu falei com Edgar: eu sou um ser humano — diz uma garota ruiva do meu outro lado.

A amiga dela mastiga um talo de aipo e a encara com olhos brilhantes, ávidos.

— E o que ele disse?

— Para um quarto, estamos falando de trinta mil.

— Ele disse: Hillary...

— Rebecca?

Levanto os olhos, meio chateada por perder o que Edgar disse, e vejo Elinor se aproximando da mesa usando um paletó creme com grandes botões pretos e segurando uma carteira combinando. Para minha surpresa ela não está sozinha.

Uma mulher com um brilhante coque castanho, usando conjunto azul-marinho e segurando uma grande bolsa Coach, está com ela.

— Rebecca, quero lhe apresentar Robyn de Bendern — diz Elinor. — Uma das melhores organizadoras de casamentos de Nova York.

— Ah — digo, perplexa. — Bem... olá.

— Rebecca — diz Robyn, segurando minhas duas mãos e olhando intensamente em meus olhos. — Finalmente nos conhecemos. É um prazer inenarrável conhecê-la. *Inenarrável.*

— Meu também! — digo, tentando igualar seu tom de voz ao mesmo tempo que reviro o cérebro. Será que Elinor falou de nos encontrarmos com uma organizadora de casamentos? Eu deveria saber disso?

— Que rosto bonito! — diz Robyn, sem soltar minhas mãos. Ela está examinando cada centímetro meu, e eu me vejo fazendo o mesmo. Ela parece ter quarenta e tantos anos, imaculadamente maquiada com olhos castanhos brilhantes, malares salientes e um sorriso largo expondo uma fileira de dentes perfeitos. Seu ar de entusiasmo é contagiante, mas seus olhos avaliam enquanto ela dá um passo atrás e examina o resto de mim.

— Que ar jovem, fresco! Minha cara, você vai ser uma noiva estonteante. Já sabe o que vai usar no dia?

— É... um vestido de noiva? — digo estupidamente, e Robyn explode numa gargalhada.

— Que humor! — exclama. — Vocês, inglesas! Você estava certa — acrescenta para Elinor, que assente graciosamente.

Elinor estava certa? Em relação a quê?

Elas andaram falando de mim?

— Obrigada! — digo, tentando dar um passo discreto para trás. — Vamos... — Assinto na direção da mesa.

— Vamos! — diz Robyn, como se eu tivesse feito a sugestão mais genial que ela já ouviu. — Vamos fazer isso. — Enquanto ela se senta, noto que está usando um broche com duas alianças entrelaçadas, incrustado com diamantes.

— Gosta? — diz Robyn. — Os Gilbrooks me deram depois de eu ter organizado o casamento de sua filha. *Aquilo* foi um drama! A unha da pobre Bitty Gilbrook quebrou no último minuto e nós tivemos de mandar a manicure de helicóptero... — Ela faz uma pausa como se estivesse perdida em lembranças, depois volta rapidamente à atenção. — Então, você é a garota de sorte! — Ela ri para mim e não consigo deixar de rir de volta. — Garota de sorte, muita sorte. Diga, está gostando de cada momento?

— Bem...

— O que eu sempre digo é: a primeira semana depois do noivado é a mais preciosa de todas. Você precisa *saboreá-la*.

— Na verdade, já faz duas semanas...

— Saboreie — diz Robyn, levantando um dedo. — Chafurde. O que eu sempre digo é: ninguém mais pode ter essas lembranças para você.

— Bem, certo! — digo com um riso. — Eu... vou chafurdar!

— Antes de começarmos — diz Elinor —, devo lhe dar um desses. — Ela enfia a mão na bolsa e põe um convite na mesa.

O que é?

A Sra. Elinor Sherman solicita
o prazer de sua companhia...

Uau. Elinor vai dar uma festa de noivado! Para nós!

— Nossa! — Eu levanto os olhos. — Bem... obrigada. Eu não sabia que teríamos uma festa de noivado!

— Eu discuti o assunto com Luke.

— Verdade? Ele não falou comigo.

— Deve ter-lhe escapado. — Elinor me dá um sorriso frio, gracioso. — Mandarei um maço de convites ao seu apartamento, e você pode convidar seus amigos. Digamos... dez.

— Bem... é... obrigada.

— Bom, vamos tomar um champanha, para celebrar?

— Que linda idéia! — diz Robyn. — O que eu sempre digo é: se você não puder celebrar um casamento, o que pode celebrar? — Ela me dá um sorriso brilhante e eu sorrio de volta. Estou gostando desta mulher. Mas ainda não sei o que ela está fazendo aqui.

— Hmm... eu estava pensando, Robyn — digo, hesitante. — Você está aqui como... profissional?

— Ah, não. Não, não, nããão. — Robyn balança a cabeça. — Não é uma profissão. É um *sacerdócio*. As horas que eu dedico... o puro amor que eu coloco em meu trabalho...

— Certo. — Olho insegura para Elinor. — Bem, o negócio é que... eu não sei se vou precisar de ajuda. Ainda que seja muita gentileza sua...

— Não vai precisar de ajuda? — Robyn vira a cabeça para trás e dá uma gargalhada. — Você não vai precisar de ajuda? Por favor! Você sabe quanta organização é necessária para um casamento?

— Bem...

— Já fez isso antes?

— Não, mas...

— Um monte de garotas pensa como você — diz Robyn, assentindo. — Sabe quem são essas garotas?

— Hmm...

— São as que terminam *chorando* no bolo de casamento, porque estão estressadas demais para aproveitar a diversão! Quer ser uma delas?

— Não! — digo, alarmada.

— Certo! Claro que não quer! — Ela se recosta na cadeira, parecendo uma professora cuja turma finalmente descobriu quanto são dois mais dois. — Rebecca, eu vou tirar essa tensão de cima de você. Vou ficar com as dores de cabeça, o trabalho duro, o puro *estresse* da situação... Ah, aí está o champanha!

Talvez ela tenha alguma razão, penso, enquanto o garçom serve champanha em três taças. Talvez seja boa idéia pegar alguma ajuda extra. Se bem que não sei exatamente como ela vai se coordenar com mamãe...

— Vou me tornar sua melhor amiga, Becky — está dizendo Robyn, rindo para mim. — Na hora do seu casamento vou conhecê-la *melhor* do que sua melhor amiga. As pessoas dizem que meus métodos são pouco ortodoxos. Mas quando vêem os resultados...

— Robyn não tem paralelos nesta cidade — diz Elinor, tomando um gole de champanha, e Robyn dá um sorriso modesto.

— Então vamos começar com o básico — diz ela, e pega um grande caderno com capa de couro. — O casamento é em vinte e dois de junho...

— É.

— Rebecca e Luke...

— É.

— No Plaza Hotel.

— O quê? — Eu a encaro. — Não, não é...

— Eu estou presumindo que tanto a cerimônia quanto a recepção vão acontecer lá? — Ela ergue os olhos para Elinor.

— Acho que sim — diz Elinor, assentindo. — Assim é muito mais fácil.

— Com licença...

— Então... a cerimônia no Salão Terrace? — Ela rabisca

um momento. — E depois a recepção no Salão de Bailes. Lindo. E quantos?

— Espera um minuto! — digo, plantando a mão em seu caderno. — Do que vocês estão falando?

— Do seu casamento — diz Elinor. — Com meu filho.

— No Plaza Hotel — diz Robyn com um sorriso de orelha a orelha. — Não preciso dizer como você tem sorte, conseguindo a data que queria! Felizmente foi uma cliente minha que cancelou, por isso eu pude entrar direto fazendo o pedido para você...

— Eu não vou me casar no Plaza Hotel!

Robyn olha incisivamente para Elinor, com a preocupação franzindo sua testa.

— Pensei que você tinha falado com John Fergusson.

— Falei — responde Elinor rapidamente. — Falei com ele ontem.

— Bom! Porque, como vocês sabem, nós estamos com muito pouco tempo. Um casamento no Plaza em menos de cinco meses? Há algumas organizadoras de casamentos que simplesmente diriam: impossível! Eu não sou uma dessas. Uma vez fiz um casamento em três dias. Três dias! Claro, era numa praia, de modo que foi um pouco diferente...

— O que você quer dizer, o Plaza está marcado? — Viro-me na cadeira. — Elinor, nós vamos nos casar em Oxshott. Você sabe disso.

— Oxshott? — Robyn franze a testa. — Não conheço. É no interior do estado?

— Alguns arranjos provisórios foram feitos — diz Elinor sem dar importância. — Eles podem ser facilmente cancelados.

— Não são provisórios! — Encaro Elinor em fúria. — E não podem ser cancelados!

— Sabe, eu estou sentindo alguma tensão aqui — diz Robyn toda animada. — Então vou dar uns telefonemas...

— Ela pega o celular e vai para o lado do restaurante, e Elinor e eu ficamos nos encarando. Respiro fundo, tentando ficar calma.

— Elinor, eu não vou me casar em Nova York. Vou me casar em casa. Mamãe já começou a organizar. Você sabe disso!

— Você não vai se casar em algum quintal desconhecido na Inglaterra — diz Elinor incisivamente. — Você sabe quem Luke é? Sabe quem *eu* sou?

— O que uma coisa tem a ver com a outra?

— Para alguém com um mínimo de inteligência, você é muito ingênua. — Elinor toma um gole de champanha. — Este é o acontecimento social mais importante da nossa vida. Deve ser feito de acordo. Luxuosamente. O Plaza é insuperável para casamentos. Você deve saber disso.

— Mas mamãe já começou a organizar!

— Então pode parar. Rebecca, sua mãe vai ficar agradecida quando souber que o casamento foi tirado de suas mãos. Nem preciso dizer, eu vou bancar todo o acontecimento. Ela pode comparecer como convidada.

— Ela não vai querer comparecer como convidada! É o casamento da filha dela! Ela quer ser a anfitriã! Quer organizar!

— Então! — Uma voz animada nos interrompe. — Estamos decididas? — Robyn aparece de volta junto à mesa, guardando o celular.

— Marquei para nós vermos o Salão Terrace depois do almoço — diz Elinor gelidamente. — Eu ficaria feliz se você ao menos tivesse a cortesia de vir vê-lo conosco.

Encaro-a amotinada, com a tentação de jogar meu guardanapo e dizer que de jeito nenhum. Não acredito que Luke saiba disso. De fato, estou com vontade de ligar para ele agora e dizer exatamente o que acho.

Mas então me lembro de que ele está num almoço de diretoria... e também lembro de ele ter pedido para eu dar uma chance à sua mãe. Bem, ótimo. Vou lhe dar uma chance. Vou ver o salão, andar por lá, assentir educadamente e não dizer nada. E esta noite vou lhe dizer, de modo igualmente educado, que ainda vou me casar em Oxshott.

— Certo — digo finalmente.

— Bom. — A boca de Elinor se move alguns milímetros. — Vamos fazer os pedidos?

Durante todo o almoço Elinor e Robyn falam de todos os casamentos a que já compareceram em Nova York, e eu como em silêncio, resistindo a todas as tentativas de me atraírem para a conversa. Por fora estou calma, mas por dentro não consigo parar de ferver. Como Elinor ousa tentar controlar o casamento? Como ousa contratar uma organizadora sem nem mesmo me consultar? Como ousa chamar o jardim de mamãe de "um quintal desconhecido"?

Ela não passa de uma vaca intrometida, e, se acha que vou me casar em algum gigantesco hotel anônimo de Nova York em vez de em casa com todos os meus amigos e minha família, pode tirar o cavalinho da chuva.

Acabamos o almoço, recusamos o café e saímos. Está um dia bonito, com brisas e nuvens passando pelo céu azul. Enquanto andamos na direção do Plaza, Robyn sorri para mim.

— Dá para entender se você está um pouquinho tensa. Pode ser muito estressante planejar um casamento em Nova York. Algumas das minhas clientes ficam muito... enroladas, digamos.

Eu não estou planejando um casamento em Nova York!, quero gritar. Estou planejando um casamento em Oxshott! Mas em vez disso apenas sorrio e digo:

— Acho que sim.

— Tenho uma cliente, em particular, que é realmente muito exigente... — Robyn exala com força. — Mas, como eu digo, é um negócio estressante... Ah. Aqui estamos! Não é uma visão impressionante?

Enquanto olho a opulenta fachada do Plaza, tenho de admitir, mesmo contra a vontade, que a aparência é muito boa. Ele se estende sobre a Plaza Square como um bolo de noiva, com bandeiras voando sobre uma grande entrada em pórtico.

— Você já esteve num casamento aqui? — pergunta Robyn.

— Não, eu nunca entrei.

— Ah! Bem... entremos — diz Robyn, guiando a mim e Elinor escada acima, passando por porteiros uniformizados, por uma porta giratória e entrando num gigantesco salão de recepção com teto alto e ornamentado, chão de mármore e gigantescas colunas douradas. Logo à nossa frente há uma área clara, iluminada, cheia de palmeiras e treliças, onde há pessoas tomando café e uma harpa tocando, e garçons de uniforme cinza correm de um lado para o outro com bules de prata.

Bem. Acho que, se eu for honesta, isto aqui também é bem impressionante.

— Por aqui — diz Robyn, pegando meu braço e me guiando por uma escada separada por um cordão de isolamento. Ela solta o pesado cordão e subimos pela escadaria grandiosa, e passamos por outro vasto saguão de mármore. Para todo lado que olho há entalhes ornamentados, antiguidades, tapeçarias nas paredes, os candelabros mais gigantescos que já vi...

— Este é o Sr. Fergusson, o diretor executivo de atendimento.

Vindo do nada, um homem elegante vestido de paletó apareceu. Ele aperta minha mão e me dá um sorriso amigável.

— Bem-vinda ao Plaza, Rebecca! E, se posso dizer, você fez uma escolha muito sábia. Não existe nada no mundo como um casamento no Plaza.

— Certo! — digo educadamente. — Bem, parece um hotel muito bonito...

— O que quer que esteja na sua fantasia, qualquer que seja seu sonho, nós faremos tudo para criá-lo. Não é, Robyn?

— Isso mesmo! — diz Robyn, animada. — Você simplesmente não poderia estar em mãos melhores.

— Vamos olhar primeiro o Salão Terrace? — Os olhos do Sr. Fergusson brilham. — É o salão onde acontecerá a cerimônia. Acho que você vai gostar.

Voltamos pelo vasto corredor de mármore e ele abre uma porta dupla, e entramos num salão enorme, rodeado por um terraço com balaustrada branca. Numa extremidade há uma fonte de mármore, na outra, degraus levam a uma área elevada. Para todo lado onde olho, há pessoas correndo, arrumando flores, pendurando chiffon e colocando cadeiras douradas enfileiradas em ângulo, sobre o tapete com um belo estampado.

Uau.

Na verdade isso é... bem maneiro.

Ah, dane-se. É incrível.

— Você tem sorte! — diz o Sr. Fergusson rindo de orelha a orelha. — Nós temos um casamento no sábado, de modo que você pode ver o salão "em ação".

— Belas flores — diz Robyn educadamente, depois se inclina para mim e sussurra: — Teremos coisa muito mais especial do que isso.

Mais especial do que isso? São os arranjos de flores mais gigantescos e espetaculares que eu já vi na vida! Rosas em cascatas, tulipas, lírios... e aquilo são orquídeas?

— Então, você vai entrar por esta porta dupla — diz Robyn, guiando-me pelo terraço — e as cornetas vão tocar...

ou trompetes... o que você quiser... Você vai parar diante da gruta artificial, arranjar a cauda, tirar algumas fotos. E então a orquestra de cordas vai começar e você vai andar pelo corredor entre as cadeiras...

— Orquestra de cordas? — ecôo atordoada.

— Falei com a Filarmônica de Nova York — acrescenta ela para Elinor. — Eles estão verificando a programação de viagens, de modo que cruzemos os dedos...

A Filarmônica de Nova York?

— A noiva do sábado vai ter sete harpistas — diz o Sr. Fergusson. — E um soprano solista do Metropolitan.

Robyn e Elinor se entreolham.

— Bom, *isso* é uma idéia — diz Robyn, e pega seu caderno. — Vou dar uma olhada.

— Podemos ver o Salão Barroco agora? — sugere o Sr. Fergusson, e nos guia até um elevador grande e antiquado. — Na véspera do casamento você provavelmente vai querer pegar uma suíte lá em cima e desfrutar as instalações do spa — diz ele em tom agradável enquanto subimos. — Então, no dia, você pode trazer seus cabeleireiros e maquiadores profissionais. — Ele sorri. — Mas imagino que já tenha pensado nisso.

— Eu... é... — Minha mente salta loucamente para Janice e o Noiva Radiante de Primavera. — Mais ou...

— Serão servidos coquetéis aos convidados enquanto eles passam pelo corredor — explica Robyn ao sairmos do elevador. — Aqui é o Salão Barroco, onde serão servidos os canapês antes de entrarmos no Grande Salão de Baile. Imagino que você já tenha pensado nos canapês!

— Bem... é... você sabe... — Estou para dizer que todo mundo gosta de minissalsichas.

— Mas, por exemplo — continua ela —, você poderia pensar num bufê de caviar, num bufê de ostras, numa mesa mediterrânea, sushi, talvez...

— Certo. — Engulo em seco. — Isso... parece bom.

— E, claro, o espaço em si pode ser decorado com o tema que você quiser. — Ela faz um gesto mostrando o salão. — Nós podemos transformá-lo num carnaval de Veneza, num jardim japonês, num salão de banquetes medieval... aonde sua imaginação levá-la.

— E depois ao Grande Salão de Bailes, para a recepção principal! — diz o Sr. Fergusson todo animado. Ele abre uma porta dupla e... ah, meu Deus. Este salão é o mais espetacular de todos. É todo em branco e dourado, com teto alto e camarotes de teatro, e mesas arrumadas em volta da vasta pista de dança encerada.

— É aqui que você e Luke vão começar o baile — diz Robyn com um suspiro feliz. — A primeira dança.

Olho o chão brilhante, e tenho uma visão súbita de Luke e eu girando em meio à luz de velas, e todo mundo olhando.

E sete harpas.

E a Filarmônica de Nova York.

E caviar... e ostras... e coquetéis...

— Rebecca, você está bem? — diz o Sr. Fergusson, subitamente vendo minha expressão.

— Acho que ela está um pouco abalada — diz Robyn com um sorriso. — É muita coisa ao mesmo tempo, não é?

— Bem... é. Acho que sim.

Respiro fundo e me viro um momento. Certo, não vamos ser levadas no embalo. Tudo pode ser muito chique, mas eu *não* vou ser levada por nada disso. Decidi que vou me casar na Inglaterra — e é o que vou fazer. Fim da história.

Só que... olha só isso tudo.

— Venha se sentar — diz Robyn, batendo de leve numa cadeira dourada ao seu lado. — Bom, eu sei que, pelo seu ponto de vista, ainda parece longe. Mas nós estamos com muito pouco tempo... por isso eu queria falar sobre sua visão geral do casamento. Qual é a sua fantasia? O que, para você, é a imagem do puro romance? Um monte das minhas clientes diz que é Scarlett e Rhett, ou Fred e Ginger... — Ela me espia com olhos brilhantes, a caneta esperando sobre a página.

Isso já foi longe demais. Tenho de dizer a esta mulher que não vou me casar aqui. Tenho de dizer que nada disso vai acontecer. Anda, Becky. Volte à realidade.

— Eu...

— Sim?

— Eu sempre adorei o fim da *Bela Adormecida*, quando eles dançam juntos — ouço-me dizendo.

— O balé — diz Elinor, aprovando.

— Na verdade, não. Quero dizer... o filme da Disney.

— Ah! — Robyn parece momentaneamente perplexa. — Terei de ver de novo! Bem... Tenho de certeza de que vai servir de inspiração...

Ela começa a escrever no caderno, e eu mordo o lábio.

Tenho de parar com isso. Qual é. Diga alguma coisa!

Mas por algum motivo minha boca fica fechada. Olho em volta, vendo o teto em relevo; os dourados; os candelabros brilhando. Robyn segue meu olhar e sorri para mim.

— Becky, sabe, você é uma garota de muita sorte. — Ela aperta meu braço afetuosamente. — Nós vamos nos divertir muito!

SECOND UNION BANK
300 WALL STREET
NOVA YORK, NY, 10005

Srta. Rebecca Bloom
Apto. B
251 W 11th Street
Nova York
NY 10014

21 de fevereiro de 2002

Cara Srta. Bloom

Obrigado por sua carta de 20 de fevereiro.

Sinto muito, mas não saberia dizer se uma saia Miu Miu é um gasto doméstico ou não.

Atenciosamente

Walt Pitman
Gerente de Atendimento ao Cliente

CÂMARA DOS LORDES
COMISSÃO DE INDICAÇÕES

FORMULÁRIO DE INDICAÇÃO

Por favor resuma aqui o motivo pelo qual você é passível de recomendação como um par não pertencente a partido político e como você, pessoalmente, daria uma colaboração efetiva ao trabalho da Câmara dos Lordes. Por favor anexe a este um curriculum vitae mostrando suas principais realizações e destacando habilidades e experiências relevantes.

INSCRIÇÃO PARA SER PAR VITALÍCIO DO REINO

Nome: Rebecca Bloom
Endereço: Apto. B
251 W 11th Street
Nova York
NY 10014

Título pretendido: Baronesa Rebecca Bloom de Harvey Nichols

Principais realizações:

Patriotismo
Servi à Grã-Bretanha durante muitos anos, estimulando a economia através do varejo.

Relações comerciais
Desde que moro em Nova York promovi o comércio internacional entre a Grã-Bretanha e os Estados Unidos, como, por exemplo, sempre comprar chá Twinings importado e Marmite.

Apresentações públicas
Tenho aparecido na televisão coordenando debates sobre assuntos contemporâneos (no mundo da moda).

Especialização cultural
Sou colecionadora de antiguidades e artes, principalmente vasos venezianos e equipamentos para bar da década de 1930.

Contribuição pessoal caso seja indicada:
Como novo membro da Câmara dos Lordes, eu estaria pessoalmente muito disposta a assumir o papel de consultora de moda, área até agora negligenciada — no entanto vital para o sangue da democracia.

Cinco

Falando sério. Claro que não vou me casar em Nova York. Claro que não. É impensável. Vou me casar em casa, como planejei, com um belo toldo no jardim. Não há motivo para mudar os planos. Nenhum.

Só que...

Ah, meu Deus. Talvez, só talvez, Elinor tenha alguma razão.

Puxa, é uma experiência única na vida, não é? Não é como um aniversário, ou o Natal. Você só tem um dia de casamento. Então, se tem a chance de fazer num lugar realmente incrível, talvez deva aproveitar.

E seria incrível. Andar por aquele corredor entre as cadeiras, na frente de umas quatrocentas pessoas, ao som de uma orquestra de cordas, com fantásticos arranjos de flores em toda parte. E depois um jantar fantástico. Robyn me deu alguns menus de exemplo, e, puxa, a comida! Rosácea de lagosta do Maine... Consomê de ave com quenelles de faisão... Arroz selvagem com pignoli...

Quer dizer, eu sei que em Oxshott os serviços de bufê Ashtead são bons — mas não sei se eles ao menos sabem o que é pignoli. (Para ser honesta, eu também não sei. Mas esse não é o ponto.)

E talvez Elinor esteja certa, mamãe *agradeceria* se nós tirássemos a coisa toda de suas mãos. É. Talvez ela esteja achando a organização mais cansativa do que está dando a entender. Talvez já esteja desejando não ter se oferecido. Ao passo que, se nós nos casarmos no Plaza, ela não teria de fazer nada, só aparecer. Além disso, mamãe e papai não teriam de pagar nada... Bom, isso seria um favor para eles.

Então, enquanto volto à Barneys, pego o celular e ligo para a casa dos meus pais. Quando mamãe atende, posso ouvir a música final de *Crimewatch* ao fundo, e de repente sinto uma onda de nostalgia do lar. Posso imaginar mamãe e papai sentados, com as cortinas fechadas e a lareira a gás estalando aconchegante.

— Oi, mamãe?

— Becky! Estou tão feliz por você ter telefonado! Estive tentando mandar um fax com uns menus do serviço de bufê, mas seu aparelho não está funcionando. Seu pai perguntou se você andou verificando o rolo de papel recentemente.

— Hmm... não sei. Escute, mamãe...

— E ouça só! A cunhada de Janice conhece uma pessoa que trabalha numa firma que faz balões impressos! Ela disse que se a gente encomendar mais de duzentos balões podemos ter o hélio de graça!

— Ótimo! Olha, eu estava pensando mesmo sobre o casamento. Na verdade...

Por que eu me sinto subitamente nervosa?

— Ah, é? Graham, abaixe o volume da televisão.

— Estava me ocorrendo... só uma possibilidade... — dou um riso agudo — de que Luke e eu poderíamos nos casar nos Estados Unidos!

— Nos Estados Unidos? — Há uma pausa. — O que quer dizer com nos Estados Unidos?

— Foi só uma idéia! Você sabe, já que Luke e eu moramos aqui...

— Você mora aí há um ano, Becky! — Mamãe está bem chocada. — Aqui é o seu lar!

— Bem, sim... mas eu só estava pensando... — digo debilmente.

De algum modo eu esperava que mamãe dissesse: "Que idéia fantástica!" e tornasse a coisa bastante simples.

— Como vamos organizar um casamento nos Estados Unidos?

— Não sei! — Engulo em seco. — Talvez a gente pudesse fazer num... num grande hotel.

— Num *hotel*? — Pela voz de mamãe, parece que eu enlouqueci.

— E talvez Elinor ajudasse... — Eu me atolo toda. — Tenho certeza que ela iria colaborar... você sabe, se fosse mais caro...

Há uma respiração brusca no outro lado da linha, e eu me encolho. Droga. Eu nunca deveria ter falado de Elinor.

— É... bem. Nós não queremos a colaboração dela, muito obrigada. Podemos nos virar muito bem sozinhos. Então é essa a idéia de Elinor? Um hotel? Ela acha que nós não podemos montar um belo casamento?

— Não! — digo apressadamente. — É só... não é nada! Eu só estava...

— Seu pai disse que, se ela gosta tanto de hotéis, que pode ficar num em vez de conosco.

Ah, meu Deus. Eu só estou piorando tudo.

— Olha... esqueça. Foi uma idéia idiota. — Esfrego o rosto. — Então... como vão os planos?

Conversamos por mais alguns minutos, e eu ouço tudo sobre o homem bonzinho da empresa de toldos e de como o preço dele foi bastante razoável, e de como o filho dele estudava com o primo Alex, o mundo não é mesmo pequeno? No fim da conversa, mamãe parece completamente aplacada, e toda a história sobre hotéis nos Estados Unidos foi esquecida.

Digo adeus, desligo o telefone e solto o ar com força. Certo. Bem, está decidido. Eu posso muito bem ligar para Elinor e dizer. Não há sentido em ficar embromando.

Ligo o celular de novo, aperto duas teclas e paro.

Por outro lado... há algum sentido em tomar uma decisão apressada?

Puxa, nunca se sabe. Talvez mamãe e papai conversem sobre isso esta noite e mudem de idéia. Talvez eles venham para dar uma olhada. Talvez, se eles *vissem* o Plaza... se vissem como tudo vai ser mágico... o luxo... o glamour...

Ah, meu Deus, eu não suporto abrir mão disso. Ainda não.

Quando chego em casa, Luke está sentado à mesa, franzindo a testa para alguns papéis.

— Você chegou cedo! — digo satisfeita.

— Eu tinha uns papéis para examinar. Achei que teria paz e sossego aqui.

— Ah, certo.

À medida que me aproximo, vejo que todos têm o cabeçalho "Fundação Elinor Sherman". Abro a boca para dizer alguma coisa — e fecho de novo.

— Então — diz ele, erguendo os olhos com um pequeno sorriso. — O que achou do Plaza?

— Você *sabia*? — Encaro-o.

— Sim. Claro que sabia. Eu também teria ido, se não tivesse um compromisso para o almoço.

— Mas Luke... — Respiro fundo, tentando não reagir com exagero. — Você sabe que mamãe está planejando um casamento na Inglaterra.

— Ainda é cedo, não é?

— Você não deveria ter marcado uma reunião assim!

— Minha mãe achou que seria um bom modo de surpreender você. Eu também.

— De jogar a coisa em cima de mim, você quer dizer! — respondi irritada, e Luke me olhou perplexo.

— Não gostou do Plaza? Pensei que você iria adorar!

— Claro que eu *gostei*. Esse não é o ponto.

— Sei que você sempre quis um casamento grande, magnífico. Quando minha mãe se ofereceu para dar uma recepção no Plaza, pareceu um presente do céu. Na verdade, foi idéia minha surpreender você. Achei que ficaria empolgada.

Ele parece meio frustrado, e imediatamente sou coberta pela culpa. Não me ocorrera que Luke podia estar metido nisso.

— Luke, eu estou empolgada! É só... não acho que mamãe vá ficar muito feliz por nós nos casarmos nos Estados Unidos.

— Não pode trazê-la para cá?

— Não é tão fácil. Sua mãe foi bastante autoritária, você sabe...

— Autoritária? Ela só está tentando nos dar um casamento maravilhoso.

— Se realmente quisesse, ela poderia nos dar um casamento maravilhoso na Inglaterra. Ou poderia ajudar mamãe e papai, e *todos* eles poderiam nos dar um casamento maravilhoso! Mas em vez disso ela fala do jardim deles como um "quintal desconhecido"! — O ressentimento se incendeia dentro de mim de novo, quando lembro a voz arrogante de Elinor.

— Tenho certeza que ela não quis dizer...

— Só porque não fica no meio de Nova York! Puxa, ela não sabe nada sobre o lugar!

— Certo, ótimo — diz Luke rapidamente. — Você apresentou seu ponto de vista. Você não quer o casamento. Mas, se me perguntar, minha mãe está sendo incrivelmente generosa. Ofereceu-se para pagar um casamento no Plaza, além disso arranjou uma festa de noivado luxuosa...

— Quem disse que eu quero uma festa de noivado luxuosa? — replico antes que possa me impedir.

— Isso é meio grosseiro, não é?

— Talvez eu não me importe com todo o brilho, o glamour e... as coisas materiais! E tradição... e honra. Sabe, Luke, nós só estamos neste planeta por pouco tempo...

— Chega — diz Luke, exasperado. — Você venceu! Se realmente vai ser um problema, esqueça! Você não precisa ir à festa de noivado se não quiser — e nós vamos nos casar em Oxshott. Está feliz agora?

— Eu... — Paro e coço o nariz.

Claro, agora que ele disse isso, sinto-me balançando para o outro lado. Porque, quando a gente pensa bem, é uma oferta bastante incrível. E se eu *pudesse* dar um jeito de persuadir mamãe e papai talvez a gente tivesse o momento mais fantástico de nossa vida.

— Não é necessariamente uma questão de casar em Oxshott — digo finalmente. — É uma questão de... de... chegar à decisão certa. Olha, foi você que disse que a gente não precisava ter pressa...

A expressão de Luke se suaviza e ele fica de pé.

— Eu sei. — Ele suspira. — Olha, Becky, desculpe.

— Desculpe também — murmuro.

— Ah, isso é ridículo. — Ele me envolve em seus braços e beija minha testa. — Eu só queria lhe dar o casamento com o qual você sempre sonhou. Se realmente não quer se casar no Plaza, claro que não vamos casar lá.

— E sua mãe?

— Só teremos de explicar como você se sente. — Luke

me olha por alguns instantes. — Becky, não me importa onde nós nos casamos. Não importa se teremos flores rosa ou azuis. O que importa é que vamos ser um casal, e o mundo inteiro vai saber disso.

Ele parece tão seguro e firme que sinto um súbito nó na garganta.

— É isso que me importa também — digo, e engulo em seco. — Isso é o mais importante.

— Certo. Então vamos concordar. Você pode tomar a decisão. Só me diga para onde me virar, e eu me viro.

— Certo. — Sorrio de volta para ele. — Prometo que lhe dou pelo menos quarenta e oito horas de aviso prévio.

— Bastam vinte e quatro. — Ele me beija de novo, depois aponta para o aparador. — A propósito, isso chegou. Um presente de noivado.

Olho e fico boquiaberta. É uma caixa azul amarrada com fita branca. Um presente da Tiffany!

— Devo abrir?

— Vá em frente.

Empolgada, desamarro a fita, abro a caixa e acho uma tigela de vidro azul aninhada em papel de seda, e um cartão que diz "Com os melhores votos de Marty e Alison Gerber".

— Uau! Isso é maneiro. Quem são os Gerber?

— Não sei. Amigos de mamãe.

— Então... todo mundo que for à festa vai levar um presente para nós?

— Imagino que sim.

— Ah... certo.

Nossa! Olho a tigela, pensando, passando o dedo pela superfície brilhante.

Sabe, talvez Luke tenha alguma razão. Talvez seja grosseria jogar a generosidade de Elinor de volta na cara dela.

Certo. O que vou fazer é o seguinte: vou esperar até o fim da festa de noivado. E *então* eu decido.

A festa de noivado é às seis horas da tarde da sexta-feira seguinte. Pretendo chegar cedo, mas temos um dia frenético no trabalho, com três grandes emergências — e só chego às seis e dez, me sentindo meio atrapalhada. Do lado positivo, estou usando um tomara-que-caia preto completamente fabuloso, que se ajusta em mim perfeitamente. (Na verdade ele havia sido separado para Regan Hartman, uma das minhas clientes. Mas vou dizer que não ficaria bem nela, é isso aí.)

O dúplex de Elinor fica num prédio grandioso da Park Avenue, com o mais gigantesco foyer com piso de mármore e elevadores forrados de nogueira, que sempre cheiram a perfume caro. Quando saio no sexto andar posso ouvir o burburinho, e através dele o som de piano tocando. Há uma fila de pessoas junto à porta, e eu espero educadamente atrás de um casal idoso com casacos de pele combinando. Dá pra ver o apartamento, que está fracamente iluminado mas já parece cheio de gente.

Para ser honesta, nunca gostei muito do apartamento de Elinor. É todo em azul-claro, com sofás de seda, cortinas pesadas e as pinturas mais chatas do mundo. Mal posso acreditar que ela goste de alguma delas. Na verdade nem acredito que ela *olhe* para elas.

— Boa noite. — Uma voz interrompe meus pensamentos, e percebo que cheguei à frente da fila. Uma mulher vestida de terninho preto, segurando uma prancheta, está me dando um sorriso profissional.

— Posso saber seu nome?

— Rebecca Bloom — digo modestamente, esperando que ela fique boquiaberta, ou pelo menos que se ilumine com o reconhecimento.

— Bloom... Bloom... — A mulher olha a lista, vira a página e corre o dedo até o final antes de levantar os olhos. — Não estou vendo.

— Verdade? — Encaro-a. — Deve estar em algum lugar aí!

— Vou olhar de novo... — A mulher vai até o topo e corre os olhos mais lentamente. — Não — diz por fim. — Acho que não. Sinto muito. — Ela se vira para uma loura que acabou de chegar. — Boa noite! Posso saber o seu nome?

— Mas... mas... a festa é para mim! Pelo menos, não para mim, exatamente...

— Vanessa Dillon.

— Ah, sim — diz a mulher da porta, e risca o nome dela com um sorriso. — Por favor, entre. Serge vai pegar o seu casaco. Poderia por favor ficar de lado, senhorita? — diz ela friamente para mim. — Está bloqueando a porta.

— Você tem de me deixar entrar! Eu deveria estar na lista! — Olho para dentro da porta, esperando ver Luke, ou mesmo Elinor, mas há apenas um monte de gente que não reconheço. — Por favor! Honestamente, eu deveria estar aí! — A mulher de preto suspira.

— A senhorita tem um convite?

— Não! Não achei que fosse precisar! Eu sou a... eu sou a noiva!

— A quê? — Ela me encara com olhar vazio.

— Eu sou... Ah, meu Deus... — Olho de novo para a festa, e de repente vejo Robyn, vestida com uma blusa de con tas prateadas e uma saia ampla.

— Robyn! — grito o mais discretamente que posso. — Robyn! Não querem me deixar entrar!

— Becky! — responde Robyn toda animada. — Entre! Você está perdendo a diversão! — E ela me chama, toda animada, com a taça de champanha.

— Está vendo? — digo desesperadamente. — Eu conheço pessoas. Honestamente, não estou dando uma de penetra.

A mulher da porta me olha durante longo tempo, depois dá de ombros.

— Certo. Pode entrar. Serge vai pegar seu casaco. Você tem um presente?

— Hmm... não.

A mulher revira os olhos como se dissesse "Imagina só!" — depois passa para a próxima pessoa da fila, e eu entro antes que ela mude de idéia.

— Não posso ficar muito tempo — diz Robyn quando me junto a ela. — Tenho três jantares de ensaio para ir. Mas queria particularmente ver você hoje, porque tenho notícias empolgantes. Um designer de eventos *muito* talentoso vai trabalhar no seu casamento! Nada menos do que Sheldon Lloyd!

— Uau! — digo, tentando igualar o tom dela, mesmo não fazendo idéia de quem é Sheldon Lloyd. — Minha nossa.

— Você está boquiaberta, não está? Eu sempre digo: se quer fazer as coisas acontecerem, faça com que aconteçam agora! Por isso andei falando com Sheldon e nós trabalhamos algumas idéias. Por sinal, ele achou o seu tema da Bela Adormecida *fabuloso*. Realmente original. — Ela olha em volta e baixa a voz. — A idéia dele é... nós transformarmos o Salão Terrace numa floresta encantada.

— Verdade?

— É! Fiquei tão empolgada, tenho de mostrar a você!

Ela abre a bolsa e pega um esboço, e eu olho ligeiramente incrédula.

— Vamos importar as bétulas da Suíça, e guirlandas de luzinhas. Você vai andar por uma avenida de árvores com os galhos pendendo acima. Agulhas de pinheiro vão soltar um perfume maravilhoso enquanto você andar, flores vão florir magicamente enquanto você passa, e pássaros treinados vão cantar acima... O que acha de um esquilo animatrônico?

— Hmm... — faço uma pequena careta.

— Não, eu também não tinha certeza sobre isso. Certo... vamos esquecer as criaturas da floresta. — Ela pega uma caneta e risca uma anotação. — Mas afora isso... vai ser fabuloso, não acha?

— Eu... bem...

Será que devo lhe dizer que não estou totalmente decidida sobre me casar em Nova York?

Ah, mas não posso. Ela interromperia todos os preparativos no ato. E ela vai contar a Elinor, e vai haver uma confusão terrível.

E o negócio é que tenho certeza que no final vamos topar o Plaza. Assim que eu tiver pensado exatamente em como ganhar mamãe. Quer dizer, a gente seria louca se não topasse.

— Sabe, Sheldon trabalhou para muitos astros de Hollywood — diz Robyn, baixando a voz ainda mais. — Quando o encontrarmos, você vai poder dar uma olhada no portfólio dele. Estou dizendo, é uma coisa incrível.

— Verdade? — Sinto uma fagulha de empolgação. — Tudo isso parece fantástico!

— Bom! — Ela olha o relógio. — Agora eu tenho de ir correndo. Mas vou manter contato. — Ela aperta minha mão, engole o champanha e corre para a porta. E eu fico olhando-a, ainda meio atordoada.

Astros de Hollywood! Puxa, se mamãe soubesse disso, não veria a coisa de outro modo? Não perceberia a oportunidade incrível?

O problema é que não tenho coragem de puxar o assunto de novo. Nem ousei contar sobre esta festa. Ela só iria ficar perturbada e diria: Elinor não acha que a gente pode dar uma festa de noivado? Ou algo do tipo. E então vou me sentir ainda mais culpada do que já estou. Ah, meu Deus. Só preciso de um modo de enfiar a idéia em sua cabeça de novo, sem que ela fique ofendida imediatamente. Talvez se eu falasse com Janice... se lhe contasse sobre os astros de Hollywood...

Uma gargalhada próxima me tira dos pensamentos, e percebo que estou parada sozinha. Olho em volta, procurando alguém a quem me juntar. O negócio ligeiramente esquisito é que esta deveria ser uma festa de noivado para Luke e eu. Mas deve haver pelo menos cem pessoas aqui, e não conheço nenhuma delas. Pelo menos reconheço levemente um ou outro rosto — mas não o suficiente para me aproximar e dizer olá. Tento sorrir para uma mulher que se aproxima, mas ela me olha cheia de suspeitas e vai para um grupo parado perto da janela. Sabe, quem disse que os americanos são mais amigáveis do que os ingleses não pode ter estado em Nova York.

Danny deve estar por aí, em algum lugar, acho, espiando a multidão. Convidei Erin e Christina também — mas as duas ainda estavam dando duro quando saí da Barneys. Imagino que vão chegar mais tarde.

Ah, qual é, eu tenho de conversar com alguém. Elinor deve estar por aí. Não que ela seja minha primeira escolha em termos de companhia — mas talvez ela saiba se Luke já está aqui. E estou passando por um grupo de mulheres que usam Armani preto combinando quando ouço alguém dizendo:

— Você conhece a noiva?

Congelo atrás de uma coluna, tentando fingir que não estou escutando.

— Não. Alguém conhece?

— Onde eles moram?

— Em algum lugar no West Village. Mas aparentemente vão se mudar para este prédio.

Olho para a coluna, pasma. O que é isso?

— Ah, verdade? Eu achei que era impossível entrar aqui.

— Não se você for parente de Elinor Sherman! — As mulheres riram animadas, e partiram para o meio das pessoas, e eu fico olhando inexpressivamente para um arabesco em relevo.

Elas devem ter entendido mal. De jeito nenhum vamos nos mudar para cá. De jeito nenhum.

Ando sem objetivo por mais alguns minutos, acho uma taça de champanha e tento manter um sorriso animado. Mas, por mais que tente, ele fica escapando. Não é exatamente assim que imaginei minha festa de noivado. Primeiro o pessoal na porta tenta me impedir de entrar. Depois, não conheço ninguém. Depois, as únicas coisas para comer são cubos de peixe com baixo teor de gordura e alto teor de proteínas — e mesmo assim os garçons olham pasmos quando a gente come.

Não consigo deixar de pensar com alguma saudade na festa de Tom e Lucy. Claro que nem de longe foi tão grandiosa quanto esta. Janice fez uma grande tigela de ponche e houve um churrasco, e Martin cantou "Are You Lonesome Tonight?" na máquina de caraoquê. Mas mesmo assim. Pelo menos foi divertida. Pelo menos eu conhecia gente. Conhecia mais gente naquela festa do que conheço nesta...

— Becky! Por que está se escondendo? — Ergo os olhos e sinto um jorro de alívio. Ali está Luke. Onde, afinal, ele esteve esse tempo todo?

— Luke! Finalmente! — digo me adiantando. Depois ofego de alegria quando vejo um homem familiar, meio careca, de meia-idade, parado ao lado dele, rindo animado. — Michael! — Jogo os braços em volta dele e lhe dou um abraço enorme.

Michael Ellis devo ser uma das minhas pessoas prediletas do mundo. Ele mora em Washington, onde comanda uma empresa de publicidade tremendamente bem-sucedida. Além disso, é sócio de Luke no braço americano da Brandon Communications e tem sido um mentor para ele. E para mim, por sinal. Se não fossem os seus conselhos, eu nunca teria me mudado para Nova York, para começar.

— Luke disse que talvez você viesse! — falo rindo de orelha a orelha.

— Acha que eu perderia isto? — Michael pisca para mim. — Parabéns! — Ele ergue o copo para mim. — Sabe, Becky, aposto que agora você está se arrependendo de não ter aceitado minha oferta de emprego. Você teria verdadeiras perspectivas em Washington. Ao passo que... — Ele balança a cabeça. — Olha como as coisas aconteceram para você. Conseguiu um grande emprego, o seu homem, um casamento no Plaza...

— Quem contou a você sobre o Plaza? — digo cheia de surpresa.

— Ah, praticamente todo mundo com quem falei. Parece que vai ser um tremendo acontecimento.

— Bem... — Dou de ombros, timidamente.

— Sua mãe está empolgada?

— Eu... é... — Tomo um gole de champanha para não ter de responder.

— Imagino que ela não esteja aqui esta noite, não é?

— Não. Bem, é meio longe! — Meu riso é um tanto agudo, e eu tomo outro gole, esvaziando a taça.

— Deixe que eu pego outra para você — diz Luke. — E vou achar minha mãe. Ela estava perguntando por você... Acabei de pedir a Michael para ser padrinho — acrescenta enquanto se afasta. — Por sorte, ele aceitou.

— Verdade? — digo, deliciada. — Fantástico! Não consigo pensar numa escolha melhor.

— Eu me sinto muito honrado com o convite. A não ser que vocês queiram que eu os case, claro. Estou meio enferrujado, mas provavelmente poderia lembrar as palavras...

— Verdade? — digo, surpresa. — Você é um pastor em segredo, além de tudo o mais?

— Não. — Ele joga a cabeça para trás e ri. — Mas há alguns anos uns amigos quiseram que eu os casasse. Mexi uns pauzinhos e fui registrado como oficiante.

— Bom, acho que você seria um sacerdote fantástico! Padre Michael. As pessoas viriam em bandos à sua igreja.

— Um sacerdote ateu. — Michael levanta as sobrancelhas. — Acho que não seria o primeiro. — Ele toma um gole de champanha. — Então, como vão os negócios de compras?

— Fantásticos, obrigada.

— Sabe, eu recomendo você a todo mundo que encontro. "Se precisar de roupas, procure Becky Bloom na Barneys." Digo a mensageiros de hotel, empresários, pessoas que encontro ao acaso nas ruas...

— Eu estava imaginando por que vivo recebendo tanta gente estranha. — Sorrio para ele.

— Sério, eu queria lhe pedir um favorzinho. — Michael baixa a voz ligeiramente. — Agradeceria se você pudesse ajudar minha filha Deborah. Ela acabou de romper com um cara e acho que está numa fase de baixa auto-estima. Eu disse que você poderia dar um jeito nela.

— Sem dúvida — digo sentindo-me tocada. — Adoraria ajudar.

— Mas não vá deixá-la na falência. Porque ela só recebe salário de advogada.

— Vou tentar — digo rindo. — E você?

— Você acha que eu preciso de ajuda?

— Para ser honesta, você já está bastante bem. — Sinalizo para o seu imaculado terno cinza, que, tenho certeza, não lhe deu muito troco para três mil dólares.

— Sempre me visto bem quando sei que vou ser visto por gente bonita. — Michael olha a festa em volta, com expressão divertida, e eu sigo seu olhar. Um grupo próximo, de seis mulheres de meia-idade, está falando entre si, aparentemente sem respirar. — São suas amigas?

— Na verdade, não — admito. — Não conheço muitas pessoas aqui.

— Foi o que imaginei. — Ele me dá um sorriso interrogativo e toma um gole de champanha. — Então... como está se dando com sua futura sogra? — Sua expressão é tão inocente que sinto vontade de rir.

— Bem. Você sabe...

— Do que estão falando? — diz Luke, aparecendo subitamente junto ao meu ombro. Ele me entrega uma taça cheia de champanha e disparo um olhar para Michael.

— Estávamos falando dos planos para o casamento — diz Michael tranqüilamente. — Já decidiram onde vão passar a lua-de-mel?

— Ainda não falamos disso. — Eu olho para Luke. — Mas tive algumas idéias. Precisamos ir a um lugar bem legal e quente. E cheio de glamour. E um lugar onde eu nunca estive.

— Sabe, não sei se vou poder encaixar muito tempo para uma lua-de-mel — diz Luke franzindo ligeiramente a testa. — Acabamos de assumir o controle da NorthWest, e isso significa que talvez estejamos atentos para expandir de novo. De modo que talvez tenhamos de nos virar com um fim de semana prolongado.

— Um fim de semana prolongado? — Encaro-o, consternada. — Isso não é lua-de-mel!

— Luke — diz Michael reprovando. — Isso não vai servir. Você tem de levar sua esposa para uma bela lua-de-mel. Como padrinho, eu insisto. Onde você nunca esteve, Becky? Veneza? Roma? Índia? África?

— Não estive em nenhum desses lugares.

— Sei. — Michael levanta os olhos. — Isso pode ficar caro.

— Todo mundo viu o mundo, menos eu. Eu nunca tive um ano livre. Nunca fui à Austrália, ou à Tailândia...

— Nem eu — diz Luke, dando de ombros. — Quem se importa?

— Eu! Eu não *fiz* nada! Sabe, a melhor amiga da mãe de Suze, em todo o mundo, é uma camponesa boliviana. — Olho para Luke tentando causar impressão. — Elas moeram milho juntas nas planícies dos Llanos!

— Parece que vai ser a Bolívia — diz Michael a Luke.

— É isso que você quer fazer na nossa lua-de-mel? Moer milho?

— Só pensei que talvez a gente devesse ampliar os horizontes um pouco. Tipo... dar uma de mochileiros, talvez.

— Becky, você conhece o lema dos mochileiros? — diz Luke em tom ameno. — Todas as suas posses numa sacola de lona. Que você vai ter de *carregar*. E não a FedEx.

— Eu poderia fazer isso! — digo, indignada. — Facilmente! E a gente iria conhecer um monte de gente interessante de verdade...

— Eu já conheço um monte de gente interessante.

— Você conhece banqueiros e pessoal de relações públicas! Conhece algum camponês boliviano? Conhece algum sem-teto?

— Não posso dizer que conheço. E você?

— Bem... não — admito depois de uma pausa. — Mas esse não é o ponto. A gente poderia!

— Certo, Becky — diz Luke, levantando a mão. — Eu tenho uma solução. Você organiza a lua-de-mel. Para qualquer lugar que você queira, desde que não demore mais de duas semanas.

— Verdade? — Olho-o boquiaberta. — Está falando sério?

— Sério. Você está certa, nós não podemos nos casar sem ter uma lua-de-mel de verdade. — Ele sorri para mim. — Me surpreenda.

— Bem, certo. Vou surpreender!

Tomo um gole de champanha, sentindo-me borbulhando de empolgação. Não é o máximo? Eu posso escolher a lua-de-mel! Talvez a gente possa ir a um spa incrível na Tailândia, ou algo do tipo. Ou a algum safári espetacular...

— Por falar em sem-teto — diz Luke a Michael —, vamos ser jogados na rua em setembro.

— Verdade? O que aconteceu?

— O contrato do nosso apartamento vai terminar, e a dona está vendendo o prédio. Todo mundo vai ter de sair.

— Ah! — digo, subitamente afastada de visões agradáveis de mim e Luke em cima de uma das pirâmides. — Isso me lembra. Luke, ouvi uma conversa bem estranha agora mesmo. Algumas pessoas estavam dizendo que nós iríamos nos mudar para este prédio. De onde elas tiraram isso?

— É uma possibilidade — diz Luke.

— O quê? — Encaro-o inexpressiva. — O que quer dizer com uma possibilidade? Ficou louco?

— Por que não?

Baixo a voz um pouquinho.

— Você acha que eu quero viver neste prédio metido a besta, cheio de velhas horríveis que olham a gente como se a gente fedesse?

— Becky... — interrompe Michael, sacudindo a cabeça significativamente.

— É verdade! — Viro-me para ele. — Nenhuma pessoa deste prédio é legal! Eu já conheci, e são todos absolutamente...

Paro de súbito, ao entender o que Michael está tentando falar.

— A não ser... pela... mãe de Luke — acrescento, tentando parecer o mais natural possível. — Claro.

— Boa noite, Rebecca — diz uma voz gélida atrás de mim, e eu giro, com as bochechas em chamas.

E ali está ela, parada atrás de mim, usando um longo em estilo grego, que cai em dobras até o chão. Está tão magra e pálida que parece uma de suas colunas.

— Olá, Elinor — digo educadamente. — Você está linda. Desculpe se me atrasei um pouco.

— Rebecca — responde ela, e me oferece uma bochecha. — Imagino que tenha circulado um pouco. Que não tenha simplesmente ficado aqui com o Luke, não é?

— É... mais ou menos.

— É uma boa oportunidade para conhecer algumas pessoas importantes. A presidente do conselho deste prédio, por exemplo.

— Certo — assinto. — Bem... é... talvez.

Esse provavelmente não é o momento de lhe dizer que de jeito nenhum, nem em um milhão de anos, eu vou me mudar para este prédio.

— Vou apresentar você a ela mais tarde. Mas agora vou fazer o brinde. Se vocês puderem vir ao pódio...

— Excelente! — digo, tentando parecer entusiasmada, e tomo um gole de champanha.

— Mamãe, você conhece Michael — diz Luke.

— É verdade — diz Elinor com um sorriso gracioso. — Como vai?

— Muito bem, obrigado — diz Michael em tom agradável. — Eu pretendia vir ao lançamento de sua fundação, mas infelizmente não pude sair de Washington. Mas ouvi dizer que correu muito bem.

— Correu. Obrigada.

— E agora outra ocasião feliz. — Ele sinaliza o salão em volta. — Eu estava acabando de dizer ao Luke, que sorte ele teve de conseguir uma garota tão linda, talentosa e realizada como Becky.

— É verdade! — O sorriso de Elinor congela ligeiramente.

— Mas você deve sentir o mesmo.

Há silêncio.

— Claro — diz Elinor finalmente. Ela estende a mão e, depois de uma hesitação minúscula, coloca-a no meu ombro.

Ah, meu Deus. Os dedos dela são todos frios. É como ser tocada pela Rainha do Gelo. Olho para Luke e ele está luzindo de prazer.

— Então! O brinde! — digo, animada. — Vá na frente!

— Vejo você depois, Michael — diz Luke.

— Divirta-se — responde Michael, e me dá uma piscadela minúscula. — Luke — acrescenta ele em voz mais baixa enquanto ela se afasta —, em relação à instituição de caridade de sua mãe, eu gostaria de trocar uma palavrinha mais tarde.

— Certo — diz Luke depois de uma pausa. — Tudo bem.

É minha imaginação ou ele parece ligeiramente na defensiva?

— Mas primeiro o brinde — diz Michael em tom agradável. — Não estamos aqui para falar de negócios.

Enquanto atravesso o salão com Luke e Elinor, posso ver pessoas começando a se virar e murmurar. Um pódio foi montado numa extremidade do salão e, quando subimos nele, sinto-me um pouco nervosa pela primeira vez. O silêncio baixou e todas as pessoas estão nos olhando.

Duzentos olhos, todos me dando a Olhada de Manhattan.

Tentando ficar à vontade, procuro na multidão rostos que reconheça; rostos que me pertençam. Mas, afora Michael lá atrás, não há nenhum.

Continuo sorrindo, mas por dentro me sinto meio por baixo. Onde estão meus amigos? Sei que Christina e Erin estão vindo — mas onde está Danny? Ele prometeu que vinha.

— Senhoras e senhores — diz Elinor graciosamente. — Bem-vindos. É meu enorme prazer lhes dar as boas-vindas esta noite, nesta ocasião feliz. Particularmente a Marcia Fox, presidente do conselho deste prédio, e Guinevere von...

— Não me importa sua lista estúpida! — diz uma voz aguda vindo da porta, e algumas cabeças ao fundo se viram para olhar.

— ...von Landlenburg, sócia da Fundação Elinor Sherman... — diz Elinor, com o queixo ficando mais rígido.

— Deixe eu entrar, sua vaca estúpida!

Há um som raspado e um pequeno grito, e todo o salão se vira para ver o que está acontecendo.

— Tire as mãos de mim. Eu estou grávida, certo? Se alguma coisa me acontecer, eu abro um processo!

— Não acredito! — grito, deliciada, e pulo do pódio. — Suze!

— Bex! — Suze aparece passando pela porta, bronzeada e saudável, com contas nos cabelos e uma barriga proeminente aparecendo sob o vestido. — Surpresa!

— *Grávida?* — Tarquin vem atrás, usando um antiqüíssimo smoking sobre uma camisa pólo e parecendo completamente em estado de choque. — Suze, querida... do que você está falando?

Seis

— Nós pensamos em lhe fazer uma surpresa! — diz Suze, quando a agitação acabou e Elinor fez seu brinde; no qual mencionou Luke e eu uma vez, e a Fundação Elinor Sherman seis vezes. — Como um finalzinho de nossa lua-de-mel! Então a gente apareceu no seu apartamento...

— E, como sempre, eu ia ser completamente pontual... — intervém Danny, endereçando-me um riso de desculpas.

— Então Danny disse por que vocês não vêm juntos à festa para dar um choquezinho nela?

— Você certamente deu um choquezinho em Tarquin! — digo, rindo. Simplesmente não consigo varrer o riso de felicidade do rosto. Suze, Tarquin *e* Danny, todos aparecendo juntos.

— Eu sei. — Suze faz uma cara triste. — Bem que eu queria dar a notícia a ele com mais tranqüilidade do que isso.

— Mas não dá para acreditar que ele não adivinhou! Quer dizer, olha só pra você!

Sinalizo a barriga, que está envolta num vestido vermelho de tecido elástico e, francamente, não poderia ser mais óbvia.

— Ele comentou sobre minha barriga uma ou duas vezes — diz Suze vagamente. — Mas eu falei que era sensível a conversas sobre meu o peso, e ele parou. De qualquer modo, agora ele está bem. Olha só!

Ela sinaliza para Tarquin, rodeado agora por um grupo de mulheres de Nova York avidamente interessadas.

— Você mora num castelo? — posso ouvir uma delas dizendo.

— Bem... é... sim. Na verdade, moro.

— Conhece o príncipe Charles? — diz outra, comendo-o com os olhos.

— Nós jogamos pólo uma ou duas vezes... — Tarquin olha em volta, desesperado para escapar.

— Você *tem* de conhecer minha filha — diz uma das mulheres, passando o braço que parece um torno em volta de seus ombros. — Ela adora a Inglaterra. Visitou Hampton Court *seis vezes*.

— Ele é espetacular — diz uma voz baixa em meu ouvido, e eu olho em volta, vendo Danny olhando para Tarquin por cima do meu ombro. — Absolutamente espetacular. É modelo?

— Ele é *o quê*?

— Quer dizer, essa história de que é fazendeiro. — Danny dá uma tragada no cigarro. — É papo furado, não é?

— Você acha que Tarquin deveria ser *modelo*? — Não consigo evitar um riso fungado.

— O quê? — diz Danny na defensiva. — Ele tem um *look* fantástico. Eu poderia desenhar toda uma coleção inspirada nele. Mistura de príncipe Charles com... Rupert Everett... com...

— Danny, sabia que ele é hetero?

— Claro que sei que ele é hetero! O que está pensando de mim? — Danny pára, pensativo. — Mas ele estudou num internato inglês, não estudou?

— Danny! — Dou-lhe um empurrão e levanto os olhos. — Oi, Tarquin! Conseguiu se livrar!

— Olá — diz Tarquin, parecendo meio exaurido. — Suze, querida, deu a Becky as coisas da mãe dela?

— Ah, estão no hotel — diz Suze, e se vira para mim. — Bex, nós passamos na casa dos seus pais na ida para o aeroporto. Eles estão tão obcecados! — Ela dá um risinho. — Não conseguem falar de outra coisa, só do casamento.

— Não fico surpreso — diz Danny. — Parece que vai ser incrível. Catherine Zeta-Jones, morra de inveja.

— Catherine Zeta-Jones? — diz Suze interessada. — O que quer dizer?

Sinto o corpo enrijecer totalmente. Merda. Pense.

— Danny — falo casualmente. — Acho que a editora do *Women's Wear Daily* está ali.

— Verdade? Onde? — A cabeça de Danny gira. — Eu volto num segundo. — Ele desaparece na festa e eu sinto um alívio.

— Quando fomos lá, eles estavam tendo uma discussão enorme sobre o tamanho do toldo — diz Suze com outro risinho. — Fizeram com que a gente se sentasse no gramado, fingindo ser convidados.

Não quero ouvir isso. Tomo um gole de champanha e tento pensar em outro assunto.

— Contou a Becky a outra coisa que aconteceu? — diz Tarquin, parecendo subitamente sério.

— É... não, ainda não — diz Suze cheia de culpa, e Tarquin dá um suspiro profundo, solene.

— Becky, Suze precisa confessar uma coisa.

— Isso mesmo. — Suze morde o lábio e parece abalada. — Estivemos na casa dos seus pais, e eu pedi para olhar o vestido de casamento de sua mãe. Então nós todos estávamos admirando, e eu estava segurando uma xícara de café... — Ela baixa a cabeça. — E então... não sei como aconteceu, mas... eu derramei café no vestido.

Encaro-a, incrédula.

— No vestido? Sério?

— Nós nos oferecemos para limpar, claro — diz Tarquin. — Mas não sei se vai dar para usar. Lamentamos tanto, Becky!

E vamos pagar outro vestido, claro. — Ele olha sua taça vazia. — Posso pegar outra bebida?

— Então o vestido está... arruinado? — digo, só para ter certeza.

— Está, e posso dizer que não foi fácil! — diz Suze assim que Tarquin sumiu. — Na primeira vez em que tentei, sua mãe puxou para longe bem a tempo. E depois ela começou a ficar toda preocupada, dizendo que era melhor guardar. Praticamente tive de *jogar* o café em cima, quando ela estava embrulhando. E mesmo assim só pegou na cauda. Claro, agora sua mãe me odeia. — Ela acrescenta em tom sombrio: — Acho que não vou ser convidada ao casamento.

— Ah, Suze. Ela não odeia de verdade. E *muito* obrigada. Você é uma estrela completa. Honestamente, não achei que iria conseguir.

— Bem, eu não podia deixar você parecendo uma costeleta de carneiro, podia? — Suze ri. — O esquisito é que nas fotos de casamento sua mãe está linda nele. Mas na vida real... — Ela faz uma careta.

— Exatamente. Ah, Suze, estou tão feliz por você ter vindo! — Impulsivamente dou-lhe um abraço. — Achei que você estaria toda... casada. Mas, afinal, como é o casamento?

— Mais ou menos a mesma coisa — diz Suze depois de uma pausa. — Só que a gente tem mais pratos...

Sinto um tapinha no ombro e ergo os olhos, vendo uma mulher ruiva usando um terninho de seda clara.

— Laura Redburn Seymour — diz ela, estendendo a mão. — Meu marido e eu temos de ir, mas só queria dizer que ouvi falar dos seus planos de casamento. Eu me casei exatamente no mesmo lugar, há quinze anos. E, deixe-me dizer, quando você anda no corredor entre as cadeiras, não há sentimento igual. — Ela junta as mãos com força e sorri para o marido, que é igualzinho a Clark Kent.

— Minha nossa! — digo. — Bem... obrigada!

— Então você foi criada em Oxshott? — pergunta Suze toda animada. — Que coincidência!

Ah, porra.

— Perdão? — diz Laura Redburn Seymour.

— Oxshott — diz Suze. — Você sabe!

— Ox? Ox o quê? — Laura Redburn Seymour olha confusa para o marido.

— Oh, Quixote? — diz Clark Kent, meio atônito. E acrescenta para mim: — Boa noite. E parabéns de novo.

Enquanto os dois se afastam, Suze me encara perplexa.

— Bex. Isso fez algum sentido?

— Eu... é... — Coço o nariz, tentando ganhar tempo.

Realmente não sei por quê, mas tenho a forte sensação de que não quero contar a Suze sobre o Plaza.

Tudo bem. Eu sei por quê. É porque sei exatamente o que ela vai falar.

— Sim! — digo finalmente. — Acho que fez, mais ou menos.

— Não fez, não! Aquela mulher não se casou em Oxshott. Por que ela achou que você iria se casar no mesmo lugar que ela?

— Bem... você sabe... eles são americanos. Nada que dizem faz sentido. Então, é... comprar o vestido de noiva! Vamos amanhã?

— Ah, sem dúvida! — diz Suze, com a testa se desenrugando imediatamente. — Aonde vamos? A Barneys tem departamento de noivas?

Graças a Deus Suze é tão doce e sem suspeitas.

— Tem, sim. Dei uma olhadinha rápida, mas ainda não experimentei nada. A única coisa é que não marquei hora, e amanhã é sábado — pondero. — A gente poderia tentar a Vera Wang, mas provavelmente eles vão estar com todo o horário tomado...

— Também quero fazer compras para o bebê. Tenho uma lista.

— Comprei umas coisinhas — digo, olhando carinhosa para sua barriga. — Sabe. Só uns presentinhos.

— Eu quero um móbile bem legal...

— Não se preocupe, comprei um. E umas roupinhas lindas!

— Bex! Você não devia!

— Havia uma liquidação na Baby Gap — digo na defensiva.

— Com licença? — diz uma voz, e nós duas levantamos os olhos e vemos uma senhora de preto e pérolas se aproximando. — Não pude deixar de entreouvir a conversa de vocês agorinha mesmo. Meu nome é Cynthia Harrison. Sou grande amiga de Elinor e também de Robyn, a organizadora do seu casamento. Você está em muito boas mãos!

— Ah, certo! — digo educadamente. — Fico feliz em ouvir.

— Se está procurando um vestido de noiva, será que posso convidá-las para a minha nova butique de noivas, a Dream Dress? — Cynthia Harrison sorri para mim. — Eu vendo vestidos de noivas há vinte anos, e esta semana mesmo abri uma loja na Madison. Temos uma enorme seleção de vestidos, sapatos e acessórios de grife. Serviço pessoal em ambiente luxuoso. Todas as suas necessidades de noiva são atendidas, não importando se grandes ou pequenas.

Ela pára abruptamente, como se estivesse lendo um cartão.

— Bem... Certo. Nós vamos amanhã.

— Que tal às onze horas? — sugere Cynthia, e eu olho para Suze, que assente.

— Então às onze. Muito obrigada!

Quando Cynthia Harrison parte, rio empolgada para Suze. Mas ela está olhando para o outro lado do salão.

— O que há com o Luke? — pergunta.

— O que quer dizer? — Viro-me e olho. Luke e Michael estão no canto, longe de todo mundo, e parece que estão discutindo.

Enquanto eu olho, Luke levanta a voz na defensiva, e eu capto as palavras:

— ...o quadro geral, pelo amor de Deus!

— Do que estão falando? — pergunta Suze.

— Não faço idéia!

Eu me esforço ao máximo possível, mas só posso ouvir algumas palavras soltas.

— ...simplesmente não acho... adequado... — está dizendo Michael.

— ...curto prazo... acho totalmente adequado...

Meu Deus, Luke parece chateadíssimo.

— ...impressão errada... abusando do seu cargo...

— ...estou cheio disso!

Olho consternada Luke sair andando do salão. Michael parece totalmente pasmo com a reação dele. Por um momento fica totalmente parado — depois pega o copo e toma um gole de uísque.

Não acredito. Nunca soube que Luke e Michael já tenham trocado palavras ásperas. Quer dizer, Luke adora Michael. Praticamente o considera um pai. O que, diabos, pode estar acontecendo?

— Volto num minuto — murmuro para Suze, e vou depressa, o mais rapidamente possível, até onde Michael continua parado, olhando para o espaço.

— O que foi aquilo? — pergunto assim que o alcanço. — Por que você e Luke estavam brigando?

Michael levanta a cabeça, num susto — e rapidamente recompõe as feições num sorriso.

— Só um pequeno desacordo nos negócios. Nada com

que se preocupar. Então, já decidiu onde vai passar a lua-de-mel?

— Michael, qual é, sou eu! Diga o que está acontecendo. — Baixo a voz. — O que quis dizer com Luke está abusando do cargo? O que aconteceu?

Há uma longa pausa, e dá para ver Michael avaliando se deve me contar ou não.

— Você sabia — diz ele finalmente — que pelo menos uma funcionária da Brandon Communications foi desviada para trabalhar na Fundação Elinor Sherman?

— O quê? — encaro-o chocada. — Sério?

— Recentemente descobri que uma nova secretária da empresa foi destacada para trabalhar para a mãe de Luke. A Brandon Communications ainda paga o salário dela, mas essencialmente ela é uma lacaia de Elinor em tempo integral. Naturalmente ela se sente infeliz com a situação. — Michael suspira. — Eu só queria puxar o assunto, mas Luke está muito na defensiva.

— Eu não fazia idéia! — digo, incrédula. — Ele não me falou nada disso.

— Ele não falou disso com ninguém. Só descobri porque, por acaso, essa secretária conhece minha filha e achou que poderia ligar para mim. — Michael baixa a voz. — O verdadeiro perigo é que ela reclame com os investidores. Então Luke estaria encrencado.

Não consigo entender. Como Luke pode ser tão estúpido?

— É a mãe dele — digo finalmente. — Você sabe o domínio que ela tem sobre ele. Ele fará qualquer coisa para impressioná-la.

— Eu sei. E posso entender. Todo mundo tem seus problemas. — Ele olha para o relógio. — Acho que tenho de ir.

— Você não pode ir embora! Não sem falar com ele de novo!

— Não sei se adiantaria grande coisa agora. — Michael me olha com gentileza. — Becky, não deixe isso estragar sua noite. E não pegue pesado com o Luke. Obviamente, é um assunto muito delicado. — Ele aperta meu braço. — Tenho certeza que tudo vai dar certo.

— Não vou, prometo! — Eu me obrigo a dar um sorriso animado. — E obrigada por ter vindo, Michael. Significou muito para nós. Nós dois.

Dou-lhe um abraço caloroso e olho-o se afastar. Então, quando ele some, saio do salão. Tenho de falar com Luke, o mais rapidamente possível.

Obviamente, Michael está certo. É um assunto muito delicado, por isso não vou atacar direto. Só vou fazer algumas perguntas de sondagem, com tato, e guiá-lo lentamente na direção correta. Como uma futura esposa deve fazer.

Acabo achando-o no andar de cima, sentado numa poltrona no quarto da mãe, olhando para o espaço.

— Luke, acabei de falar com Michael! — exclamo. — Ele disse que você estava mandando empregados da Brandon Communications para trabalhar na fundação de sua mãe! Está maluco?

Epa. Isso não saiu muito direito.

— Uma secretária — diz Luke sem virar a cabeça. — Certo?

— Ela deveria contratar a própria porcaria de secretária!

— Foi só para dar uma ajuda. Meu Deus, Becky...

— Você não pode se dar ao luxo de emprestar empregados sempre que sentir vontade! Isso é ridículo!

— Ah, verdade? — diz Luke num tom perigosamente grave. — E você é uma especialista em negócios, não é?

— Não, mas sei o bastante para saber que isso está errado! Luke, e se os investidores descobrirem? Você não pode simplesmente usar a empresa para subsidiar a instituição de caridade de sua mãe!

— Becky, eu não sou completamente estúpido. Toda essa coisa de caridade vai ser boa para a empresa também. — Finalmente ele se vira para me olhar. — Todo esse negócio tem a ver com imagem. Quando eu for fotografado entregando um cheque enorme para uma instituição que mereça, o efeito positivo será tremendo. Hoje em dia as pessoas querem se ligar a empresas que dêem alguma coisa de volta. Eu já planejei uma oportunidade de fotografia para daqui a umas duas semanas, além de algumas matérias cuidadosamente colocadas. O efeito no nosso perfil será gigantesco!

— Então por que Michael não vê a coisa assim?

— Ele não estava prestando atenção. Só conseguia falar que eu estava "estabelecendo um precedente errado".

— Bom, talvez ele tenha alguma razão! Quer dizer, sem dúvida você contrata pessoas para trabalhar para você, não para mandar para outras empresas...

— Este é um exemplo único — diz Luke, impaciente. — E, na minha opinião, os benefícios para a empresa vão superar os custos.

— Mas, puxa, você não contou a ninguém, não perguntou a ninguém...

— Eu não preciso pedir permissão antes de agir — diz Luke, parecendo feito de pedra. — Sou o diretor administrativo da empresa. Posso tomar as decisões que acho necessárias.

— Não falei em pedir permissão — digo rapidamente. — Mas Michael é seu sócio! Deveria ouvi-lo. Deveria confiar nele.

— E ele deveria confiar em mim! — retruca Luke irado. — Não haverá problema com os investidores. Acredite, quando eles virem a publicidade que isso vai gerar, vão ficar mais do que satisfeitos. Se Michael ao menos pudesse *entender* isso, em vez de ficar se apegando a detalhes estúpidos... Afinal, onde ele está?

— Michael teve de ir embora — digo, e vejo o rosto de Luke se retesar em choque.

— Foi embora? Ah, bem. Fantástico.

— Não foi assim. Ele tinha de ir. — Sento-me na cama e seguro a mão de Luke. — Luke, não brigue com Michael. Ele tem sido um tremendo amigo. Anda, você se lembra de tudo que ele fez por você? Lembra o discurso que ele fez no seu aniversário?

Estou tentando aliviar a atmosfera, mas Luke não parece notar. Seu rosto está tenso e defensivo, e os ombros estão curvados. Ele não vai ouvir uma palavra minha. Suspiro por dentro e tomo um gole de champanha. Terei de esperar uma ocasião melhor.

Há silêncio durante alguns minutos — depois nós dois relaxamos. É como se tivéssemos feito uma trégua.

— É melhor eu ir — digo finalmente. — Suze não conhece ninguém lá embaixo.

— Quanto tempo ela vai ficar em Nova York? — pergunta Luke, erguendo os olhos.

— Só alguns dias.

Tomo um gole de champanha e olho o quarto em volta. Nunca estive antes no quarto de Elinor. É imaculado, como o resto do lugar, com paredes claras e montes de mobília cara, feita sob encomenda.

— Ei, adivinha só — digo, lembrando-me subitamente. — Suze e eu vamos escolher um vestido de noiva amanhã!

Luke me olha, surpreso.

— Pensei que ia usar o vestido de noiva da sua mãe.

— É. Bem. — Faço uma cara de tristeza. — O negócio é que houve um acidente terrível...

Só posso dizer graças a Deus. Graças a Deus por Suze e sua boa mira com a xícara de café.

Na manhã seguinte, enquanto nos aproximamos da vitrine da Dream Dress, na Madison, percebo subitamente o que mamãe estava me pedindo para fazer. *Como* ela poderia querer que eu usasse sua monstruosidade de babados em vez de uma daquelas criações estupendas, incríveis, dignas do Oscar? Abrimos a porta e olhamos o salão silencioso, com o tapete cor de champanha e nuvens pintadas no teto — e, pendurados em fileiras brilhantes, lustrosas, dos dois lados do salão, vestidos de noiva.

Posso sentir o excesso de empolgação subindo dentro de mim como uma fonte. A qualquer minuto posso dar um risinho em voz alta.

— Rebecca! — Cynthia nos viu e está se aproximando. — Estou tão feliz por você ter vindo! Bem-vinda à Dream Dress, onde nosso lema é...

— Ah, aposto que eu sei — interrompe Suze. — É "Viva o seu sonho na Dream Dress"?

— Não, não é. — Cynthia sorri.

— É "Os sonhos se realizam na Dream Dress"?

— Não. — O sorriso de Cynthia se retesa ligeiramente. — É "Nós acharemos o seu vestido de sonho".

— Ah, que lindo! — Suze assente com delicadeza. — Achei o meu melhor — sussurra ela em meu ouvido.

Cynthia nos leva para o meio do salão e nos faz sentar num sofá creme.

— Estarei com vocês num instante — diz ela em tom agradável. — Enquanto isso olhem algumas revistas. — Suze e eu rimos empolgadas uma para a outra. Então ela pega a *Contemporary Bride* e eu pego *Martha Stewart Weddings*.

— Meu Deus, eu adoro a *Martha Stewart Weddings*.

Secretamente eu quero SER *Martha Stewart Weddings*. Só quero me arrastar para dentro das páginas com todas aquelas pessoas lindas se casando em Nantucket e na Carolina do Sul, indo para a capela a cavalo e fazendo seus próprios suportes de cartões de marcar lugar com maçãs congeladas.

Olho a foto de um casal de aparência saudável num campo de papoulas, contra um fundo de montanhas espantosamente lindas. Sabe, talvez a gente também devesse se casar num campo de papoulas, e eu poderia usar uma grinalda de centeio no cabelo e Luke poderia fazer um sofá-namoradeira para nós com suas próprias mãos, já que sua família trabalhou com madeira durante seis gerações. Então voltaríamos para casa numa velha carroça campestre.

— O que é "serviço à francesa com luvas brancas"? — pergunta Suze, olhando perplexa para um anúncio.

— Não sei. — Levanto a cabeça atordoada. — Ei, Suze, olha só isso. Será que eu devo fazer o meu próprio buquê?

— Fazer o quê?

— Olha! — Aponto para a página. — Dá pra fazer as flores de papel crepom, para um buquê imaginativo e individual.

— Você? Fazer flores de papel?

— Eu poderia! — digo, ligeiramente incomodada com seu tom de voz. — Sou uma pessoa muito criativa, você sabe.

— E se chover?

— Não vai chover... — Paro abruptamente.

Eu já ia falar "Não vai chover no Plaza".

— Eu só... sei que não vai chover — digo em vez disso, e rapidamente viro uma página. — Aah, olha esses sapatos!

— Moças! Vamos começar. — Cynthia reapareceu segurando uma prancheta. Senta-se numa pequena cadeira dourada, e nós duas olhamos atentamente para ela.

— Nada na sua vida pode prepará-la para a experiência de comprar seu vestido de noiva — diz ela. — Você pode pensar que sabe comprar roupas. — Cynthia dá um sorrisinho e balança a cabeça. — Comprar um vestido de noiva é diferente.

Nós, da Dream Dress, gostamos de dizer: você não escolhe o seu vestido...

— Seu vestido escolhe você? — sugere Suze.

— Não — diz Cynthia com um clarão de irritação. — Você não *escolhe* o seu vestido — repete ela, virando-se para mim —, você *conhece* o seu vestido. E, pode acreditar em mim, há um vestido esperando por você. Pode ser o primeiro que experimentar. — Cynthia sinaliza para um vestido frente única pendurado ali perto. — Pode ser o vigésimo. Mas quando colocar o vestido certo... vai ficar sabendo aqui. — Ela segura com força o próprio plexo solar. — É como se apaixonar. Você vai saber.

— Verdade? — Olho em volta, sentindo tentáculos de empolgação. — Como vou saber?

— Só digamos que... você vai saber. — Ela me oferece um sorriso experiente. — Já tem alguma idéia?

— Bem, obviamente andei pensando um pouco...

— Bom! Sempre é bom se pudermos estreitar um pouco a busca. De modo que, antes de começarmos, deixe-me fazer algumas perguntas básicas. — Ela segura uma caneta. — Está procurando alguma coisa simples?

— Sem dúvida — digo, assentindo. — Realmente simples e elegante. Ou então bastante elaborado — acrescento, ao ver um vestido espantoso com rosas cascateando pelas costas.

— Certo. Então... simples ou elaborado... — Ela escreve na prancheta. — Quer contas ou bordados?

— Talvez.

— Certo... Agora, com mangas ou tomara-que-caia?

— Possivelmente tomara-que-caia — digo, pensativa. — Ou talvez com mangas.

— Quer cauda?

— Aah, sim!

— Mas não se importaria se não tivesse cauda, certo? —

intervém Suze, que está folheando a *Wedding Hair*. — Quer dizer, você poderia ter um daqueles véus bem compridos para entrada.

— Verdade. Mas gosto da idéia da cauda... — Encaro-a, tomada por um pensamento súbito. — Ei, Suze, se eu esperasse uns dois anos para casar, seu neném teria dois anos e poderia segurar minha cauda!

— Ah! — Suze aperta a boca com a mão. — Seria tão lindo! Mas e se o neném caísse? Ou gritasse?

— Eu não me importaria! E a gente poderia fazer uma roupinha de arrasar...

— Se a gente pudesse voltar ao assunto... — Cynthia sorri para nós e examina sua prancheta. — Então estamos querendo uma coisa simples ou elaborada, com mangas ou tomara-que-caia, possivelmente com contas e/ou bordados, com ou sem cauda.

— Exato! — Meus olhos acompanham os dela pela loja. — Mas, sabe, eu sou bastante flexível.

— Certo. — Cynthia olha suas anotações em silêncio durante alguns instantes. — Certo — diz de novo. — Bem, o único modo de você saber é experimentando alguns vestidos... Então, vamos começar.

Por que nunca fiz isso antes? Experimentar vestidos de noiva é simplesmente a coisa mais divertida que já fiz em toda a vida. Cynthia me leva a uma grande sala de provas com papel de parede com querubins em branco e dourado e um grande espelho, e me dá uma anágua de renda e sapatos de salto alto de cetim — e então sua assistente traz vestidos em lotes de cinco. Experimento modelos de chiffon de seda com as costas cavadas, vestidos de bailarina com corpetes justos e camadas de tule, vestidos feitos de cetim duchesse e renda, outros lisos com caudas dramáticas, vestidos simples, vestidos brilhantes...

— Quando você vir o certo, vai saber — fica dizendo Cynthia enquanto a assistente pendura os cabides nos ganchos. — Só... continue experimentando.

— Vou continuar! — digo toda feliz enquanto ponho um tomara-que-caia com uma ampla saia de renda com contas. Vou para fora e desfilo diante de Suze.

— Esse é fantástico — diz ela. — Melhor ainda do que o outro com as alças fininhas.

— Eu sei! Mas ainda gosto um bocado daquele com mangas de renda saindo do ombro... — Olho criticamente para mim mesma. — Quantos já experimentei?

— Com esse são... trinta e cinco — diz Cynthia olhando a lista.

— E quantos eu marquei como possíveis até agora?

— Trinta e dois.

— Verdade? — Levanto a cabeça, surpresa. — De quais eu não gostei?

— Os dois vestidos cor-de-rosa e o redingote.

— Ah, não, eu ainda gosto um bocado do redingote. Coloque como possível. — Desfilo um pouco mais, depois olho a loja em volta, tentando perceber se há alguma coisa que ainda não tenha visto. Paro na frente de uma arara com vestidos de florezinhas minúsculas e suspiro, ligeiramente mais forte do que pretendo. — Meu Deus, é complicado, não é? Quer dizer... um vestido. *Um*.

— Não creio que Becky já tenha comprado uma coisa só, alguma vez — diz Suze a Cynthia. — É um certo choque cultural.

— Não sei por que a gente não pode usar mais de um. Quer dizer, deve ser o dia mais feliz da vida, não é? A gente deveria poder usar *cinco* vestidos.

— Seria legal — diz Suze. — Você poderia ter um realmente doce e romântico para entrar, depois um mais elegante para sair... e um para os coquetéis...

— E um realmente sensual para dançar... e outro para...

— Para Luke arrancar de você — diz Suze, com os olhos brilhando.

— Moças — diz Cynthia, dando um risinho. — Rebecca, eu sei que é difícil... mas em algum momento você vai ter de escolher! Para um casamento em junho, você já está deixando para muito tarde.

— Como posso estar deixando para muito tarde? — digo pasma. — Acabamos de ficar noivos!

Cynthia balança a cabeça.

— Em termos de vestido de noiva, isso é tarde. O que em geral recomendo é que, se as noivas acham que terão um noivado curto, que comecem a procurar o vestido *antes* de ficar noivas.

— Ah, meu Deus. — Dou um suspiro forte. — Eu não tinha idéia de que tudo ia ser tão difícil.

— Tente aquele da ponta — sugere Suze. — O com mangas boca-de-sino, de chiffon. Você não experimentou aquele, experimentou?

— Ah — digo, olhando-o surpresa. — Não.

Levo o vestido para a sala de provas, tiro a anágua e visto-o. Ele se gruda na cintura, escorre esguio pelos quadris e cai no chão numa minúscula cauda em ondas. A gola faz destacar meu rosto, e a cor é perfeita de encontro à pele. A sensação é boa. A aparência é boa.

— Ei — diz Suze, empertigando-se quando eu saio. — Bom, esse é legal.

— É, não é? — digo, subindo no tablado.

Olho meu reflexo e sinto um pequeno brilho de prazer. É um vestido simples — mas eu fico fantástica nele. Faz com que eu pareça realmente magra! Faz minha pele ficar radiante e... Meu Deus, talvez seja esse!

Há um silêncio na loja.

— Você sente aqui? — diz Cynthia, segurando a barriga.

— Eu... não sei! Acho que sim! — Dou um riso empolgado. — Acho que talvez sim!

— Eu sabia. Está vendo. Quando você acha o vestido certo, a coisa bate. Você não pode planejar, não pode deduzir no papel. Você simplesmente sabe quando é o certo.

— Eu achei o meu vestido de noiva! — Rio para Suze. — Achei!

— Finalmente! — Há um tom de alívio na voz de Cynthia. — Vamos todas tomar uma taça de champanha para comemorar!

Enquanto ela desaparece, eu me admiro de novo. A coisa simplesmente se revela, não dá pra saber. Quem ia imaginar que eu escolheria mangas boca-de-sino?

Uma assistente passa com outro vestido e eu vejo um corpete de seda bordada, amarrado com fitas.

— Ei, esse parece legal — digo. — O que é?

— Não importa o que é! — diz Cynthia, voltando e me entregando uma taça de champanha. — Você achou o seu vestido! — Ela ergue a taça, mas eu ainda estou olhando o corpete com fitas.

— Talvez eu devesse experimentar aquele. Só rapidinho.

— Sabe o que eu estava pensando? — diz Suze, erguendo a cabeça da *Brides*. — Talvez você devesse ter um vestido que *não seja* um vestido de noiva. Tipo assim, na cor!

— Uau! — Encaro Suze, a imaginação exaltada. — Tipo vermelho ou alguma coisa assim.

— Ou um terninho! — sugere Suze, mostrando uma foto na revista. — Esse aí não é chique?

— Mas você achou o seu vestido! — cantarola Cynthia, com a voz ligeiramente aguda. — Não precisa procurar mais! É esse!

— Hmm... — Faço uma pequena careta. — Sabe... eu não tenho tanta certeza.

Cynthia me encara, e por um momento medonho acho que vai jogar o champanha em mim.

— Achei que esse era o vestido dos seus sonhos!

— É o vestido de *alguns* dos meus sonhos — explico. — Tenho um monte de sonhos. Será que poderíamos colocá-lo como outro possível?

— Certo — diz ela finalmente. — Outro possível. Vou anotar.

Enquanto ela sai, Suze se recosta no sofá e sorri para mim.

— Ah, Bex, vai ser tão romântico! Tarkie e eu fomos olhar a igreja onde você vai casar. É linda!

— É legal — concordo, sufocando uma onda automática de culpa.

Mas por que devo me sentir culpada? Nada foi decidido ainda. Eu não escolhi definitivamente o Plaza. Ainda podemos nos casar em Oxshott.

Talvez.

— Sua mãe está planejando colocar um arco de rosas lindíssimo sobre o portão, e ramos de rosas em todos os bancos... e aí todo mundo vai ganhar um botão de rosa. Ela achou que talvez amarelo, mas depende das outras cores...

— Ah, certo. Bem, eu ainda não tenho certeza... — Deixo a frase no ar e vejo a porta da loja se abrindo atrás de mim.

Robyn está entrando, vestida num conjunto malva e segurando com força sua bolsa Coach. Ela capta meu olhar no espelho e faz um acenozinho.

— E nas mesas talvez uns arranjos minúsculos...

Robyn está vindo na nossa direção. Não sei se gosto disso.

— Ei, Suze! — Viro-me com o que espero que seja um sorriso natural. — Por que não vai dar uma olhada naquelas... hum... almofadas de alianças ali?

— O quê? — Ela me encara como se eu tivesse ficado

louca. — Você não vai usar almofada de alianças, vai? *Por favor*, não diga que virou americana?

— Bem, então... as grinaldas. Talvez eu queira uma daquelas.

— Becky, o que há de errado?

— Nada! — digo animadíssima. — Só achei que talvez você quisesse... ah, oi, Robyn! — Enquanto ela se aproxima eu me obrigo a lhe dar um sorriso amigável.

— Becky! — diz Robyn, juntando as mãos com força. — Não é um vestido lindo? Você está maravilhosa! Acha que é esse?

— Ainda não tenho certeza. — Meu sorriso está tão fixo que dói. — Então, Robyn, como soube que eu estaria aqui? Você deve ser telepata!

— Cynthia me disse que você vinha. Ela é uma velha amiga. — Robyn se vira para Suze. — E esta é sua amiga da Inglaterra?

— Ah... é. Suze, Robyn. Robyn, Suze.

— Suze? A dama de honra em pessoa? Ah, é um prazer conhecê-la, Suze! Você vai ficar simplesmente linda em... — Ela pára abruptamente quando seu olhar capta a barriga de Suze. — Querida, você está *esperando*?

— Até lá já terei tido o neném.

— Bom! — O rosto de Robyn relaxa. — Como eu disse, você vai ficar maravilhosa de violeta!

— Violeta? — Suze está confusa. — Achei que ia usar azul.

— Não. Definitivamente, violeta!

— Bex, eu tenho certeza que sua mãe disse...

— Bem, tanto faz! — interrompo às pressas. — Robyn, estou meio atolada aqui...

— Eu sei, e não quero atrapalhar. Mas, já que estou aqui, há umas coisinhas... Dois segundos, prometo! — Ela enfia a mão na bolsa e tira seu caderninho. — Em primeiro lugar, confirmamos a orquestra, e eles vão mandar uma lista de músicas para você aprovar. Agora, o que mais... — Ela consulta o caderninho.

— Fantástico. — Eu lanço um olhar rápido para Suze, que está olhando Robyn com a testa franzida, perplexa. — Sabe, talvez você devesse me telefonar uma hora dessas, e poderemos falar disso...

— Não vai demorar! Então a outra coisa era... programamos um teste no Plaza no dia 23, na sala de jantar do chefe de cozinha. Passei adiante sua opinião sobre o peixe, de modo que eles vão ter de repensar isso... — Robyn vira uma página. — Ah, e ainda preciso daquela lista dos seus convidados! — Ela ergue os olhos e balança os dedos fingindo censura. — Vamos ter de pensar sobre os convites logo logo! Especialmente para os convidados do exterior!

— Certo, eu... Eu vou ver isso — murmuro.

Não ouso olhar para Suze.

— Fantástico. E vamos nos encontrar no Antoine's na segunda-feira, às dez horas. Aqueles bolos... você vai desmaiar. Agora tenho de correr. — Ela fecha o caderno e sorri para Suze. — Prazer em conhecê-la, Suze. Vejo você no casamento!

— Vejo você lá! — diz Suze numa voz animada demais. — Sem dúvida.

A porta se fecha atrás de Robyn e eu engulo em seco, com o rosto ainda pinicando.

— Então, ahm... Acho melhor eu me trocar.

Vou para a sala de provas sem encarar Suze. Um instante depois ela está lá dentro comigo.

— Quem era aquela? — diz em tom tranqüilo, enquanto eu abro o zíper do vestido.

— Era... Robyn! Ela é legal, não é?

— E do que ela estava falando?

— Só... papo furado de casamento... você sabe... Pode me ajudar a tirar esse corpete?

— Por que ela acha que você vai se casar no Plaza?

— Eu... hmm... não sei!

— Sabe, sim! E aquela mulher na festa! — De repente a voz de Suze é o mais severa que ela consegue. — Bex, o que está acontecendo?

— Nada!

Suze agarra meu ombro.

— Bex, pára com isso! Você não vai se casar no Plaza, vai?

Encaro-a, sentindo que meu rosto está ficando cada vez mais quente.

— É... uma opção — digo por fim.

— O que quer dizer com é uma opção? — Suze me encara, segurando-me com menos força.

Ajeito o vestido no cabide, tentando ganhar tempo, tentando conter a culpa que me cresce por dentro. Se me comportar como se esta fosse uma situação completamente normal, talvez fique sendo.

— É só que... Bem, Elinor se ofereceu para dar um casamento realmente espetacular para mim e Luke. E ainda não decidi se aceito ou não. — Vejo a expressão de Suze. — O que foi?

— O que quer dizer com o que foi? O que foi em relação a A) sua mãe já está *organizando* um casamento? O que foi em relação a B) Elinor é uma vaca completa? O que foi em relação a C) Você pirou totalmente? Por que, diabos, você quereriria se casar no Plaza?

— Porque... porque... — Fecho os olhos brevemente. — Suze, você precisa ver. Nós teremos uma grande orquestra de cordas, e caviar, e um bufê de ostras... e molduras da Tiffany para todo mundo nas mesas... e champanha Cristal... e todo o lugar vai ser transformado numa floresta mágica, e teremos bétulas de verdade e pássaros cantando...

— Bétulas de verdade? — Suze faz uma careta. — Para que você quer isso?

— Vai ser que nem a Bela Adormecida! E eu vou ser a princesa, e Luke vai ser o... — Paro debilmente ao ver Suze me olhando cheia de censura.

— E sua mãe?

Há um silêncio, e finjo que estou preocupada tirando a anágua. Não quero pensar em mamãe neste momento.

— Bex! E sua mãe?

— Eu só terei de... convencê-la — digo finalmente.

— *Convencê-la?*

— Ela mesma disse que eu não deveria fazer um casamento pela metade! — digo na defensiva. — Se ela viesse e visse o Plaza, e se visse todos os planos...

— Mas ela já fez um bocado de preparativos! Quando estivemos lá, ela não conseguia falar em outra coisa. Ela e... como se chama a sua vizinha?

— Janice.

— Isso mesmo. As duas estão chamando a cozinha de centro de controle. Há pelo menos uns seis quadros de cortiça com tachinhas coloridas, e listas, e montes de materiais em toda parte... E elas estão tão felizes fazendo isso! — Suze me encara, séria. — Becky, você não pode simplesmente dizer a elas que não quer mais. Não pode.

— Elinor pagaria a passagem delas! — Há um tom de culpa na minha voz, que eu finjo não ouvir. — Elas iriam se divertir um bocado! Seria uma experiência única para elas também! Poderiam se hospedar no Plaza, e dançar a noite inteira, e ver Nova York... Teriam a viagem mais fabulosa do mundo!

— Já disse isso à sua mãe?

— Não. Eu... não contei nada. Ainda não. Não há sentido em puxar o assunto enquanto eu não tiver cem por cento de certeza. — Há uma pausa enquanto os olhos de Suze se estreitam.

— Bex, você vai fazer alguma coisa a respeito logo, não vai? — diz ela subitamente. — Não vai simplesmente enterrar a cabeça na areia e fingir que isso não está acontecendo.

— Honestamente! Eu não faria isso! — digo indignada.

— Esta aqui sou eu, lembre-se! — exclama Suze. — Bex, eu sei como você é! Você jogava todos os seus extratos bancários numa caixa e esperava que algum completo estranho pagasse suas contas!

É isso que acontece. Você conta aos amigos os seus segredos mais pessoais e eles usam eles contra você.

— Cresci um bocado desde aquela época — digo, tentando parecer digna. — E vou dar um jeito. Só preciso... pensar bem.

Há um longo silêncio. Lá fora posso ouvir Cinthia dizendo.

— Aqui, na Dream Dress, nosso lema é: você não *escolhe* o seu vestido...

— Olha, Bex — diz Suze finalmente. — Eu não posso tomar essa decisão por você. Ninguém pode. Só posso dizer que, se vai tirar sua mãe do casamento, vai ter de fazer isso bem depressa.

The Pines
Elton Road, 43
Oxshott
Surrey

MENSAGEM POR FAX

PARA BECKY BLOOM

DE MAMÃE

20 de março de 2002

Becky, querida! Notícia maravilhosa!

Talvez você tenha sabido que Suze derramou café no vestido de casamento. Ela ficou arrasada, coitadinha.

Mas eu levei o vestido à lavanderia... e eles fizeram um milagre! Está de novo branco como a neve, e afinal de contas você vai poder usá-lo!

Muito amor, e vamos nos falar logo.

Mamãe xxxxxxxxxxx

Sete

Tudo bem. Suze tem razão. Não posso ficar embromando. Preciso tomar uma decisão.

No dia seguinte ao de sua partida sento-me na minha sala de provas na hora do almoço, com uma folha de papel e uma caneta. Simplesmente vou ter de fazer isso com lógica. Trabalhar os prós e os contras, pesar tudo — e tomar uma decisão racional. Vamos lá.

A favor de Oxshott

1. Mamãe vai ficar feliz.
2. Papai vai ficar feliz.
3. Vai ser um casamento lindo.

Olho a lista durante alguns segundos — depois faço um novo cabeçalho.

A favor de Nova York

1. Vou ter o casamento mais incrível do mundo.

Ah, meu Deus. Enterro a cabeça nas mãos. Não fica mais fácil no papel.

Na verdade, é mais difícil, porque isso joga o dilema direto na minha cara, em vez de onde eu quero — numa caixinha no fundo da mente, onde não tenha de olhar.

— Becky?

— Sim? — Ergo os olhos automaticamente, cobrindo o papel com a mão.

Parada na porta de minha sala de provas está Elise, uma das minhas clientes. Ela é uma advogada corporativa de trinta e cinco anos que acabou de ser transferida durante um ano para Hong Kong. Vou sentir falta dela. Ela é sempre um bom papo, mesmo que não tenha realmente senso de humor. Acho que ela *gostaria* de ter — só que não entende direito para que servem as piadas.

— Oi, Elise! — digo, surpresa. — Você marcou hora? Achei que ia embora hoje.

— Amanhã. Mas antes de ir queria lhe comprar um presente de casamento.

— Ah! Não precisa! — exclamo, secretamente satisfeita.

— Só preciso saber onde você registrou.

— Registrei? Ah, quer dizer, a lista de casamento? Na verdade, ainda não fizemos isso.

— Não? — Elise franze a testa. — Então como posso comprar um presente?

— Bem... hmm... você poderia só... comprar alguma coisa. Talvez.

— Sem uma lista? — Elise me encara com expressão vazia. — Mas o que eu iria comprar?

— Não sei! Qualquer coisa ! — Dou um risinho. — Quem sabe... uma torradeira?

— Uma torradeira. Certo. — Elise enfia a mão na bolsa procurando um pedaço de papel.

— Que modelo?

— Não faço idéia! Só me deu na cabeça! Olha, Elise, só... Não sei, compre alguma coisa para mim em Hong Kong.

— Você vai fazer uma lista lá também? — Elise fica alerta. — Em que loja?

— Não! Eu só quis dizer... — Suspiro. — Certo. Olha. Quando nós fizermos a lista, eu aviso os detalhes a você. Provavelmente você pode fazer a compra pela Internet.

— Bem... certo. — Elise guarda o pedaço de papel, dando-me um olhar reprovador. — Mas você realmente deveria fazer uma lista. As pessoas vão querer comprar presentes.

— Desculpe. Mas, de qualquer modo, divirta-se em Hong Kong.

— Obrigada. — Elise hesita, depois se adianta sem jeito e me dá um beijo no rosto. — Tchau, Becky. Obrigada por toda a sua ajuda.

Quando ela saiu, eu me sento de novo e olho as anotações, tentando me concentrar.

Mas não consigo parar de pensar no que Elise disse.

E se ela estiver certa? E se houver um monte de gente por aí, todos querendo comprar presentes e sem poder?

Sinto uma nova pontada de medo. E se elas desistiram, frustradas?

Pego o telefone e ligo para Luke.

Quando toca, subitamente me lembro de ter prometido a ele que pararia de ligar para o seu trabalho com o que ele chamou de "trivialidades do casamento". Eu tinha feito com que ele ficasse na linha durante meia hora enquanto descrevia três arrumações de mesa diferentes, e parece que ele perdeu um telefonema realmente importante do Japão.

Mas certamente essa é uma situação especial, não é?

— Escute! — digo urgentemente quando ele atende. — Nós precisamos da lista! Depressa!

— Becky, eu estou numa reunião. Isso não pode esperar?

— Não! É importante!

Há um silêncio, então ouço Luke dizendo: "Se puderem me dar licença um momento..."

— Certo — diz ele, voltando ao telefone. — Comece de novo. Qual é o problema?

— O problema é que as pessoas estão tentando comprar presentes para nós! Nós precisamos de uma lista! Se não houver nada para elas comprarem, talvez desistam!

— Bom, então vamos fazer uma.

— Eu estive esperando! Estive esperando e *esperando* que você tivesse uma tarde livre...

— Eu estou amarrado com algumas coisas — diz ele com um tom defensivo. — As coisas são assim.

Sei por que ele está tão defensivo. É porque tem trabalhado toda noite numa promoção estúpida para a instituição de caridade de Elinor. E sabe o que eu acho disso.

— Bom, nós precisamos começar — digo. — Precisamos decidir o que queremos.

— Eu tenho de estar lá?

— Claro que tem! Você não se preocupa com que tipo de pratos nós vamos ter?

— Francamente, não.

— *Não?* — Respiro fundo, pronta para iniciar um discurso do tipo "Se você não se preocupa com nossos pratos, talvez não se preocupe com o nosso relacionamento"!

Então, bem na hora, percebo que desse modo posso escolher tudo exatamente como eu quero.

— Bem, certo — digo. — Deixa comigo. Vou à Crate and Barrel, posso?

— Fantástico. E eu combinei que tomaríamos uma bebida com minha mãe esta noite, no apartamento dela. Seis e meia.

— Ah — digo fazendo uma careta. — Certo. Vejo você

lá. Devo ligar para você depois de ir à Crate and Barrel para dizer a lista que eu fiz?

— Becky — diz Luke, na bucha. — Se me ligar de novo para falar sobre casamento na hora do meu trabalho, é totalmente possível que a gente não tenha um casamento.

— Ótimo! — digo. — Ótimo! Se não está interessado, eu organizo tudo e vejo você no altar, certo? Está bom para você?

Há uma pausa, e dá pra ver que Luke está rindo.

— Quer uma resposta honesta ou a resposta com nota máxima no questionário "Seu homem realmente a ama?" da *Cosmopolitan*?

— Dê a resposta com nota máxima — digo depois de pensar um momento.

— Quero me envolver em cada detalhe minúsculo do nosso casamento — diz Luke, sério. — Sei que mostrar falta de interesse em cada estágio é sinal de que não estou comprometido com você como mulher e pessoa linda, atenciosa, e totalmente especial, e francamente, não mereço você.

— Foi bastante bom, acho — digo, meio de má vontade. — Agora dê a resposta honesta.

— Vejo você no altar.

— Hã-hã. Bem, só posso dizer que você vai lamentar quando eu colocá-lo num smoking cor-de-rosa.

— Você está certa. Eu vou. Agora tenho de ir. Verdade. Vejo você depois.

— Tchau.

Desligo o telefone e pego o casaco e a bolsa. Quando estou fechando a bolsa, olho de novo o pedaço de papel e sinto uma ligeira pontada de culpa. Talvez eu devesse ficar aqui e pensar um pouco mais, e tentar chegar a uma decisão.

Mas afinal de contas... quer a gente se case na Inglaterra ou nos Estados Unidos, vamos precisar de uma lista de presentes, não vamos? Então, de certa forma, é *mais* sensato ir e registrar primeiro — e decidir mais tarde em que país me casar.

Exato.

Só quando estou entrando na Crate and Barrel percebo que não sei nada sobre esse tipo de lista. De fato, não sei muito sobre listas de casamento. Para o casamento de Tom e Lucy conversei com mamãe e papai, e mamãe organizou tudo — e a única outra pessoa que eu conheço e que se casou é Suze, e ela e Tarquin não fizeram lista.

Olho aleatoriamente a loja ao redor, imaginando onde começar. Ela é clara e luminosa, com mesas coloridas aqui e ali, arrumadas como se fosse para o jantar, e um monte de vitrines cheias de copos brilhantes, fileiras de facas e equipamento de cozinha, de aço inoxidável.

Enquanto ando até uma pirâmide de panelas brilhantes, vejo uma garota com rabo-de-cavalo alto marcando coisas num formulário. Chego mais perto, tentando ver o que ela está fazendo, e vejo as palavras "Lista Crate and Barrel" no papel. Ela está fazendo a lista! Certo, posso olhar o que ela fizer.

— Ei — diz ela erguendo a cabeça. — Sabe alguma coisa sobre equipamento de cozinha? Sabe o que é isso?

Ela levanta uma panela, e não posso evitar um sorriso. Honestamente. Esse pessoal de Manhattan não sabe nada. Provavelmente nunca preparou uma refeição na vida.

— É uma frigideira — digo com gentileza. — Você usa para fritar coisas.

— Certo. E isso?

Ela levanta outra panela com superfície em relevo e dois cabos. Minha nossa. Para que serve isso?

— Eu... hm... acho que é uma... panela... assadeira... fritadeira... para omeletes.

— Ah, certo. — Ela olha perplexa para a panela e eu recuo rapidamente. Passo por uma gôndola com tigelas de cerâmica para cereais e me pego diante de um terminal de computador onde está escrito Listas. Talvez seja aqui que a gente consegue os formulários.

— Bem-vinda à Crate and Barrel — diz uma mensagem alegre na tela. — Por favor, digite o que você deseja.

Distraidamente, aperto a tela algumas vezes. Estou meio ouvindo um casal atrás de mim discutindo pratos.

— Eu simplesmente não quero *ser* do tipo porcelana castanha — está dizendo a garota, quase em lágrimas.

— Bom, de que tipo você quer ser? — retruca o homem.

— Não sei!

— Está dizendo que *eu sou* do tipo porcelana castanha, Marie?

Ah, meu Deus, eu preciso parar de ficar ouvindo os outros. Olho a tela de novo, e paro, surpresa. Cheguei ao lugar onde a gente olha as listas das pessoas para comprar presentes para elas. Estou para apertar "anular" e ir embora quando paro.

Seria bem legal ver o que as outras pessoas puseram, não é?

Cautelosamente digito o nome "R. Smith" e aperto o "Enter".

Para minha perplexidade, a tela começa a se encher com toda uma série de nomes de casais.

Rachel Smith e David Forsyth, Scottsdale, AZ.

Annie M. Winters e Rod Smith, Raleigh, NC.

Richard Smith e Fay Bullock, Wheaton, IL.

Leroy Elms e Rachelle F. Smith...

Isso é legal demais. Aperto Enter e um momento depois a máquina começa a cuspir pedaços de papel.

Tigela de vidro para servir caviar/camarão	4
Prato de bolo com pé e cúpula	1

Tigela lírio aquático 2
Jarra clássica para vinho...

Uau, isso tudo parece bem legal. Definitivamente, quero uma jarra lírio aquático. E uma tigela para servir camarão.

Certo, agora vamos ver o que Annie e Rod escolheram. Aperto o Enter de novo e outra lista começa a aparecer na minha frente.

Minha nossa, Annie e Rod são doidos por material de bar! Por que será que eles querem seis baldes de gelo?

Isso é completamente viciante! Vejamos o que Richard e Fay vão querer. E depois Leroy e Rachelle... imprimo as duas, e só estou imaginando se devo tentar outro nome, como Brown, quando uma voz diz:

— Posso ajudá-la em alguma coisa, senhorita?

Minha cabeça se levanta bruscamente, e vejo um vendedor usando um crachá que diz "Bud" sorrindo para mim.

— Está tendo algum problema para localizar a lista que procura?

Sinto-me pinicar de embaraço.

Não posso admitir que só estou xeretando.

— Eu... na verdade... eu acabei de encontrar. — Pego aleatoriamente a lista de Richard e Fay. — São meus amigos. Richard e Fay. — Pigarreio. — Quero comprar um presente de casamento para eles. Por isso estou aqui. Além disso, quero fazer minha lista.

— Bem, vamos primeiro à compra. O que gostaria de comprar?

— Hmm... bem... — Olho a lista. — Um...

Qual é, eu não vou mesmo comprar um presente para um casal de estranhos totais. Só admita a verdade. Eu fui xereta.

— Alguma idéia?

— O que acha de quatro saladeiras? — ouço-me dizendo.

— Escolha perfeita! — Bud me leva até um balcão de pagamento, ali perto. — Você tem alguma mensagem?

— Uma mensagem?

— Para os seus amigos. — Ele pega uma caneta e me olha, cheio de expectativa.

— Certo. Bem... é... Para Richard e Fay. — Engulo em seco. — Espero que tenham um casamento lindo. Amor de Becky.

— E o sobrenome? Só para deixar claro de quem é.

— Hmm... Bloom.

— Amor de Becky Bloom — ecoa Bud, anotando cuidadosamente.

Tenho uma visão súbita de Richard e Fay lendo minha mensagem e se entreolhando perplexos.

Ah, bem. Eles vão ganhar quatro saladeiras grátis, não é?

— Então. Vamos à sua lista! — diz Bud todo animado enquanto pega meu cartão. — Aqui está o formulário para você preencher enquanto percorre a loja... Vai ver que a maioria das nossas mercadorias estão divididas por seções...

— Ah, certo. Que tipo de...

— Talheres, pratos, tigelas, material de bar, para cozimento a vapor, vidraria... — Ele pára para respirar. — E miscelânea.

— Certo...

— Pode ser meio difícil decidir o que você vai querer na sua casa nova. — Ele sorri para mim. — Então o que sugiro é começar com o básico. Pense nas suas necessidades diárias. E siga a partir daí. Se precisar de mim, é só gritar!

— Ótimo! Muito obrigada!

Bud se afasta, e dou uma olhada em volta da loja com um borbulhar de ansiedade. Não me sinto tão empolgada desde que escrevia nossas listas para o Papai Noel. E mesmo na época mamãe ficava por cima do meu ombro, dizendo coisas como "Não sei se o Papai Noel pode lhe dar os sapatinhos de rubi *de verdade*, querida. Por que não pede um belo livro de colorir em vez disso?".

Mas agora ninguém vai me dizer o que posso querer ou não. Posso anotar tudo que eu quiser! Posso pedir aqueles pratos ali... e aquela jarra... e aquela poltrona... Quer dizer, se eu quisesse poderia pedir tudo! A loja inteira!

Sabe. Em teoria.

Mas não vou me deixar levar. Vou começar com as necessidades cotidianas, como Bud sugeriu. Sentindo-me agradavelmente adulta, ando para uma gôndola com equipamento de cozinha e começo a examinar as prateleiras.

Ahh. Pinças para partir lagosta! Vamos pegar algumas. E aqueles negociozinhos bonitos de segurar milho. E aquelas lindas margaridas de plástico. Não sei para que servem, mas são tão bonitinhas!

Anoto cuidadosamente os números na lista. Certo. O que mais? Enquanto olho de novo ao redor, minha atenção é apanhada por uma brilhante fileira de cromados.

Uau. Nós temos de ter uma máquina de sorvete de iogurte. E uma máquina de waffles. E uma de fazer pão, e uma centrífuga, e um Forno Torradeira Pro Chef Premium. Anoto todos os números e olho em volta com um suspiro de satisfação. Afinal, por que nunca fiz uma lista antes? É a ocupação perfeita! Comprar sem gastar dinheiro nenhum!

Sabe, eu deveria ter me casado há muito tempo.

— Com licença? —A garota de rabo-de-cavalo está na seção de facas. — Sabe o que é tesoura para aves? — Ela segura um equipamento que nunca vi na vida.

— São... tesouras... para aves... eu acho.

Por um momento nos encaramos com olhares vazios, depois a garota dá de ombros, diz "OK", e anota em sua lista.

Talvez eu queira umas tesouras para aves também. E uma daquelas coisas chiques de cortar ervas. E um maçarico profissional para fazer *crème brûlée* — mas você sabe. Quando eu estiver casada, devo fazer. Tenho uma visão súbita de mim mesma com avental, despreocupadamente bruleando com uma das mãos e fazendo um *coulis* de frutas com a outra, enquanto Luke e vários convidados bem-humorados olham, admirados.

— E onde mais você está fazendo lista? — diz a garota, pegando um batedor de ovos e olhando.

Encaro-a, surpresa.

— O que quer dizer? A gente pode fazer mais de uma lista?

— Claro! Eu estou fazendo três. Aqui, na Williams-Sonoma e na Bloomingdales. Lá é bem legal, você escaneia tudo com uma pistola...

— Três listas! — Não consigo afastar a empolgação da voz. E na verdade, quando a gente pensa bem, por que parar em três?

Assim, quando chego ao apartamento de Elinor naquele fim de tarde, tinha marcado hora para fazer a lista na Tiffany, na Bergdorf, na Bloomingdales e na Barneys, pedi o catálogo da Williams-Sonoma e comecei uma lista de casamento pela Internet.

Não consegui pensar mais em onde vou me casar — mas, afinal de contas, primeiro o mais importante.

Quando Elinor aparece à porta, há música tocando e o apartamento tem um cheiro agradável de flores. Elinor está usando um vestido envelope e o cabelo parece ligeiramente mais macio do que o usual — e quando me beija ela dá um leve aperto na minha mão.

— Luke já está aqui — diz ela enquanto andamos pelo corredor. — Lindos sapatos. São novos?

— É... na verdade, são. Obrigada! — Não consigo deixar de olhá-la boquiaberta. Nunca vi Elinor me elogiando antes. Nenhuma vez.

— Parece que você andou perdendo peso — acrescenta ela. — Fica bem.

Estou tão aparvalhada que paro, bem no meio da passagem — depois tenho de correr para alcançá-la. Será que Elinor Sherman finalmente, depois de todo esse tempo, vai começar a fazer um esforço para ser gentil comigo? Nem posso acreditar.

Mas... pensando bem, ela foi bastante legal no fim da festa de noivado também. Disse que tinha sido um equívoco eu não estar na lista da porta e que realmente sentia muito.

Na verdade, não, ela não disse exatamente que sentia muito — disse que processaria o pessoal que planejou a festa. Mas mesmo assim... Isso demonstra preocupação, não é?

Meu Deus, talvez eu tenha julgado mal Elinor durante todo esse tempo. Talvez todos nós tenhamos. Talvez haja uma personalidade totalmente diferente debaixo daquele exterior gelado. Sim! Ela é vulnerável e insegura, mas colocou uma casca protetora em volta. E eu sou a única que consegue ver por baixo, e, quando eu atrair a verdadeira Elinor para o mundo, toda a sociedade de Nova York vai se maravilhar, e Luke vai me amar ainda mais, e as pessoas vão me chamar de a Garota que Mudou Elinor Sherman, e...

— Becky? — A voz de Luke penetra meus pensamentos. — Você está bem?

— Estou — digo, percebendo num susto que estou tropeçando na mesinha de centro. — Sim, estou bem!

Sento-me ao lado dele no sofá, Elinor me entrega uma taça de vinho gelado e eu tomo um gole, olhando pela janela para as brilhantes luzes de Manhattan estendendo-se até a distância. Elinor e Luke estão no meio de uma discussão sobre a Fundação, e eu mordisco uma amêndoa salgada e me desligo. De algum modo cheguei no meio de uma imagem de sonho em que Elinor está dizendo a uma sala apinhada: "Becky Bloom é não somente uma nora modelo, mas também uma amiga valiosa", e estou sorrindo modestamente enquanto as pessoas começam a aplaudir, quando há um estalo e eu volto a mim, derramando ligeiramente minha bebida.

Elinor fechou o caderno com capa de crocodilo onde esteve escrevendo. Coloca-o de lado, abaixa ligeiramente a música e olha direto para mim.

— Rebecca.

— Sim?

— Eu pedi que viesse aqui esta noite porque há uma coisa que quero discutir com você. — Ela me serve mais vinho e eu sorrio.

— Ah, é?

— Como você sabe, Luke é um rapaz muito rico.

— Ah. Certo — digo, um tanto sem graça. — Bem... sim, acho que sim.

— Eu estive falando com meus advogados... e com os advogados de Luke... e todos concordamos. Portanto gostaria de lhe dar isto... — Ela me lança um sorriso brilhante e me entrega um grosso envelope branco. E depois entrega outro a Luke.

Quando o pego, sinto uma pontada de antecipação. Está vendo? Elinor já está se tornando mais amigável. É exatamente como em *Dallas*. Ela provavelmente está me tornando sócia de alguma empresa familiar ou algo do tipo, para me dar as boas-vindas à dinastia. Meu Deus, sim! E eu vou às reuniões de diretoria e tudo, e vamos montar uma incrível tomada de controle acionário juntos, e eu vou usar brincos grandes...

Abro empolgada o envelope e tiro um grosso documento datilografado. Mas quando leio as palavras posso sentir a empolgação refluir.

Memorando de Acordo
Entre Luke James Brandon (doravante chamado "O Noivo") e Rebecca Jane Bloom (doravante chamada "A Noiva") de...

Não entendo. Memorando de que acordo? Isto é...

Sem dúvida isso não é um...

Olho perplexa para Luke, mas ele está virando as folhas, aparentemente tão pasmo quanto eu.

— Mamãe, o que é isto? — pergunta ele.

— É simplesmente uma precaução — diz Elinor com um sorriso distante. — Uma espécie de seguro.

Ah, meu Deus. É. É um contrato pré-nupcial.

Sentindo-me ligeiramente enjoada, folheio o contrato. Tem umas dez páginas, com cabeçalhos como "Acordo de propriedade no caso de divórcio".

— Seguro contra quê, exatamente? — A voz de Luke é ilegível.

— Não vamos fingir que estamos vivendo num mundo de contos de fadas — diz Elinor secamente. — Todos sabemos o que pode acontecer.

— O quê, exatamente?

— Não atrapalhe, Luke. Você sabe perfeitamente bem o que quero dizer. E tendo em mente a... devo dizer, história de gastos de Rebecca... — Elinor olha significativamente para os meus sapatos, e com um tremor de humilhação percebo por que ela perguntou sobre eles.

Ela não estava tentando ser gentil. Estava juntando munição para me atacar.

Ah, como pude ser tão *estúpida*? Não existe um centro suave em Elinor. Simplesmente não existe.

— Deixe-me entender bem — digo, respirando com força. — Você acha que eu só estou atrás do dinheiro de Luke.

— Becky, claro que ela não acha! — exclama Luke.

— Acha, sim!

— Um contrato pré-nupcial é simplesmente um passo sensato, pré-conjugal.

— Bom, é um passo que eu realmente acho que nós não precisamos dar — diz Luke com um risinho.

— Peço para discordar — diz Elinor. — Só estou tentando proteger vocês. Vocês dois — acrescenta de modo pouco convincente.

— O que você acha, que eu vou... me divorciar de Luke e pegar todo o dinheiro dele?

Assim como você fez com os seus maridos, estou para acrescentar, mas paro na última hora.

— Acha que é por isso que eu quero me casar com ele?

— Becky...

— Claro que você pode examinar o contrato com calma...

— Eu não preciso examinar.

— Estou entendendo que você se recusa a assinar? — Elinor me dá um olhar triunfante, como se eu tivesse confirmado cada suspeita sua.

— Não! — digo em voz trêmula. — Não estou me recusando a assinar! Eu assino o que você quiser! Não vou permitir que você pense que estou querendo o dinheiro de Luke!

Pego a caneta na mesa e começo a rabiscar furiosamente minha assinatura na primeira página, com tanta força que rasgo o papel.

— Becky, não seja estúpida! — exclama Luke. — Mamãe...

— Está tudo bem! Eu assino cada porcaria...

Meu rosto está quente e os olhos um pouco turvos enquanto viro as páginas, assinando de novo e de novo sem nem mesmo olhar o texto em cima. *Rebecca Bloom. Rebecca Bloom.*

— Bom, eu não vou assinar — diz Luke. — Nunca quis um contrato pré-nupcial! E certamente não vou assinar uma coisa que nunca vi antes na vida.

— Pronto. Está feito. — Pouso a caneta e pego minha bolsa. — Acho que vou indo agora. Tchau, Elinor.

— Becky... — diz Luke. — Mamãe, o que *diabos* lhe deu para fazer isso?

Enquanto marcho para fora do apartamento de Elinor minha cabeça ainda está martelando. Espero o elevador durante alguns segundos — mas quando ele não vem pego a escada. Sinto-me trêmula de fúria; de mortificação. Ela acha que eu só quero o dinheiro de Luke. Acha que estou dando o golpe do baú.

É isso que todo mundo acha?

— Becky! — Luke está descendo a escada atrás de mim, de três em três degraus. — Becky, espere. Desculpe. Eu não fazia idéia... — Quando chegamos ao térreo ele me envolve nos braços e eu fico ali parada, rígida. — Acredite. Isso foi um choque tão grande para mim quanto para você.

— Bem... você sabe... eu acho que você deveria assinar — digo, olhando o chão. — Você deveria se proteger. É sensato.

— Becky. Este aqui sou eu. Estes aqui somos *nós*. — Gentilmente ele levanta meu queixo até eu não ter onde olhar, além de em seus olhos escuros. — Sei que está com raiva. Claro que está. Mas tem de desculpar minha mãe. Ela mora nos Estados Unidos há muito tempo. Aqui os contratos pré-nupciais são padrão. Ela não quis...

— Quis — digo, sentindo um novo jorro de humilhação.

— Foi exatamente isso que ela quis. Ela acha que eu tenho algum plano para... para tirar todo o seu dinheiro e gastar tudo em sapatos!

— Esse não é o seu plano? — Luke finge estar chocado. — Você está me dizendo isso agora? Bem, se você vai mudar as regras, talvez a gente *devesse* fazer um contrato pré-nupcial.

Dou um meio sorriso. Mas ainda estou dolorida por dentro.

— Eu sei que um monte de gente aqui faz contratos pré-nupciais — digo. — Sei disso. Mas ela não podia simplesmente... redigir um sem nos consultar! Sabe como sua mãe fez com que eu me sentisse?

— Sei. — Luke me acaricia de modo tranqüilizador. — Estou furioso com ela.

— Não está.

— Claro que estou.

— Não está, não! Você nunca fica furioso com ela! Esse é o problema. — Separo-me de seus braços, tentando ficar calma.

— Becky? — Luke me encara. — Há mais alguma coisa errada?

— Não é só isso. É... tudo! O modo como ela tomou conta do casamento. O modo como foi superior e horrenda com meus pais...

— Ela é naturalmente uma pessoa muito formal — diz Luke na defensiva. — Não significa que esteja querendo ser superior. Se seus pais realmente a conhecessem...

— E o modo como ela usa você! — Sei que estou em terreno perigoso, mas agora que comecei não posso impedir mais o jorro. — Você lhe dá horas e horas do seu tempo. Emprestou empregados para a instituição de caridade. Até brigou com Michael por causa dela. Simplesmente não entendo! Você *sabe* que Michael gosta de você. *Sabe* que ele só quer o seu bem, de coração. Mas por causa de sua mãe você nem está falando com ele.

O rosto de Luke se encolhe, e posso ver que toquei num nervo sensível.

— E agora ela quer que a gente se mude para este prédio. Você não vê? Ela só quer enfiar as garras em você! Vai botar você fazendo coisas para ela o dia inteiro e nunca vai nos deixar em paz... Luke, você já está dando demais a ela!

— O que há de errado com isso? — A expressão de Luke está ficando gradualmente mais tensa. — Ela é minha mãe.

— Sei que é! Mas e daí? Ela nem se interessava por você antes de você se tornar um sucesso aqui. Lembra da nossa primeira viagem a Nova York? Você estava tão desesperado para impressioná-la... e ela nem fez um esforço para se encontrar com você! Mas agora você se deu bem aqui, tem um nome, tem contatos na mídia, tem recursos. E de repente ela quer ter todo o crédito e simplesmente *usar* você...

— Isso não é verdade.

— É verdade! Você só não consegue ver! Está ofuscado demais por ela!

— Olha, Becky, é fácil para você criticar — diz Luke acalorado. — Você tem um relacionamento fantástico com sua mãe. Eu mal vi a minha quando estava crescendo...

— Exatamente! — grito antes de conseguir me impedir. — Isso prova o que eu estou dizendo! Ela cagava e andava para você na época!

Ah, cacete. Eu não devia ter dito isso. Um clarão de dor passa pelos olhos de Luke e de repente ele parece uns dez anos mais velho.

— Você sabe que isso não é verdade. Minha mãe me queria. Não foi culpa dela.

— Eu sei. Desculpe... — Vou na sua direção, mas ele se afasta bruscamente.

— Ponha-se no lugar dela para variar, Becky. Pense no que ela passou. Tendo de deixar o filho para trás; ter de fazer cara de corajosa. Ela está acostumada a esconder os sentimentos há tanto tempo que não é de espantar que nem sempre ache fácil demonstrar o calor que deseja. Não é de espantar que os modos dela sejam meio desajeitados.

Ouvindo-o, quase tenho vontade de chorar. Ele pensou em tudo. Ainda é como o garoto que criava todas as desculpas do mundo para justificar o fato de sua mãe nunca ir vê-lo.

— Mas agora nós estamos tendo chance de forjar nosso relacionamento de novo — está dizendo Luke. — Talvez ela tenha pouco tato de vez em quando. Mas está se esforçando ao máximo.

É, certo, quero dizer. Ela realmente está se esforçando muito comigo.

Mas em vez disso encolho os ombros minusculamente e murmuro:

— Acho que sim.

Luke vem e segura minha mão.

— Volte para cima. Vamos tomar outra bebida. Esquecer que isso aconteceu.

— Não. — Solto o ar com força. — Acho que... vou para casa. Vá você. Vejo você mais tarde.

Enquanto volto para casa começa a chover, gotas grandes que formam poças nas sarjetas e pingam dos toldos. Batem nas minhas bochechas quentes, molham meu cabelo e fazem marcas nos meus novos sapatos com acabamento de camurça. Mas eu praticamente não noto. Ainda estou muito abalada pelo que aconteceu; pelo olhar penetrante de Elinor; por minha humilhação; pela minha frustração com Luke.

No momento em que entro no apartamento há o estalo de um trovão. Acendo todas as luzes e a TV, e pego a correspondência. Há um envelope de mamãe e eu o abro primeiro. Um maço de tecidos cai e uma carta que cheira ligeiramente ao seu perfume.

Becky querida,
Espero que tudo esteja bem na Grande Maçã!

Aqui vai a cor em que estamos pensando para os guardanapos das mesas. Janice diz que deveríamos usar rosa, mas acho que esse ameixa-claro é muito bonito, especialmente com as cores em que estamos pensando para as flores. Mas diga o que acha, você é a noiva, querida!

O fotógrafo que Dennis recomendou veio ontem e todos ficamos muito impressionados. Papai ouviu coisas boas sobre ele no clube de golfe, o que é sempre um bom sinal. Ele faz em preto e branco e coloridas, e inclui um álbum no preço, o que parece bastante bom. Além disso, ele pode transformar a foto de que você mais gostar em 100 miniquebra-cabeças para mandar a todos os convidados como agradecimento!

O mais importante de tudo, eu disse a ele, é que tenhamos montes de fotos suas perto da cerejeira florida. Nós plantamos a árvore quando você nasceu, e sempre foi meu sonho secreto que nossa nenenzinha Rebecca crescesse e um dia ficasse ao lado dela no dia do casamento. Você é nossa filha única, e esse dia é importante demais para nós.

Com muito amor
Mamãe.

No final estou chorando. Não sei por que ao menos pensei em me casar em Nova York. Não sei por que deixei Elinor ao menos me mostrar o estúpido Plaza. Quero me casar é em casa. Com mamãe e papai, e a cerejeira, e meus amigos, e tudo que realmente me importa.

É isso. Escolhi. Vou dizer a todo mundo amanhã.

— Becky?

Dou um pulo de susto e giro. Ali está Luke, parado junto à porta, sem fôlego e encharcado da cabeça aos pés. O cabelo está grudado na cabeça e gotas de chuva ainda escorrem pelo rosto.

— Becky... — diz ele ansioso. — Desculpe. Desculpe mesmo. Eu não deveria ter deixado você ir daquele jeito. Eu vi a chuva... não sei o que eu estava pensando... — Ele pára quando vê meu rosto manchado de lágrimas. — Você está bem?

— Estou. — Enxugo os olhos. — E, Luke... desculpe também.

Luke me encara durante longo tempo, com o rosto tremendo; os olhos chamejando.

— Becky Bloom — diz finalmente. — Você é a coisa mais generosa... amorosa... eu não mereço...

Ele pára e vem até mim, com o rosto quase feroz, de tanta intensidade. Quando me beija, gotas de chuva caem de seu cabelo na minha boca e se misturam com seu gosto quente e salgado. Fecho os olhos e deixo meu corpo se desenrolar gradualmente, o prazer começar gradualmente. Já o sinto duro e decidido, segurando meus quadris e me querendo agora mesmo, neste minuto, dizendo desculpe, dizendo que me ama, dizendo que fará tudo por mim...

Meu Deus, eu adoro sexo de reconciliação.

OITO

Acordo na manhã seguinte toda aconchegada, contente e feliz comigo mesma. Enquanto estou na cama, enrolada de encontro a Luke, sinto-me cheia de uma forte decisão interior. Resolvi minhas prioridades. Agora nada vai mudar na minha mente.

— Luke? — Falo, quando ele se move para sair da cama.

— Hmm? — Ele se vira e me beija, e está todo quente, delicioso e lindo.

— Não vá. Fique aqui. O dia inteiro.

— O dia inteiro?

— A gente poderia fingir que estava doente. — Espreguiço-me luxuriosamente nos travesseiros. — Na verdade eu me sinto mesmo meio doente.

— Verdade? Que parte?

— Minha... barriga.

— Para mim parece ótima — diz Luke, espiando debaixo do edredom... — Desculpe. Não colou.

— Estraga-prazeres.

Olho enquanto ele sai da cama, põe um roupão e vai para o banheiro.

— Luke? — falo de novo quando ele chega à porta.

— O quê?

Abro a boca para dizer que tomei a grande decisão ontem

à noite. Que quero me casar em Oxshott, como tínhamos planejado originalmente. Que vou cancelar o Plaza. Que se Elinor ficar furiosa, tanto faz.

Então fecho-a de novo.

— O que é? — pergunta Luke.

— Só... não use todo o meu xampu — digo finalmente.

Não consigo puxar o assunto do casamento. Agora não, quando tudo está tão lindo e feliz entre nós. E, de qualquer modo, Luke não se importa com onde vamos nos casar. Ele mesmo disse.

Tirei a manhã de folga para provar bolos com Robyn, mas nosso compromisso é só às dez. Então, depois de Luke sair, ando lentamente pelo apartamento, fazendo o café da manhã e pensando no que vou dizer a Elinor.

O negócio tem de ser direto. Firme e direto, mas agradável. Adulto e profissional, como executivos que têm de demitir outros executivos. Ficar calma e usar expressões como "nós optamos por outro caminho".

— Olá, Elinor — digo ao meu reflexo. — Tenho de lhe dizer uma coisa. Escolhi outro caminho.

Não. Ela vai pensar que eu virei lésbica.

— Olá, Elinor — tento de novo. — Estive pensando na sua proposta de estilo de casamento. E ainda que ela tenha muitos méritos...

Certo, qual é. Basta fazer.

Ignorando o nervosismo, pego o telefone e digito o número de Elinor.

— *Elinor Sherman não pode atender ao seu telefonema...*

Ela saiu.

Não posso simplesmente deixar um recado dispensando o casamento. Posso?

Poderia?

Não.

Desligo o telefone rapidamente, antes do som do bip. Certo. O que vou fazer agora?

Bem, é óbvio. Vou ligar para Robyn. O importante é dizer a *alguém*, antes que todo o resto seja feito.

Junto os pensamentos por um instante, depois digito o número de Robyn.

— *Olá! Estou ouvindo sinos de casamento? Espero que sim, porque aqui é Robyn de Bendern, a resposta às suas orações para organização de casamento. No momento não estou, mas seu telefonema é muito importante...*

Robyn provavelmente já saiu para se encontrar comigo no ateliê de bolos. Devo ligar para lá. Ou poderia deixar um recado.

Mas enquanto ouço sua voz alegre e cantarolada sinto subitamente uma pontada de culpa. Robyn já colocou muito esforço nisso. De fato, passei a gostar um bocado dela. Simplesmente não posso dizer pelo telefone que tudo acabou. Sentindo-me subitamente firme, desligo o telefone e pego a bolsa.

Vou ser uma adulta, ir até o ateliê de bolos e dar a notícia cara a cara.

E depois cuido de Elinor.

Para ser honesta, eu realmente não gosto de bolo de casamento. Sempre pego um pedaço porque dá azar ou sei lá o quê se a gente não pegar, mas na verdade todo aquele bolo de frutas, marzipã e glacê parecendo blocos de giz me deixam meio enjoada. E estou tão nervosa com o pensamento de contar a Robyn que tudo acabou, que não me imagino comendo nada.

Mesmo assim minha boca não consegue deixar de ficar cheia d'água quando chego ao ateliê. O lugar é grande e claro, com enormes janelas e o cheiro mais doce, mais delicioso, açucarado-amanteigado, pairando no ar. Há enormes bolos montados à mostra e fileiras de enfeites florais em caixas transparentes, e pessoas diante de mesas de mármore, cuidadosamente fazendo rosas de glacê e pintando ramos de hera feita de açúcar.

Quando paro na entrada, uma garota magra, de jeans e sandália alta, está sendo guiada pela mãe, e elas estão no meio de uma discussão.

— Você só precisava provar — está dizendo a mãe furiosamente. — Quantas calorias pode ser?

— Não me importa — diz a garota, lacrimosa. — Eu vou estar vestindo tamanho 2 no dia do casamento, nem que morra para isso.

Tamanho 2!

Meu Deus, eu já estou aqui por tempo suficiente mas ainda fico pirada com os tamanhos americanos. O que será isso na vida real?

Tamanho 36.

Bom, isso faz com que eu me sinta muito melhor.

— Becky! — Ergo os olhos e vejo Robyn, que parece meio agitada. — Olá! Você veio.

— Robyn. — Sinto o estômago se apertar de apreensão. — Escute. Tenho de falar com você. Tentei ligar para Elinor, mas ela estava... tanto faz. Há uma coisa que eu preciso... lhe dizer.

— Sem dúvida — diz Robyn distraidamente. — Antoine e eu vamos falar com você num momento, mas estamos com uma pequena crise nas mãos. — Ela baixa a voz. — Houve um acidente com um dos bolos. Muito infeliz.

— Srta. Bloom? — Ergo os olhos e vejo um homem de cabelos grisalhos e olhos brilhantes com roupa branca de chefe de cozinha. — Sou Antoine Montignac. O boleiro dos boleiros. Talvez você tenha me visto em algum programa de televisão.

— Antoine, acho que ainda não resolvemos o problema com a... outra cliente... — diz Robyn, ansiosa.

— Vou num instante. — Ele a descarta com a mão. — Srta. Bloom. Sente-se.

— Na verdade, não tenho certeza se realmente quero... — começo. Mas antes de saber o que estou fazendo, fui sentada numa cadeira fofa diante de uma mesa envernizada, e Antoine está espalhando brilhantes álbuns de fotos na minha frente.

— Posso criar para você o bolo que vai suplantar todos os seus sonhos — anuncia modestamente. — Nenhuma imagem está além dos meus poderes de criatividade.

— É mesmo? — Olho a foto de um bolo espetacular, de seis andares, decorado com tulipas de açúcar, depois viro a página e vejo um na forma de cinco borboletas diferentes. São os bolos mais gigantescos que já vi na vida. E as decorações! — Então, por dentro todos são bolos de frutas?

— Bolos de frutas? *Non, non, non!* — Antoine ri. — Esta é uma idéia muito inglesa, o bolo de frutas no casamento. Este bolo em particular... — Ele aponta o bolo de borboletas. — Foi um bolo simples e leve, cada andar com três recheios diferentes: caramelo de laranja queimado, maracujá com manga e suflê de amêndoas.

Nossa!

— Se você gosta de chocolate, podemos construir um bolo feito puramente de diferentes variedades de chocolate. — Ele vira outra página. — Este foi de chocolate escuro com camadas de *fondant* de chocolate, creme de chocolate branco e um recheio de trufas com Grand Marnier.

Eu não tinha idéia de que os bolos de casamento podiam ser assim. Folheio, ligeiramente atordoada, olhando um bolo espetacular depois do outro.

— Se não quiser os andares tradicionais, posso fazer um bolo para representar alguma coisa que você adore. Uma pintura predileta... ou uma escultura... — Ele me olha de novo. — Um baú Louis Vuitton, talvez...

Um bolo de casamento na forma de um baú Louis Vuitton! Não seria o máximo?

— Antoine? Será que poderia vir aqui um momento? — Robyn enfia a cabeça para fora de uma pequena sala de reuniões à direita. E, apesar de estar sorrindo, parece bastante abalada.

— Com licença, Srta. Bloom — diz Antoine, pedindo desculpas. — Davina. Alguns bolos para a Srta. Bloom provar.

Uma auxiliar sorridente desaparece por uma porta dupla — depois volta com uma taça de champanha, um prato de louça com duas fatias de bolo e um lírio de açúcar. Ela me entrega um bolo e diz:

— Este aqui é de maracujá com manga, mousse de morango e tangerina, e este é de creme de caramelo com pistache e trufa de café. Desfrute!

Uau. Cada fatia parece uma espuma leve, com três recheios diferentes em cores pastel. Não sei por onde começar!

Certo... vamos de trufa de café.

Ponho um pedaço na boca e quase desmaio. Bom, *isso* é como devem ser todos os bolos de noiva. Por que não temos desses na Inglaterra?

Tomo alguns goles de champanha e mordisco o lírio de açúcar, que é uma delícia com gosto de limão. Depois pego um segundo pedaço e mastigo numa bem-aventurança, olhando uma garota ali perto que faz detalhadamente um salpicado de lírios do vale.

Sabe, talvez eu devesse comprar um belo bolo para o batizado do neném de Suze. Quer dizer, vou dar um presente também — mas sempre poderia comprar um bolo como uma coisa extra.

— Sabe quanto custam esses bolos? — pergunto à garota enquanto termino de comer a segunda fatia.

— Bem... realmente variam — diz ela erguendo os olhos. — Mas acho que todos começam por volta de mil dólares.

Quase engasgo com o champanha. Mil dólares? Eles *começam* em mil dólares.

Um bolo?

Quer dizer, quanto eu comi, agora mesmo? Devia haver pelo menos cinqüenta dólares de bolo no meu prato!

— Gostaria de outra fatia? — diz a garota, e olha para a sala de reuniões. — Parece que Antoine ainda está ocupado.

— Aah, bem... por que não! E será que eu poderia provar uma daquelas tulipas de açúcar? Sabe. Só como uma pesquisa.

— Claro — diz a garota em tom agradável. — O que você quiser.

Ela me dá uma tulipa e um punhado de minúsculas flores brancas, e eu as mastigo toda feliz, ajudando a descer com champanha.

Então olho preguiçosamente em volta e vejo uma gigantesca flor elaborada, branca e amarela, com minúsculas gotas de orvalho. Uau. Aquilo parece uma delícia. Passo a mão por cima de um mostruário de corações de açúcar, pego-a e ela está quase na minha boca quando ouço um grito.

— Páááára! — Um cara vestido de branco está atravessando o ateliê na minha direção. — Não coma o junquilho!

— Epa! — digo parando bem a tempo. — Desculpe. Eu não sabia. Ele é muito especial?

— Levei três horas para fazer — diz ele, tirando-o gentilmente da minha mão. — Mas não estragou. — Ele sorriu para mim, mas noto que há suor em sua testa.

Hmm. Talvez de agora em diante eu deva ficar só no champanha. Tomo outro gole, e estou olhando em volta à procura da garrafa, quando vozes altas começam a sair da sala lateral, onde Robyn e Antoine estão trancados.

— Eu não fiz isso deliberradamente! Mademoiselle, eu não estou de vingança!

— Está sim! Você me odeia, não é? — diz uma voz abafada.

Posso ouvir Robyn falando alguma coisa tranqüilizante, que não consigo entender.

— É uma coisa depois da outra! — A voz da mulher agora está alta, e quando ouço com clareza fico estatelada com a taça a meio do caminho da boca.

Não acredito.

Não pode ser.

— Essa porcaria de casamento está dando xabu! — exclama ela. — Desde o início, tudo está dando errado.

A porta se abre e agora posso ouvi-la direito.

É. É Alicia.

Sinto todo o corpo enrijecer.

— Primeiro o Plaza não pôde encaixar a gente! Agora esse fiasco com o bolo! E sabe o que eu acabei de saber?

— O quê? — diz Robyn, temerosa.

— Minha dama de honra tingiu o cabelo de ruivo! Não vai combinar com as outras! De todas as pessoas desconsideradas e egoístas...

A porta se escancara e Alicia sai batendo os pés, os sapatos salto agulha ecoando como tiros no chão de madeira.

Quando me vê, ela pára e eu a encaro, com o coração batendo forte.

— Oi, Alicia — falo, obrigando-me a parecer relaxada. — Lamento saber sobre o seu bolo. A propósito, Antoine, estava delicioso.

— O quê? — diz Alicia inexpressivamente. Seus olhos saltam para meu anel de noivado, aproveitando para ver a saia, no caminho, e finalmente voltam ao anel. É como a Olhada de Manhattan numa sala de espelhos.

— Você vai se casar? — diz ela finalmente. — Com Luke?

— É. — Olho de modo casual para o diamante na minha mão esquerda, depois dou um sorriso inocente para ela.

Agora estou começando a relaxar. Estou começando a gostar disso.

(Além do mais, eu também dei a Olhada de Manhattan em Alicia. E meu anel é um pouquinho maior do que o dela. Não que eu esteja comparando nem nada.)

— Por que você não disse?

Você não perguntou, quero responder, mas em vez disso apenas dou de ombros ligeiramente.

— E onde vocês vão casar? — A antiga expressão superior de Alicia está voltando, e posso vê-la se preparando para dar um golpe.

— Bem... por acaso... — pigarreio.

Certo, este é o momento. Esta é a hora de fazer o grande anúncio. Dizer a Robyn que mudei de idéia. Vou me casar em Oxshott.

— Na verdade...

Respiro fundo. Qual é. É como Elastoplast. Quando mais rápido eu fizer isso, mas rápido estará terminado. É só dizer.

E realmente estou em vias de dizer — quando cometo o erro fatal de levantar os olhos. Alicia está parecendo mais paternalista e presunçosa do que nunca. Anos me sentindo estúpida e pequena crescem dentro de mim como um vulcão... e não consigo evitar, ouço minha voz dizendo:

— Na verdade, nós vamos nos casar no Plaza.

O rosto de Alicia estala em choque, como uma tira de elástico.

— No Plaza? Verdade?

— Vai ser lindo — acrescento casualmente. — O Plaza é um belo ambiente. É lá que você vai se casar?

— Não — diz Alicia, com o queixo tenso. — Eles não puderam arranjar uma data tão em cima da hora. Quando você marcou?

— Ah... há uma ou duas semanas — digo e dou de ombros vagamente.

Isso! Isso! A expressão dela!

— Vai ser maravilhoso — intervém Robyn, entusiasmada. — A propósito, falei com o decorador hoje cedo. Ele encomendou duzentas bétulas, e eles vão mandar algumas amostras de agulhas de pinheiros...

Posso ver o cérebro de Alicia trabalhando intensamente.

— É *você* que vai ter a floresta encantada no Plaza — diz ela finalmente. — Ouvi falar nisso. Vai custar uma fortuna. E você vai ter violinistas mandados da Sinfônica de Viena. Verdade?

— A Filarmônica de Nova York estava em turnê — diz Robyn, lamentando. — Mas parece que esses vienenses são muito bons...

— Tenho certeza que vão ser fantásticos — digo e sorrio para Robyn, que ri de volta como se eu fosse uma velha aliada.

— Senhorrita Bloom. — Antoine aparece do nada e aperta a mão nos lábios. — Agora estou completamente ao seu dispor. Desculpe o atraso. Uma daquelas coisinhas irritantes...

O rosto de Alicia fica rígido.

— Bem — diz ela. — Então vou indo.

— *Au revoir* — diz Antoine, sem ao menos olhar para cima.

— Tchau, Alicia — digo inocentemente. — Tenha um lindo casamento.

Enquanto ela sai furiosa, eu afundo de novo na cadeira, com o coração ainda martelando de empolgação. Foi um dos melhores momentos da minha vida. Finalmente levando a melhor sobre Alicia, a Vaca Pernalta. Finalmente! Quer dizer, com que freqüência ela foi horrível comigo? E com que freqüência eu tive a reação perfeita nos lábios? Resposta: nunca.

Até hoje!

Posso ver Antoine e Robyn trocando olhares, e estou morrendo de vontade de perguntar o que eles acham de Alicia. Mas... não seria uma coisa digna de uma futura noiva.

Além disso, se eles falarem mal dela, podem falar mal de mim também.

— Agora! — diz Robyn. — Passemos a uma coisa mais agradável. Você viu os detalhes do casamento de Becky, Antoine.

— Vi mesmo — diz Antoine, rindo para mim. — Vai ser um acontecimento belíssimo.

— Eu sei — ouço-me dizendo toda feliz. — Estou tão ansiosa!

— Então... vamos falar do bolo... Preciso pegar umas fotos para você... enquanto isso, posso lhe oferecer um pouco mais de champanha?

— Sim, por favor — digo e estendo a taça. — Seria ótimo!

O champanha borbulha, claro e delicioso, na minha taça. Então Antoine desaparece de novo e eu tomo um gole, sorrindo para esconder o fato de que por dentro me sinto meio incomodada.

Agora que Alicia foi embora, não há necessidade de fingir mais. O que devo fazer é pousar a taça, puxar Robyn de lado, pedir desculpa por ter desperdiçado seu tempo — e informar que o casamento aqui acabou e que vou me casar em Oxshott. Simples e direto.

É o que eu devo fazer.

Mas... alguma coisa muito estranha aconteceu desde hoje cedo. Não posso explicar direito — mas, de algum modo, sentada aqui, tomando o champanha e comendo bolo de mil dólares, simplesmente não *me sinto* como alguém que vai se casar num quintal em Oxshott.

Se eu for realmente honesta, de coração — sinto-me exatamente como alguém que vai ter um casamento gigantesco, luxuoso, no Plaza.

Mais do que isso, eu *quero* ser alguém que vai ter um casamento gigantesco, luxuoso, no Plaza. Eu *quero* ser a garota que desliza por caríssimas lojas de bolos, que tem gente correndo atrás e é tratada como uma princesa. Se eu cancelar o casamento, tudo vai acabar. Todo mundo vai parar de se agitar. Eu vou parar de ser essa pessoa especial, luminosa.

Ah, meu Deus, o que aconteceu comigo? Eu estava tão resolvida hoje cedo!

Cheia de decisão, fecho os olhos e me obrigo a pensar em mamãe e sua cerejeira florida. Mas nem isso funciona. Talvez seja o champanha — mas em vez de ficar dominada pela emoção e pensando: "eu *devo* me casar em casa", pego-me pensando: "talvez a gente possa incorporar a cerejeira na floresta encantada".

— Tudo certo, Becky? — diz Robyn, rindo para mim. — Um tostão por seus pensamentos!

— Ah — digo, com a cabeça saltando cheia de culpa. —

Eu só estava pensando que... o hmm... o casamento vai ser fantástico.

O que vou fazer? Vou dizer alguma coisa?

Não vou dizer alguma coisa?

Qual *é*, Becky. Decida.

— Então... quer ver o que eu tenho na bolsa? — diz Robyn toda animada.

— É... sim, por favor.

— Tchã-rããããam! — Ela pega um cartão grosso em relevo, coberto com letras cheias de arabesco, e me entrega.

A Sra. Elinor Sherman
Conta com a honra de sua presença
no casamento de
Rebecca Bloom
com seu filho
Luke Brandon...

Encaro aquilo com o coração batendo forte.

Isso é real. Isso é realmente real. Aqui está, em preto e branco.

Ou pelo menos em bronze e cinza-acastanhado.

Pego o cartão e viro-o repetidamente nas mãos.

— O que acha? — Robyn ri de orelha a orelha. — É exótico, não é? O cartão é oitenta por cento de linho.

— É... lindo. — Engulo em seco. — Mas parece muito cedo para estar mandando os convites.

— Ainda não vamos mandar! Mas eu sempre gosto de mandar fazer os convites cedo. O que eu sempre digo é: quanto mais provas, melhor. Não queremos pedir que nossos convidados usem "traje passeio concreto", como uma noiva que eu poderia mencionar... — Ela trina de prazer.

— Certo. — Olho as palavras de novo.

Sábado, 22 de junho às sete horas
no Plaza Hotel
Nova York

Isto é sério. Se eu for dizer alguma coisa, tenho de dizer agora. Se vou cancelar esse casamento, tenho de fazer isso agora. Neste minuto.

Mas minha boca permanece fechada.

Será que isso realmente significa que vou escolher o Plaza, afinal de contas? Que estou me vendendo? Que estou escolhendo o brilho e as purpurinas? Que vou ficar com Elinor em vez de com mamãe e papai?

— Achei que você gostaria de mandar um para a sua mãe! — diz Robyn.

Minha cabeça se levanta bruscamente — mas o rosto de Robyn é de uma inocência abençoada.

— Uma pena ela não estar aqui para se envolver com os preparativos. Mas ela vai adorar ver isso, não vai?

— Sim — digo depois de uma longa pausa. — É, ela vai... adorar.

Ponho o convite na bolsa e fecho-a, sentindo-me ligeiramente enjoada.

Então é isso. É Nova York.

Mamãe vai entender. Quando eu contar direito, ela vai concordar. Tem de concordar.

O novo bolo de tangerina e lichia de Antoine é fabuloso. Mas de algum modo, quando dou uma mordida, meu apetite sumiu.

Depois de ter experimentado vários outros sabores, não estou mais perto de uma decisão. Antoine e Robyn trocam olhares e sugerem que eu provavelmente preciso de tempo para pensar. Então, com uma última rosa de açúcar para levar na bolsa, digo adeus e vou para a Barneys, onde lido com todas as clientes de modo perfeitamente agradável, como se minha cabeça não estivesse a mil.

Mas o tempo todo estou pensando no telefonema que tenho de dar. Em como vou dar a notícia a mamãe. Em como vou *explicar* a mamãe.

Não vou dizer nada tão forte como "quero definitivamente me casar no Plaza". Não de início. Só vou dizer que é uma possibilidade, se nós duas quisermos. Essa é a expressão-chave. *Se nós duas quisermos*.

A verdade é que não apresentei a idéia adequadamente antes. Ela provavelmente vai saltar diante da chance assim que eu explicar tudo. Assim que contar sobre a floresta encantada, a orquestra de cordas, a banda para o baile e o bolo de mil dólares. Um lindo casamento de luxo, com todas as despesas pagas! Quer dizer, quem não adoraria?

Mas sinto-me doente de nervosismo quando subo a escada do nosso apartamento. Sei que não estou sendo honesta comigo mesma. Sei o que mamãe realmente quer.

Também sei que, se eu fizer bastante estardalhaço, ela vai fazer qualquer coisa que eu peça.

Fecho a porta e respiro fundo. Dois segundos depois a campainha toca e eu pulo de susto. Meu Deus, estou numa tensão absurda.

— Oi — digo abrindo a porta. — Ah, Danny, é você. Escute, tenho de dar um telefonema importante. De modo que se você não se importar...

— Certo, eu tenho de lhe pedir um favor — diz ele, entrando no apartamento e ignorando completamente o que acabei de dizer.

— O que é?

— Randall está me pressionando. Tipo assim, onde exatamente você vende suas roupas? Quem exatamente são os seus clientes? Você tem um plano de negócios? E eu digo, claro que tenho um plano de negócios, Randall. Estou planejando comprar a Coca-Cola no ano que vem, o que acha?

— Danny...

— Então ele começou a dizer que não tenho nenhuma base de clientes genuína e que deveria desistir, e que não vai mais me subsidiar. Ele usou a palavra subsidiar! Você acredita numa coisa dessas?

— Bem — digo distraidamente. — Ele paga o seu aluguel. E comprou todos aqueles rolos de camurça cor-de-rosa que você queria...

— Certo — diz Danny depois de uma pausa. — Certo. Então a camurça cor-de-rosa foi um erro. Mas meu Deus! Ele não quis parar com o assunto. Eu falei sobre seu vestido, mas ele ficava Daniel, você não pode basear um empreendimento comercial numa cliente que mora no andar de baixo. — Danny morde nervosamente a pele do polegar. — Então eu disse que recebi um pedido grande de uma loja de departamentos.

— Verdade? Qual?

— Barneys.

Olho-o, com a atenção finalmente atraída.

— *Barneys?* Danny, por que falou Barneys?

— Para você poder me apoiar! Se ele perguntar, você confirma, certo? E que todas as suas clientes estão doidas para comprar minhas coisas, que você nunca ouviu falar de uma coisa dessas na história da loja.

— Você pirou. Ele nunca vai engolir isso. E o que vai dizer quando ele quiser algum dinheiro?

— Até lá vou ter o dinheiro.

— E se ele verificar? E se ele for à Barneys para ver?

— Ele não vai verificar — diz Danny cheio de desprezo. — Ele só tem tempo para falar comigo uma vez por mês, quanto mais para fazer visitas não programadas à Barneys. Mas se ele encontrar você na escada, confirme a minha história. Só peço isso.

— Bem... certo — digo por fim.

Honestamente. Como se eu já não tivesse o bastante com que me preocupar.

— Danny, preciso mesmo dar um telefonema... — digo desamparada.

— Então vocês já acharam um lugar para morar? — pergunta ele, despencando numa poltrona.

— Não tivemos tempo.

— Nem pensaram nisso?

— Elinor quer que a gente se mude para o prédio dela, e eu disse que não. É só até aí que fomos.

— Verdade? — Danny me encara. — Mas você não quer ficar no Village?

— Claro que quero! De jeito nenhum vou me mudar para lá.

— Então o que vai fazer?

— Eu... não sei! Tenho coisas demais em que pensar no momento. Por falar nisso...

— Estresse pré-matrimônio — diz Danny como quem sabe das coisas. — A solução é um martíni duplo. — Ele abre o armário de coquetéis, e um punhado de brochuras de listas de casamento cai no chão. — Ei! — diz ele em tom reprovador, e pegando-as. — Você fez suas listas sem mim? Não posso acreditar! A vida toda eu morri de vontade de preparar listas! Você pediu uma máquina de cappuccino?

— É... é. Acho que sim...

— Grande erro. Elas nunca são tão boas como as de verdade. Escute, se quiser que eu receba algum presente, sabe que estou aqui em cima.

— É, certo. — Dou-lhe um olhar. — Depois do que aconteceu no Natal.

O Natal ainda é um ponto ligeiramente dolorido para mim. Pensei que tinha sido muito esperta e encomendei um monte de presentes pela Internet. Mas eles nunca chegaram, por isso passei a véspera de Natal correndo pelas lojas e comprando coisas para substituir. Então, na manhã do dia, subimos para tomar uma bebida com Danny e Randall, e achamos Danny usando o roupão de seda que eu tinha comprado para Elinor e comendo os chocolates que eram para Samantha, do trabalho.

— Ei, o que eu ia pensar? — diz ele na defensiva. — Era Natal, eles estavam embrulhados para presente... Foi tipo, sim, Daniel, Papai Noel existe... — Ele pega a garrafa de martíni e joga um pouco na coqueteleira. — Forte? Extraforte?

— Danny, eu *realmente* tenho de dar um telefonema. Já volto num minuto.

Desconecto o telefone e levo para o quarto, depois fecho a porta e tento concentrar a mente de novo.

Certo. Eu posso fazer isso. Calma e concentrada. Digito o número da minha casa e espero com ligeiro pavor enquanto o telefone toca.

— Alô — diz uma voz minúscula.

— Alô? — repondo, perplexa. Mesmo considerando que é um telefonema internacional, aquela não é a voz da mamãe.

— Becky! É Janice. Como vai, meu amor?

Isso é esquisito. Será que por engano liguei para o número da casa vizinha?

— Eu... estou bem.

— Ah, que bom! Olha, já que você está no telefone, o que prefere, Evian ou Vittel?

— Vittel — digo automaticamente. — Janice...

— Ótimo. E com gás? É só que muita gente bebe água hoje em dia, você sabe, porque vão ter de dirigir depois. O que acha de Perrier?

— Eu... eu não sei, Janice... — Respiro fundo. — Mamãe está aí?

— Você não sabia, meu amor? Seus pais viajaram! Para o Lake District.

Sinto uma pontada de frustração. Como posso ter esquecido da viagem deles ao Lake District?

— Só dei um pulo aqui para cuidar das plantas. Se for uma emergência, posso procurar o número que eles deixaram...

— Não, está... está tudo bem.

Minha frustração começou a diminuir. Em vez disso, estou começando a sentir um minúsculo alívio secreto. Isso meio que me livra da forca por enquanto. Quer dizer, não é minha culpa eles estarem viajando, é?

— Tem certeza? Se for importante eu posso facilmente pegar o número...

— Não, honestamente, tudo bem! Nada importante — ouço-me dizendo. — Bem, foi ótimo falar com você... então tchau. — Bato o aparelho, tremendo ligeiramente.

São só mais uns dias. Não vai fazer nenhuma diferença.

Volto à sala e acho Daniel reclinado no sofá, trocando de canais.

— Tudo bem? — diz ele, levantando a cabeça.

— Ótimo. Vamos tomar aquela bebida.

— Na coqueteleira — diz ele, assentindo para o armário, no momento em que a porta da frente se abre.

— Oi! — grito. — Luke, é você? Chegou bem na hora para um...

Paro abruptamente quando Luke entra na sala e encaro-o consternada. Seu rosto está pálido e fundo, os olhos ainda mais escuros do que o normal. Nunca o vi assim antes.

Danny e eu nos encaramos e sinto o coração afundar de pavor.

— Luke! — engulo em seco. — Você está bem?

— Estive tentando ligar durante uma hora. Você não estava no trabalho, a linha aqui estava ocupada...

— Provavelmente eu estava vindo para casa. E depois tive de dar um telefonema. — Ansiosa, dou um passo na direção dele. — O que aconteceu, Luke? É o trabalho?

— É Michael. Acabei de saber. Ele teve um ataque cardíaco.

Nove

O quarto de Michael fica no quarto andar de um grande hospital em Washington. Seguimos pelos corredores em silêncio, ambos olhando direto em frente. Nenhum de nós dois dormiu bem esta noite — de fato não sei se Luke dormiu. Ele não falou muita coisa, mas sei que está se sentindo arrasado de culpa.

— Ele poderia ter morrido — falou ontem à noite, enquanto estávamos na cama, acordados no escuro.

— Mas não morreu — respondi, e peguei sua mão.

— Mas poderia ter morrido.

E é verdade. Ele poderia ter morrido. Toda vez em que penso isso sinto uma reviravolta horrível no estômago. Nunca tive alguém próximo doente. Quer dizer, houve minha tia-avó Muriel, que teve alguma coisa errada nos rins — mas eu só me encontrei com ela umas duas vezes. E todos os meus avós ainda estão vivos, menos o vovô Bloom, que morreu quando eu tinha dois anos, de modo que nem o conheci.

De fato, praticamente nunca estive num hospital antes, a não ser que você conte *Plantão Médico* e *Casualty*. Enquanto andamos, passando por letreiros apavorantes como "Oncologia" e "Unidade Renal", percebo de novo como minha vida tem sido protegida.

Chegamos ao quarto 465 e Luke pára.

— É aqui — diz ele. — Pronta? — Ele bate de leve na porta e, depois de um momento, abre.

Michael está dormindo numa grande cama de metal, com uns seis gigantescos arranjos de flores na mesa ao lado, e outros espalhados no quarto. Há um equipo intravenoso preso em sua mão e outro tubo saindo do peito para uma máquina com luzes pequeninas. Seu rosto está pálido e abatido, e ele parece... vulnerável.

Não gosto disso. Nunca vi Michael com outra coisa que não fosse um terno caro, segurando uma bebida cara. Grande, tranqüilizador e indestrutível. Não deitado numa cama e com camisola de hospital.

Olho para Luke e ele está encarando Michael, pálido. Parece que tem vontade de chorar.

Ah, meu Deus. Agora *eu* quero chorar.

Então Michael abre os olhos, e eu sinto um jorro de alívio. Seus olhos, pelo menos, são exatamente os mesmos. O mesmo calor. O mesmo clarão de humor.

— Ora, vocês não precisavam vir tão longe — diz ele. Sua voz parece seca e ainda mais grave do que o normal.

— Michael — diz Luke, dando um passo ansioso em frente. — Como está?

— Melhor. Melhor do que me sentia. — Os olhos de Michael percorrem Luke interrogativamente. — Como *você* está? Parece terrível.

— Sinto-me terrível, absolutamente... — Luke pára e engole em seco.

— Verdade? — diz Michael. — Talvez você devesse fazer uns exames. É um processo muito tranqüilizador. Agora eu sei que tenho angina. Por outro lado, meu sistema linfático está ótimo e não sou alérgico a amendoim. O que é bom saber. — Seus olhos pousam no cesto de frutas na mão de Luke. — Isso é para mim?

— É! — diz Luke, aparentemente voltando a si. — Só um pouquinho... posso pôr aqui?

Ele abre espaço em meio aos exóticos arranjos de flores, e, ao fazer isso, noto que um dos cartões tem timbre da Casa Branca. Nossa.

— Frutas — diz Michael, assentindo. — Muito gentil. Você andou falando com meu médico. Eles são extremamente rígidos aqui. Os visitantes que trazem doces são levados até uma salinha e obrigados a correr durante dez minutos.

— Michael... — Luke respira fundo, e dá pra ver suas mãos segurando a alça da cesta de frutas. — Michael, eu só queria dizer... desculpe. Pela nossa discussão.

— Está esquecida. Verdade.

— Não está. Não por mim.

— Luke. — Michael dá um olhar gentil para Luke. — Não é grande coisa.

— Mas eu sinto...

— Tivemos um desacordo, só isso. Desde então estive pensando no que você disse. E você tem alguma razão. Se a Brandon Communications estiver publicamente associada a uma causa meritória, isso só vai fazer bem ao perfil da empresa.

— Eu nunca deveria ter agido sem consultar você — murmura Luke.

— Bem. Como você disse, a empresa é sua. Você tem o controle executivo. Eu respeito isso.

— E eu respeito o seu conselho — diz Luke imediatamente. — Sempre vou respeitar.

— Então. Vamos fumar o cachimbo da paz? — Michael estende a mão, toda machucada do lugar onde a agulha do soro entrou. E depois de um momento Michael segura-a gentilmente.

Agora estou completamente embargada.

— Vou pegar um pouco... d'água... — murmuro, e saio do quarto respirando com dificuldade.

Não *posso* irromper em lágrimas diante de Michael. Ele vai me achar totalmente patética.

Ou então vai achar que estou chorando porque sei alguma coisa que ele não sabe. Vai achar que eu vi seu prontuário médico e que não é angina. Que foi um coágulo cerebral impossível de ser operado a não ser por um especialista de Chicago que se recusou a tratar de Michael por causa de uma rixa entre os hospitais.

Tudo bem, olha, eu *preciso* parar de confundir isso com *Plantão Médico*.

Vou até uma área de recepção ali perto, respirando fundo para me acalmar, e me sento ao lado de uma mulher de meia-idade vestindo um velho cardigã azul.

— Você está bem, querida? — Ergo os olhos e a vejo me oferecendo um lenço de papel. — Isso abala a gente, não é? — diz ela gentilmente, enquanto assôo o nariz. — Algum parente seu está aqui?

— Só um amigo. E você?

— Meu marido Ken. Ele fez uma cirurgia para colocar um marca-passo.

— Meu Deus. Eu... sinto muito.

Sinto um tremor descendo pelas costas enquanto tento imaginar como me sentiria se Luke estivesse naquela cama de hospital.

— Ele vai ficar bem, se começar a se cuidar. Esses homens. Acham que nada vai acontecer nunca. — Ela balança a cabeça. — Mas vir para cá... ensina à gente o que é importante, não é?

— Sem dúvida — digo, séria.

Ficamos sentadas em silêncio por um tempo, e penso ansiosamente em Luke. Talvez eu o faça começar a freqüentar a academia um pouco mais. E a comer aquelas coisas com baixo teor de gordura que fazem baixar o colesterol. Só para garantir.

Depois de um tempo a mulher sorri para mim e vai embora, mas eu fico ali parada. Quero dar a Luke e Michael um pouco mais de tempo juntos. Dois pacientes de cadeira de rodas com equipamento de soro conversam perto da janela, e vejo uma mulher velha e frágil cumprimentando o que parecem ser seus netos. Quando ela os vê, todo o rosto se ilumina e de repente a mulher parece dez anos mais jovem — e, para meu horror, pego-me fungando de novo.

Duas garotas de jeans estão sentadas perto, e uma sorri simpática para mim.

— É uma visão doce — diz ela.

— Sabe, se as pessoas tivessem a família por perto, provavelmente ficariam melhores um milhão de vezes mais rápido — falo com fervor. — Os hospitais deveriam construir quartos de hóspedes em cada andar. As pessoas provavelmente iriam para casa em metade do tempo!

— É uma idéia muito boa — diz uma voz agradável atrás de mim. Viro-me, surpresa, e vejo uma médica muito bonita, de cabelos escuros, sorrindo para mim. — Um estudo recente em Chicago mostrou exatamente a mesma coisa.

— Verdade? — Fico ruborizada com um leve orgulho. — Bem... obrigada! Eu só estava meio comentando o que eu vi...

— Mas é exatamente o tipo de atitude de que nós *precisamos* nos médicos hoje em dia — diz ela. — Uma disposição para olhar além dos prontuários, para a pessoa. Ser médico não é apenas passar nas provas e memorizar o nome dos ossos. É descobrir como o ser humano é montado. Não apenas fisicamente, mas mental e espiritualmente.

Uau. Tenho de dizer que estou impressionada. Nunca vi nenhum médico inglês parado nos corredores fazendo discursos estimulantes sobre a profissão médica. Normalmente eles só passam correndo, parecendo ocupados demais.

— Você quis entrar para a medicina a vida toda? — acrescenta ela com outro sorriso.

— Hum... bem... não exatamente — digo com cautela.

Parece meio grosseiro dizer que nunca sequer considerei essa opção. Quer dizer, você não precisa de um zilhão de notas 10, para começar?

Mas agora... é uma idéia, não é? De fato, sinto-me estranhamente mobilizada. Ali estava eu, agora mesmo, pensando que nunca tinha feito nada significativo na vida. Bem, por que não deveria me tornar uma médica? As pessoas mudam de carreira no meio da vida, não é? E agora que estou pensando nisso, sempre tive uma espécie de desejo instintivo de curar. Deve existir em mim alguma qualidade especial que a médica viu imediatamente. Afinal de contas, por que outro motivo ela viria até mim e sugeriria que eu entrasse para a medicina.

Dra. Rebecca Bloom.

Baronesa Dra. Rebecca Blomm, MBE.

Meu Deus, mamãe ficaria tão orgulhosa!

A médica começa a dizer outra coisa, mas não escuto. Estou completamente hipnotizada pela idéia de estar usando um jaleco branco, entrando rapidamente num quarto hospitalar e dizendo "BP 40 sobre 25", ou sei lá o quê, e saindo de novo enquanto todo mundo olha cheio de admiração.

A pioneira cirurgiã Rebecca Bloom nunca teria entrado para a medicina se não fosse um encontro casual num corredor hospitalar. Na época a renomada especialista trabalhava no ramo da moda...

— Eu quis ser médica desde que me entendo por gente — diz ansiosa uma das garotas de jeans, e ergo os olhos, ligeiramente pasma.

Isso é tão típico! Macaco de imitação. *Eu* ia ser a médica, não ela.

— Eu queria ser dentista quando era pequena — diz a outra menina. — Mas logo tomei tino. — Há uma onda de risos, e olho em volta confusa, vendo que um grupo substancial de pessoas se reuniu em volta de nós.

O que está acontecendo? *Todos* eles estão se metendo em nossa conversa particular? Olho disfarçadamente para o folheto que um sujeito ao lado está segurando, e me pego lendo as palavras Seu Guia para a Pós-Graduação em Medicina.

Ah.

Ah, certo.

Bem, e daí? Talvez eu faça uma pós-graduação em medicina também! Eu provavelmente sabia sobre medicina tanto quanto todas essas pessoas, além disso faço comentários interessantes.

— Há alguma pergunta neste estágio? — pergunta a médica bonita, e há um silêncio embaraçado. — Qual é! — diz ela. — Não tenham medo. Deve haver coisas que vocês queiram saber. Mesmo que achem meio básica ou óbvia... perguntem!

Há outro silêncio e eu reviro os olhos. Honestamente, essas pessoas são patéticas! Posso pensar em pelo menos dez perguntas interessantes, sem nem mesmo tentar.

— Eu tenho uma pergunta! — digo numa fração de segundo antes de um cara de óculos levantar a mão.

— Bom! É isso que eu gosto de ver! Vou ouvir a sua primeiro — diz a médica ao sujeito.

— Eu estou interessado no campo da cirurgia cerebrovascular. Estava imaginando que tipo de tecnologia a senhora usa para tratamento dos aneurismas intracranianos.

— Ah, sim! Bem, tem havido algumas novidades interessantes nesse campo. — A médica olha em volta, sorridente. — Alguns de vocês devem ter ouvido falar do método Guglielmi de embolização por bobina destacável.

Duas pessoas assentem, e eu vejo outras tomando nota.

— Bem, testes recentes foram realizados na Califórnia...

Sabe, acho que não quero mais fazer minha pergunta. De fato, acho que devo sair de fininho enquanto ela está falando.

Mas é tarde demais, a médica terminou, e agora está olhando diretamente para mim.

— E a sua pergunta? — Ela me dá um sorriso caloroso.

— Na verdade — digo rapidamente — a minha não importa.

— Não, vá em frente. Pergunte qualquer coisa que queira saber.

Todo mundo está se virando para olhar para mim.

— Bem — digo, com o rosto queimando. — Eu ia perguntar... vocês têm permissão de tingir os jalecos brancos com outra cor?

Tudo bem, então talvez eu não vire médica, afinal de contas. Mas não sei por que eles tiveram de rir daquele jeito. Aposto que alguns queriam secretamente saber a resposta, de fato algumas garotas pareceram bem interessadas Enquanto volto ao quarto de Michael, meu coração ainda está batendo de embaraço.

— Oi! — Luke ergue a cabeça com um sorriso. Está sentado numa cadeira perto da cama de Michael, e a atmosfera é muito mais relaxada.

— Eu estava acabando de dizer ao Luke que minha filha está pegando no meu pé para eu me aposentar — diz Michael quando me sento. — Ou pelo menos para diminuir o ritmo. Me mudar para Nova York.

— Verdade? Ahh, sim, faça isso! Nós adoraríamos.

— É uma boa idéia — diz Luke. — Tendo em mente que no momento você tem uns seis empregos de horário integral.

— Eu realmente gosto da sua filha — digo entusiasmada. — Nós nos divertimos muito quando ela foi à Barneys. Como vai o novo trabalho dela?

A filha de Michael é advogada com especialização em leis de patentes e simplesmente exala uma inteligência assustadora. Por outro lado, não tinha notado que vinha escolhendo cores que não ajudavam nada ao seu tom de pele, até eu mostrar.

— Muito bem, obrigado. Ela acabou de se mudar para a Finerman Wallstein — acrescenta Michael para Luke. — Escritórios muito chiques.

— Eu conheço — diz Luke. — Usei-os para assuntos pessoais. De fato, a última vez em que estive lá foi há algumas semanas. Para resolver o testamento. Na próxima vez vou fazer uma visita a ela.

— Faça isso. Ela vai gostar.

— Você fez um testamento, Luke? — pergunto com interesse.

— Claro que fiz. — Luke me encara. — Você não?

— Não — digo despreocupada. Depois olho de Luke para Michael. — O quê? O que é?

— Todo mundo deveria fazer testamento — diz Michael, sério.

— Nunca me *ocorreu* que você talvez não tivesse feito — diz Luke, balançando a cabeça.

— Nunca me ocorreu fazer — digo na defensiva. — Quer dizer, só tenho vinte e sete anos!

— Vou marcar uma reunião com meu advogado — diz Luke. — Nós precisamos resolver isso.

— Bem. Certo. Mas honestamente... — Dou de ombros. Depois um pensamento me ocorre. — Então, para quem você deixou tudo?

— Para você — diz Luke. — Menos uma coisinha ou outra.

— Eu? — Encaro-o boquiaberta. — Verdade? Eu?

— É costume que os maridos deixem os bens para as esposas — diz ele com um sorrisinho. — Ou você é contra?

— Não! Claro que não! Só que... eu meio que... não esperava.

Sinto um estranho brilho de prazer por dentro. Luke vai deixar tudo para mim!

Não sei por que isso seria surpresa. Quer dizer, nós moramos juntos. Vamos nos casar. É óbvio. Mas mesmo assim não consigo deixar de me sentir meio empolgada.

— Quer dizer que você não está planejando deixar tudo para mim? — pergunta Luke em tom afável.

— Claro! — exclamo. — Quer dizer... claro que vou!

— Sem pressão — diz Luke, rindo para Michael.

— Eu vou! — digo, ficando agitada. — Só não tinha pensado nisso.

Para cobrir minha confusão, pego uma pêra e começo a comer. Pensando bem, por que nunca fiz um testamento?

Acho que foi porque nunca pensei realmente que morreria. Mas eu poderia morrer facilmente, não é? Quer dizer, nosso trem poderia ter um acidente na volta para Nova York. Ou um assassino com um machado poderia invadir nosso apartamento... ou... eu poderia ser confundida com uma agente do governo e seqüestrada por um grupo subversivo estrangeiro...

E quem ficaria com todas as minhas coisas?

— Meu Deus, Luke está certo. É uma emergência.

— Becky? Você está bem? — Ergo os olhos e vejo Luke vestindo o sobretudo. — Nós temos de ir.

— Obrigado por terem vindo — diz Michael, e aperta minha mão enquanto me curvo para beijá-lo. — Gostei mesmo.

— E eu vou ficar em contato para falar do casamento — diz Luke, e sorri para Michael. — Você não vai se livrar dos deveres de padrinho.

— Absolutamente! — diz Michael. — Mas isso me lembra, fiquei meio confuso na festa de noivado, falando com pessoas diferentes. Vocês vão se casar em Nova York ou na Inglaterra?

— Nova York — diz Luke, franzindo a testa numa ligeira perplexidade. — Isso foi decidido finalmente, não foi, Becky? Eu nem perguntei como sua mãe recebeu a notícia.

— Eu... hmm... — tento ganhar tempo, enrolando a echarpe no pescoço.

Não posso admitir a verdade. Não posso admitir que mamãe ainda não sabe sobre o Plaza.

Aqui não. Agora não.

Quer dizer, eu vou querer provocar outro ataque cardíaco em Michael?

— Sim! — digo, sentindo as bochechas em chamas. — Sim, ficou tudo bem com ela. É Nova York! — Dou um riso luminoso e me abaixo rapidamente para pegar a bolsa.

E, além disso, não é realmente uma mentira. Assim que mamãe voltar, eu conto a ela.

Enquanto entramos no trem, Luke está pálido e exausto. Acho que ver Michael tão desamparado o perturbou mais do que ele dá a entender. Ele fica sentado, olhando a janela que vai escurecendo, e eu tento pensar em algo que o anime.

— Olha! — digo finalmente. Enfio a mão na bolsa e pego um livro que comprei um dia desses, chamado *A promessa de sua vida*. — Nós precisamos falar sobre a redação de nossos votos de matrimônio.

— Redação? — Luke franze a testa. — Eles não são sempre iguais?

— Não! Isso é coisa antiga. Atualmente todo mundo escreve os seus próprios votos. Ouça isto. "Seus votos de matrimônio são sua chance de mostrar ao mundo o que um significa para o outro. Junto com a proclamação feita pelo oficiante, de que agora vocês estão casados, eles são o fecho de toda a cerimônia. Devem ser as palavras mais lindas e comoventes a ser faladas no casamento."

Olho cheia de expectativa para Luke, mas ele está espiando pela janela de novo.

— Diz neste livro que devemos pensar no tipo de casal que somos — pressiono. — Somos Jovens Amantes ou Companheiros Outonais?

Luke nem está ouvindo. Certo, talvez eu deva achar alguns exemplos específicos. Meu olhar cai numa página intitulada Casamento de Verão, o que seria bastante apropriado.

— *Como as rosas florescem no verão, meu amor floresceu por você. Assim como as nuvens brancas sobem no céu, sobe também meu amor* — leio em voz alta.

Faço uma careta. Talvez não. Folheio mais algumas páginas, olhando para baixo.

Você me ajudou a superar a dor da desintoxicação...

Mesmo você estando preso por assassinato, nosso amor brilhará como um farol...

— Certo, olha — digo de repente. — Este é para namorados de escola. *Nossos olhos se encontraram numa aula de matemática. Como saberíamos que a trigonometria daria no matrimônio?*

— Nossos olhares se encontraram numa apinhada entrevista coletiva — diz Luke. — Como saberíamos que o amor floresceria enquanto eu anunciava um novo e empolgante ramo de fundos de investimentos em empresas européias que vinham crescendo com capacidade de rastreamento, taxas de custos fixos e prêmios descontados durante o primeiro período contábil?

— Luke...

Bem, certo. Talvez não seja a hora certa para os votos. Fecho o livro e olho ansioso para Luke.

— Você está bem?

— Estou.

— Está preocupado com Michael? — Pego a mão dele. — Porque, honestamente, tenho certeza que ele vai ficar ótimo. Você ouviu o que ele disse. Foi só um alerta.

Há silêncio durante um tempo — então Luke vira a cabeça.

— Enquanto você ia ao banheiro — diz ele devagar —, conheci os pais do cara que está no quarto ao lado do de Michael. Ele teve um ataque cardíaco semana passada. Sabe quantos anos ele tem?

— Quantos? — digo, apreensiva.

— Trinta e três.

— Meu Deus, verdade? Que horror!

Luke só tem um ano a mais do que isso.

— Parece que ele é corretor de ações. Muito bem-sucedido. — Ele solta o ar lentamente. — Faz a gente pensar, não é? Pensar no que a gente está fazendo com a vida. E se perguntar.

— Hmm... é — digo, sentindo que estou pisando em ovos. — Faz mesmo.

Luke nunca falou assim antes. Geralmente, se eu começo conversas sobre a vida e o que ela significa — o que, certo, não faço com muita freqüência —, ele me descarta ou transforma o papo numa piada. Certamente jamais confessa ter dúvidas quanto ao que está fazendo de sua vida. Eu realmente quero encorajá-lo. Mas estou preocupada com a possibilidade de dizer alguma coisa errada e afastá-lo.

Agora ele está olhando em silêncio pela janela, de novo.

— O que, exatamente, você estava pensando? — pergunto suavemente.

— Não sei — diz Luke depois de uma pausa. — Acho que isso faz a gente ver as coisas de outro modo, por um momento.

Ele me olha — e por um instante acho que posso ver no fundo dele uma parte que raramente vislumbro.

Então ele pisca — e é como se tivesse fechado o obturador da máquina fotográfica. De volta ao modo normal. Profissional. Seguro de si.

— Sei lá. Estou feliz porque Michael e eu conseguimos fazer as pazes — diz ele, tomando um gole da garrafa d'água que está segurando.

— Eu também.

— No final, ele entendeu o meu ponto de vista. A publicidade que vamos receber através da fundação vai beneficiar enormemente a empresa. O fato de ser uma instituição da minha mãe é praticamente irrelevante.

— É — digo com relutância. — Acho que sim.

Realmente não quero entrar numa conversa sobre a mãe de Luke neste momento, por isso abro de novo o livro dos votos.

— Ei, aqui está um para um Romance Furacão. *Nós nos conhecemos há apenas uma hora, mas já sei que irei amá-lo para sempre...*

Chegamos à estação Grand Central. Está apinhada. Luke vai até um banheiro, e eu vou a um quiosque comprar um chocolate. Passo direto por uma banca de jornais — e paro. Espere um minuto. O que foi isso?

Volto e olho o *New York Times*. Bem em cima, anunciando uma matéria interna, há uma pequena foto de Elinor.

Pego o jornal e em seguida viro rapidamente para a página interna.

Há uma manchete: COMO LUTAR CONTRA A FADIGA DA CARIDADE. E há uma foto de Elinor com um sorriso gélido, na escadaria de um prédio grande, entregando um cheque para um homem de terno. Meus olhos percorrem perplexos a legenda. *Elinor Sherman batalhou contra a apatia para levantar dinheiro por uma causa em que acredita.*

A foto não deveria ser de Luke entregando o cheque?

Examino a matéria rapidamente, procurando qualquer menção à Brandon Communications. Alguma menção a Luke. Mas chego ao fim da página — e o nome dele não apareceu nenhuma vez. É como se ele não existisse.

Olho a página, incrédula.

Depois de tudo que ele fez por ela. *Como* ela pode tratá-lo assim?

— O que é isso?

Dou um pulo ao ouvir a voz de Luke. Por um instante penso em esconder o jornal debaixo do casaco. Mas não há sentido, há? Ele vai ver mais cedo ou mais tarde.

— Luke... — Hesito. Depois viro a página para ele ver.

— É minha mãe? — Luke está pasmo. — Ela não me

contou que estavam armando alguma coisa. Deixe-me dar uma olhada.

— Luke... — Respiro fundo. — A matéria não menciona você em lugar nenhum. Nem a empresa.

Encolho-me ao vê-lo examinando a página; ao ver a total incredulidade crescendo em seu rosto. Já foi um dia bastante difícil, sem descobrir que a mãe ferrou completamente com ele.

— Ela nem contou que ia dar a entrevista?

Luke não responde. Pega o celular, digita um número e espera alguns instantes. Depois faz um ruído de frustração.

— Esqueci. Ela voltou à Suíça.

Eu também tinha esquecido. Ela foi "visitar seus amigos" de novo, a tempo para o casamento. Desta vez vai ficar dois meses inteiros, o que significa que vai fazer a coisa de cabo a rabo. Deve ter dado a entrevista logo antes de partir.

Tento pegar a mão de Luke, mas ele não reage. Deus sabe no que está pensando.

— Luke... talvez haja alguma explicação...

— Vamos esquecer.

— Mas...

— Só esqueça. — Há em sua voz uma tensão que me faz encolher. — Foi um dia longo e difícil. Vamos para casa.

TESTAMENTO DE REBECCA BLOOM

Eu, REBECCA JANE BLOOM, torno público e declaro que este é o meu testamento.

PRIMEIRO: Através deste revogo todos os testamentos e codicilos anteriores feitos por mim.

SEGUNDO: (a) Deixo para SUSAN CLEATH-STUART minha coleção de sapatos, todos os meus jeans, meu casaco de couro marrom, toda a minha maquiagem, menos o batom Chanel, meu pufe de couro, minha bolsa Kate Spade vermelha,† meu anel de prata com selenita e meu quadro dos dois elefantes.

(b) Deixo para minha mãe, JANE BLOOM, todas as minhas outras bolsas, meu batom Chanel, todas as minhas jóias, meu jogo de sacolas de algodão da Barneys, meu roupão atoalhado, minhas almofadas de camurça, meu vaso de vidro veneziano, minha coleção de colheres de geléia e meu relógio Tiffany.*

(c) Deixo para meu pai, GRAHAM BLOOM, meu jogo de xadrez, os CDs de música clássica que ele me deu de Natal, minha bolsa de fim de semana Bill Amberg, minha luminária de titânio e o manuscrito incompleto de meu livro de auto-ajuda *Administre Dinheiro ao Estilo Bloom*, dos quais todos os direitos são doravante repassados a ele.

(d) Deixo para meu amigo DANNY KOVITZ todos os meus exemplares velhos da *Vogue* inglesa,†† minha luminária de lava, minha jaqueta de jeans feita sob medida e minha centrífuga.

(e) Deixo para minha amiga ERIN GAYLER meu macacão de caxemira Tse, meu vestido de noite Donna Karan, todos os meus vestidos Betsy Johnson e meus prendedores de cabelo Louis Vuitton.

TERCEIRO: Deixo todo o resto de meus bens, de qualquer tipo ou caráter e onde quer que estejam situados, afora quaisquer roupas achadas em bolsas no fundo do armário** para LUKE JAMES BRANDON.

†a não ser que ela prefira a nova bolsa DNKY com alças longas.
*também meu chaveiro Tiffany, que eu perdi, mas deve estar em algum lugar do apartamento.
††mais qualquer outra revista que eu comprar mais tarde.
**que devem ser jogadas fora discretamente, em segredo.

(continua...)

Dez

Não está sendo um período bom.

Na verdade está horrendo. Desde que viu aquela matéria no jornal, Luke anda totalmente recolhido e silencioso. Não quer falar disso, e a atmosfera no apartamento está ficando realmente tensa, e eu simplesmente não sei como melhorar as coisas. Há alguns dias cheguei a comprar algumas velas perfumadas, mas elas só cheiraram mesmo a cera. Então ontem dei uma trocada de lugar na mobília para deixá-la mais feng shui e harmoniosa. Mas Luke entrou na sala no momento em que eu chocava o sofá contra o DVD player, e não creio que ele tenha ficado muito impressionado.

Meu Deus, eu gostaria tanto que ele se abrisse comigo, como fazem em *Dawson's Creek*. Mas sempre que eu digo: "Quer conversar?" e dou um tapinha no sofá, convidando, em vez de dizer: "Sim, Becky, eu tenho algumas questões que gostaria de compartilhar", ele me ignora ou diz que estamos sem café.

Sei que ele tentou ligar para a mãe, mas os pacientes da estúpida clínica suíça não têm permissão de usar celulares, por isso não conseguiu falar com ela. Também sei que ele falou pelo telefone com Michael várias vezes. E que a secretária que foi emprestada à Fundação Elinor Sherman agora está de volta trabalhando na Brandon Communications. Mas quando perguntei sobre isso ele simplesmente se fechou e não quis dizer nada. É como se não conseguisse admitir que algo disso aconteceu.

A única coisa que está indo bem atualmente são os preparativos do casamento. Robyn e eu tivemos várias reuniões com o designer de eventos, cujas idéias para o salão são absolutamente espetaculares. E fomos provar as sobremesas no Plaza um dia desses, e eu quase desmaiei com todos os pudins espantosos, do outro mundo, dentre os quais tínhamos de escolher. Foi champanha o tempo todo, e garçons cheios de deferência, e eu fui tratada exatamente como uma princesa...

Mas, se for realmente honesta, nem isso foi tão tranqüilo e maravilhoso como deveria. Ali sentada, enquanto me serviam peras brancas cozidas com musse de pistache e biscoitos de anis num prato dourado, não pude deixar de sentir pequenas pontadas de culpa atravessando o prazer, como minúsculos pontos de luz através de um cobertor.

Acho que vou ficar muito mais feliz quando tiver dado a notícia a mamãe.

Quer dizer, não que haja algum motivo para me sentir mal. Porque eu não poderia fazer nada a respeito enquanto eles estão no Lake District, não é? Eu não iria exatamente interromper suas belas férias de relaxamento. Mas eles voltam amanhã. Então, o que vou fazer é telefonar muito calmamente para mamãe e dizer que realmente aprecio tudo que ela fez, e que isso não significa que eu não esteja agradecida, mas que decidi...

Não. Que *Luke* e eu decidimos...

Não. Que Elinor se ofereceu muito gentilmente... Que nós decidimos aceitar...

Ah, meu Deus. Minhas entranhas estão se revirando, só de pensar.

Certo, não vou pensar nisso por enquanto. De qualquer

modo, não quero fazer um discurso tortuoso, desajeitado. É muito melhor esperar até o momento e ser espontânea.

Quando chego à Barneys, Christina está examinando uma arara com casacos de noite.

— Oi! — diz ela quando entro. — Você assinou aquelas cartas para mim?

— O quê? — digo distraidamente. — Ah, desculpe. Esqueci. Vou fazer isso hoje.

— Becky? — Christina me olha com mais atenção. — Você está bem?

— Estou! Só que... não sei, o casamento...

— Eu vi India, do ateliê das noivas, ontem à noite. Ela disse que você reservou um vestido Richard Tyler?

— Ah, sim, reservei.

— Mas eu poderia jurar que ouvi você contando a Erin outro dia sobre um vestido na Vera Wang.

Desvio o olhar e me ocupo com o zíper da bolsa.

— Bem. O negócio é que andei reservando mais de um vestido.

— Quantos?

— Quatro — digo depois de uma pausa. Não preciso contar a ela sobre o da Kleinfeld.

Christina joga a cabeça para trás, gargalhando.

— Becky, você não pode usar mais de um vestido! Vai ter de escolher um no final, você sabe.

— Eu sei — digo debilmente, e desapareço em minha sala de provas antes que ela possa dizer outra coisa.

Minha primeira cliente é Laurel, que está aqui porque foi convidada para um fim de semana da empresa com roupa "informal", e sua idéia de informal é calça de moletom e camiseta Hanes.

— Você está com uma aparência de merda — diz ela assim que entra. — O que há de errado?

— Nada! — Dou um sorriso luminoso. — Só estou meio preocupada no momento.

— Andou discutindo com sua mãe?

Minha cabeça se levanta bruscamente.

— Não — digo, cheia de cautela. — Por que pergunta?

— É o normal — diz Laurel, tirando o casaco. — Todas as noivas brigam com a mãe. Se não é por causa da cerimônia, é por causa dos arranjos de flores. Eu joguei um coador de chá na minha porque ela cortou três amigas minhas da lista de convidados, sem me consultar.

— Verdade? Mas depois vocês fizeram as pazes.

— Não nos falamos durante cinco anos depois disso.

— Cinco anos? — Encaro-a, pasma. — Só por causa de um casamento?

— Becky, não existe isso de *só* um casamento. — Laurel pega um suéter de caxemira. — Isto aqui é legal.

— Hmm — digo distraidamente. — Ah, meu Deus, agora estou realmente preocupada.

E se eu brigar com mamãe? E se ela ficar realmente ofendida e dizer que nunca mais quer me ver? E então Luke e eu vamos ter filhos e eles nunca vão conhecer os avós. E todo Natal eles vão comprar presentes para vovó e vovô Bloom, só para garantir, mas todo ano os presentes ficarão debaixo da árvore, fechados, e nós os guardaremos discretamente, e num ano nossa menininha dirá: "Mamãe, por que a vovó Bloom odeia a gente?" e eu terei de engolir as lágrimas e dizer: "Querida, ela não odeia a gente. Ela só..."

— Becky? Você está bem?

Salto para o presente e vejo Laurel me olhando preocupada.

— Sabe, você realmente está estranha. Talvez precise de uma folga.

— Eu estou bem! Honestamente. — Conjuro um sorriso profissional. — Então... aqui estão as saias em que eu estava pensando. Se você experimentar essa bege, com a blusa branca...

Enquanto Laurel experimenta várias peças, eu me sento num banco, assentindo e fazendo algum comentário distraído ao mesmo tempo que minha mente continua trabalhando no assunto mamãe. Sinto que já fui longe demais nessa bagunça. Perdi todo o sentido de proporção. Será que ela vai dar uma cambalhota quando eu contar sobre o Plaza? Será que não? Não sei dizer.

Quer dizer, veja o que aconteceu no Natal. Eu pensei que mamãe ficaria arrasada quando lhe disse que Luke e eu não íamos para casa, e demorei séculos até juntar coragem para contar. Mas, para minha perplexidade, ela foi realmente legal e disse que ela e papai passariam um dia ótimo com Janice e Martin, e que eu não deveria me preocupar. De modo que talvez seja a mesma coisa. Quando eu explicar toda a história, ela vai dizer: ah, querida, não seja boba, claro que você deve se casar onde quiser.

Ou então vai irromper em lágrimas, dizer como eu pude enganá-la assim, e que só virá ao Plaza passando por cima do seu próprio cadáver.

— E eu tenho de fazer um depoimento pelo correio. A vaca está me processando! Dá para acreditar? *Ela* está processando a *mim*!

Enquanto a voz de Laurel se filtra para dentro de minha mente, sinos de alerta começam a tocar. Ergo os olhos e vejo Laurel pegando um vestido frágil que incluí para as noites.

— Ela está alegando danos emocionais e físicos! Você acredita no desplante dessa mulher?

— Laurel — digo, nervosa. — Por que não experimenta esse vestido mais tarde? — Olho em volta, desamparada, procurando alguma coisa sólida e robusta que possa lhe dar. Como um casaco de tweed ou roupa para esquiar. Mas Laurel está me ignorando.

— Segundo os advogados dela, eu interferi em seu direito humano básico de buscar o amor com a pessoa que ela escolher. Está argumentando agressão irracional da minha parte. Dá para acreditar? Agressão irracional? — Ela enfia a perna no vestido como se desejasse estar chutando a cabeça da loura estagiária. — Claro que estou agressiva! Ela roubou meu marido. Ela roubou minhas jóias. O que ela espera? — Laurel puxa uma das mangas pelo ombro e me encolho ao ouvir o rasgo. — Eu pago — acrescenta ela sem parar.

— Ela roubou suas jóias? — pergunto. — O que quer dizer?

— Eu já devo ter contado isso. Não? As coisas começaram a sumir na época em que Bill estava levando a mulher para o nosso apartamento. Um pingente de esmeralda que minha avó me deu. Duas pulseiras. Claro, eu não tinha idéia do que estava acontecendo, por isso pensei que estava sendo descuidada. Mas então tudo foi revelado, e percebi. Tinha de ser ela.

— Você pôde fazer alguma coisa? — perguntei, pasma.

— Ah, eu fiz. Chamei a polícia. — O queixo de Laurel fica tenso enquanto ela abotoa o vestido. — Eles foram e fizeram umas perguntas a ela, e revistaram o apartamento. Mas não acharam nada. Claro que não acharam. — Ela me endereça um sorrisinho estranho. — E então Bill soube. Ficou maluco. Foi à polícia e contou... bem, não sei exatamente o que ele contou. Mas naquela mesma tarde a polícia me ligou de volta e disse que estava abandonando o caso. Era óbvio que acharam que eu era apenas uma esposa vingativa e desprezada. O que, claro, eu era.

Ela se olha no espelho e lentamente a agitação vai se dissolvendo em seu rosto.

— Sabe, sempre achei que ele botaria a cabeça no lugar — diz em voz baixa —, que aquilo não duraria um mês. Talvez dois. Então ele ia voltar se arrastando, eu iria mandá-lo embora, ele iria se arrastar de novo, nós brigaríamos, mas finalmente... — Ela solta o ar aos poucos. — Mas não. Ele não vai voltar.

Ela encontra meu olhar no espelho, e sinto uma súbita pontada de ultraje.

— Gosto deste vestido — acrescenta Laurel, parecendo mais animada. — Sem o rasgo, claro.

— Vou pegar outro para você. Nós temos neste andar.

Saio do departamento de compras pessoais e vou até a arara de vestidos. Ainda é cedo para os compradores comuns, e o andar está quase vazio. Mas enquanto estou procurando outro vestido do tamanho de Laurel, subitamente tenho consciência de uma figura familiar no canto de minha visão. Viro-me, perplexa, mas a figura sumiu.

Estranho. Por fim, acho o vestido e pego uma estola com franjas, combinando. Viro-me — e ali está ele de novo. É Danny. O que diabos está fazendo na Barneys? Quando chego mais perto, encaro-o. Seus olhos estão injetados, o cabelo desgrenhado, e ele está com um ar selvagem, inquieto.

— Danny! — digo. E ele pula visivelmente. — O que está fazendo aqui?

— Ah! Nada! Só... olhando.

— Você está legal?

— Estou bem! Está tudo bem. — Ele olha o relógio. — Então... acho que você está no meio de alguma coisa, não é?

— Na verdade, estou — digo lamentando. — Tenho uma cliente esperando. Caso contrário, a gente poderia ir tomar um café.

— Não. Tudo bem. Vá. Eu vejo você depois.

— Certo — digo, e volto à minha sala de provas, ligeiramente perplexa.

Laurel decide ficar com três das roupas que escolhi para ela e quando vai embora me dá um grande abraço.

— Não permita que o casamento deixe você na pior. Não preste atenção em mim. Tenho uma visão meio deturpada. Sei que você e Luke vão ser felizes.

— Laurel. — Aperto-a de volta com força. — Você é o máximo.

Laurel é uma das pessoas que eu mais gosto em todo o mundo. Meu Deus, se eu conhecer aquele seu marido estúpido, vou fazer com que ele pague.

Assim que ela se foi, consulto minha programação para o resto do dia. Tenho uma hora antes da próxima cliente, por isso decido ir até o departamento de noivas e olhar meu vestido de novo. A coisa está definitivamente entre esse e o Vera Wang. Ou talvez o Tracy Connop.

Definitivamente, um dos três, de qualquer modo.

Quando entro de novo no andar de vendas, paro, surpresa Ali está Danny, parado perto de uma arara de blusas, segurando uma casualmente. O que diabos ele ainda está fazendo aqui? Estou para chamá-lo e perguntar se ele quer ir ver meu vestido e depois tomar um cappuccino rápido. Mas então, para minha perplexidade, ele olha em volta, abaixa-se disfarçadamente e pega alguma coisa em sua bolsa de lona. É uma camiseta com mangas brilhantes, num cabide. Ele a coloca na arara, olha em volta de novo e pega outra.

Encaro-o em completa estupefação. O que ele acha que está fazendo?

Danny olha em volta outra vez — depois enfia a mão na bolsa e pega um pequeno cartaz laminado, que pendura na ponta da arara.

Que diabo ele está armando?

— Danny! — falo, indo até lá.

— O quê? — Ela dá um pulo, depois se vira e me vê. — Sssh! Meu Deus, Becky!

— O que está fazendo com essas camisetas? — sibilo.

— Estou colocando pessoalmente no estoque.

— O que quer dizer com você está colocando no estoque?

Ele vira a cabeça para o cartaz laminado, e eu leio, incrédula.

COLEÇÃO DANNY KOVITZ.
UM TALENTO NOVO E EMPOLGANTE
NA BARNEYS

— Eles não estão em todas as araras da Barneys — diz Danny, enfiando outra de suas camisetas na arara. — Mas acho que isso não vai importar.

— Danny... você não pode fazer isso! Não pode simplesmente... colocar suas coisas nas araras!

— Eu estou pondo.

— Mas...

— Eu não tenho opção, tenho? — diz Danny, virando a cabeça. — Randall está vindo para cá agora mesmo, esperando ver uma linha Danny Kovitz na Barneys.

Encaro-o horrorizada.

— Pensei que você disse que ele nunca viria verificar!

— E não viria mesmo! — Danny enfia outro cabide na

arara. — Mas a namorada estúpida dele teve de enfiar o nariz. Ela nunca demonstrou nenhum interesse por mim, mas assim que ouviu a palavra Barneys, foi tipo, ah, Randall, você deveria apoiar o seu irmão! Vá à Barneys amanhã e compre uma das peças dele! E aí eu disse: você *realmente* não precisa fazer isso. Mas agora que Randall enfiou a idéia na cabeça veio numa de Bem, eu vou dar um pulo lá e olhar. Por isso fiquei costurando a porra da noite inteira...

— Você fez tudo isso ontem à noite? — digo incrédula, e pego uma das camisetas. Um pedaço de trança de couro cai no chão.

— Talvez o acabamento não esteja bem no meu padrão habitual — diz Danny, na defensiva. — Só não mexa muito, certo? — Ele começa a contar os cabides. — Dois... quatro... seis... oito... dez. Deve bastar.

— Danny... — Olho em volta e vejo Carla, uma das vendedoras, dando-nos um olhar estranho. — Oi! — grito animada. — Só estou... ajudando um dos meus clientes... para a namorada dele... — Carla nos dá outro olhar cheio de suspeitas e se afasta. — Isso não vai dar certo! — murmuro assim que ela está fora do alcance da audição. — Você vai ter de levar isso para baixo. Suas peças nem seriam postas neste andar!

— Eu preciso de dois minutos. Só isso. Dois minutos para ele entrar, ver o cartaz e ir embora. Qual é, Becky. Ninguém vai nem mesmo... — Danny congela. — Aí está ele.

Acompanho seu olhar e vejo Randall, o irmão de Danny, vindo na nossa direção.

Pela milionésima vez imagino como Randall e Danny podem ter saído dos mesmos pais. Enquanto Danny é magro e constantemente em movimento, Randall preenche confortavelmente seu terno com jaquetão e sempre tem o mesmo franzido de desaprovação na testa.

— Olá, Daniel — diz ele, e assente para mim. — Becky.

— Oi, Randall — digo, e dou o que espero que seja um sorriso natural. — Como vai?

— E aqui estão elas! — diz Danny em triunfo, afastando-se da arara e sinalizando para as camisetas. — Minha coleção. Na Barneys. Como eu disse.

— É o que estou vendo — diz Randall, e examina cuidadosamente a arara de roupas.

Há um silêncio tenso, e eu tenho certeza que ele vai levantar os olhos e perguntar de que diabos estamos brincando. Mas não diz nada. E com uma ligeira pontada de choque percebo que engoliu direitinho.

Mas, afinal, por que isso é uma surpresa tão grande? As roupas de Danny não parecem tão deslocadas, ali na arara.

— Bem, meus parabéns — diz Randall finalmente. — É uma tremenda façanha. — Ele dá um tapinha desajeitado no ombro de Danny, depois se vira para mim. — Elas estão vendendo bem?

— É... sim! — digo. — São muito populares, eu acho.

— E quanto elas estão custando no varejo? — Ele pega uma camiseta, e Danny e eu prendemos o fôlego involuntariamente. Olhamos, imóveis, enquanto ele procura a etiqueta, e ergue os olhos franzindo a testa. — Elas não têm etiquetas de preço.

— Isso é porque... acabaram de chegar — ouço-me dizendo às pressas. — Mas acho que o preço é... hmm... oitenta e nove dólares.

— Sei. — Randall balança a cabeça. — Bem, eu nunca fui muito chegado à moda...

— Nem precisa dizer — sussurra Danny no meu ouvido.

— Mas se estão vendendo devem ter alguma coisa. Daniel, eu tiro o chapéu para você. — Ele pega outra, com rebites em volta do pescoço, e olha com uma consternação fastidiosa. — Bom, qual eu devo comprar?

— Não compre! — diz Danny imediatamente. — Eu... faço uma para você. Como presente.

— Eu insisto. Se eu não puder apoiar meu próprio irmão...

— Randall, por favor. — A voz de Danny fica embargada de sinceridade. — Deixe eu lhe dar um presente. É o mínimo que posso fazer depois de toda a generosidade que você teve comigo por todos esses anos. Verdade.

— Bem, se você tem certeza — diz Randall finalmente, dando de ombros. Ele olha o relógio. — Tenho de ir. Foi bom ver você, Becky.

— Vou descer no elevador com você — diz Danny, e me lança um olhar de júbilo.

Enquanto eles se afastam, sinto um risinho de alívio me subindo por dentro. Meu Deus, essa foi por pouco. Nem posso acreditar que a gente se livrou tão facilmente.

— Ei! — diz uma voz atrás de mim, de súbito. — Olha só isso! São novas, não é?

Uma mão bem-cuidada aparece por cima do meu ombro e pega uma das camisetas de Danny antes que eu possa impedir. Minha cabeça gira e eu sinto um aperto por dentro. É Lisa Farley, uma cliente de Erin, uma pessoa doce mas totalmente idiota. Tem uns vinte e dois anos, não parece ter emprego e sempre diz o que lhe vem à cabeça, não importando que alguém possa se ofender. (Uma vez perguntou a Erin, com toda a inocência: "Você não se incomoda em ter uma boca tão estranha?")

Agora está segurando a camiseta de encontro ao peito, olhando-a com ar avaliador.

Droga. Eu deveria ter tirado todas da arara imediatamente.

— Oi, Becky! — diz ela toda animada. — Ei, isto aqui é legal! Não tinha visto antes.

— Na verdade — digo rapidamente —, não estão à venda. De fato, eu, eu preciso... hmm... levar de volta para o estoque. — Tento pegar a camiseta, mas ela se afasta.

— Só vou dar uma olhada no espelho. Ei, Tracy! O que acha?

Outra garota, usando a nova jaqueta com estampa Dior, está vindo para nós.

— O quê?

— Estas camisetas novas. São legais, não são? Ela pega outra e entrega a Tracy.

— Se vocês puderem me devolver... — digo, desamparada.

— Esta aqui é legal!

Agora as duas estão procurando nos cabides, com dedos rápidos, e as pobres camisetas simplesmente não suportam o esforço. Bainhas estão se desfazendo, pedaços de purpurina e fios de miçangas estão se soltando, e lantejoulas se espalham pelo chão.

— Epa, esta costura abriu toda. — Lisa ergue a cabeça, consternada. — Becky, ela simplesmente se desfez. Eu não puxei.

— Tudo bem — digo debilmente.

— É tudo para despencar assim? Ei, Christina! — grita Lisa subitamente. — Esta linha nova é muito divertida!

Christina?

Giro e sinto um golpe de horror. Christina está parada na entrada do departamento de compras pessoais, conversando com a chefe de pessoal.

— Que linha nova? — diz ela, erguendo os olhos. — Ah, oi, Becky.

Merda. Tenho de parar com essa conversa agora mesmo.

— Lisa... — digo, desesperada. — Venha ver os novos casacos Marc Jacobs que recebemos!

Lisa me ignora.

— Essa nova... como é o nome?... — Ela força a vista para a etiqueta. — Danny Kovitz! Não acredito que Erin não me contou que isso estava para chegar! Menina má! — Ela balança um dedo, fingindo reprovação.

Olho perplexa enquanto Christina levanta os olhos, alerta. Não há nada que possa galvanizá-la como alguém sugerindo que seu departamento é menos do que perfeito.

— Com licença um minuto — diz ela para a chefe de pessoal, e vem na nossa direção.

— O que Erin não contou a você? — pergunta ela em tom agradável.

— Esse novo estilista! Nunca ouvi falar nele.

— Ai! — diz Tracy subitamente e afasta a mão da camiseta. — Tinha um alfinete!

— Um alfinete? — ecoa Christina. — Me dê isso.

Ela pega a camiseta maltratada e olha, perplexa. Depois vê o cartaz laminado de Danny.

Ah, eu sou tão *estúpida*. Por que não tirei aquilo, pelo menos?

Enquanto lê, a expressão dela muda. Ela ergue os olhos e encontra os meus, e eu sinto todo o corpo pinicar de medo. Nunca tive problemas com Christina antes. Mas já a ouvi dando broncas pelo telefone, e sei que ela pode ser bem feroz.

— Você sabe alguma coisa sobre isso, Becky? — pergunta em tom afável.

— Eu... — Pigarreio. — O negócio é...

— Sei. Lisa. Acho que houve uma pequena confusão. — Ela dá um sorriso profissional para Lisa. — Esses itens não estão à venda. Becky, acho melhor ver você na minha sala.

— Christina, eu... sinto muito — digo, sentindo o rosto vermelho como uma beterraba. — Sinto mesmo...

— O que aconteceu? — pergunta Tracy. — Por que elas não estão à venda?

— Becky está com algum problema? — diz Lisa, perplexa. — Ela vai ser demitida? Não demita a Becky! Nós gostamos mais dela do que de Erin... Ah. — Ela aperta a boca com a mão. — Desculpe, Erin. Eu não vi você aí.

— Tudo bem — diz Erin, dando um sorriso bastante forçado.

Esse negócio não está melhorando.

— Christina, eu só posso pedir desculpas — digo humildemente. — Nunca pensei em causar problemas. Não pretendia levar os clientes a um engano...

— Na minha sala — diz Christina, levantando a mão para me silenciar. — Se tem alguma coisa a dizer, Becky, pode dizer...

— Pare! — diz uma voz melodramática atrás de nós, e todos giramos, vendo Danny vindo em nossa direção. — Não culpe Becky por isso! — diz ele, colocando-se na minha frente. — Ela não tem nada a ver com isso. Se vai demitir alguém, demita a mim!

— Danny, ela não pode demitir você — murmuro. — Você não é empregado da Barneys.

— E quem é você? — pergunta Christina.

— Danny Kovitz.

— Danny Kovitz. Ah. — A luz surge no rosto de Christina. — Então foi você que... montou essas roupas. E plantou nas nossas araras.

— O quê? Ele não é um estilista de verdade? — diz Tracy, horrorizada. — Eu sabia! *Eu* não fui enganada. — Ela recoloca na arara o cabide que estava segurando, como se tivesse sido contaminada.

— Isso não é contra a lei? — diz Lisa, com os olhos arregalados.

— Pode ser — responde Danny, na defensiva. — Mas posso dizer por que fui levado a medidas criminosas? Vocês conhecem a impossibilidade de ter uma chance no chamado negócio da moda? — Ele olha em volta para se certificar de que sua platéia está ouvindo. — Eu só quero levar minhas idéias às pessoas que vão amá-las. Coloco cada grama de minha vida no trabalho. Eu choro, eu grito de dor, eu esgoto todo o meu sangue criativo. Mas o mundo da moda não está interessado nos talentos novos! Não está interessado em estimular o recém-chegado que ousa ser um pouco diferente! — Sua voz se ergue, passional. — Se eu tenho de tomar medidas desesperadas, vocês podem me culpar? Se vocês me cortam, eu não sangro?

— Uau — sussurra Lisa. — Eu não tinha idéia de que a coisa era tão difícil.

— Você me cortou — intervém Tracy, que parece muito menos impressionada com o discurso de Danny. — Com o seu alfinete estúpido.

— Christina, você precisa dar uma chance a ele! — exclama Lisa. — Olha! Ele é tão dedicado!

— Eu só quero levar minhas idéias às pessoas que vão amá-las — começa Danny de novo. — Meu único desejo é que alguém, algum dia, use uma das minhas roupas e se sinta transformado. Mas quando me arrasto de quatro para elas as portas continuam sendo batidas na minha cara...

— Já chega — diz Christina, meio exasperada, meio achando divertido. — Quer sua grande oportunidade? Deixe-me dar uma olhada nessas roupas.

Há um súbito silêncio intrigado. Olho rapidamente para Danny. Talvez seja a hora! Christina vai ver seu gênio e a Barneys vai comprar toda a coleção e ele estará feito! Então Gwyneth Paltrow vai usar uma de suas camisetas no *Leno*, e haverá uma corrida para elas, e de súbito ele será famoso e terá sua própria butique!

Christina pega uma camiseta com tinta espirrada e strass na frente, e, enquanto passa os olhos de cima a baixo, eu prendo o fôlego. Lisa e Tracy levantam as sobrancelhas uma para a outra, e, apesar de Danny estar imóvel, posso ver seu rosto se retesando de esperança. Há um silêncio morto enquanto ela larga a camiseta — e quando pega uma segunda, todos nós inspiramos, como se a mão do juiz russo tivesse pairado sobre a placa da nota seis, nota máxima. Com um franzido crítico da testa, ela estica a peça para olhá-la direito... e ao fazer isso uma das mangas sai em sua mão, deixando uma costura esfarrapada.

Todo mundo fica olhando sem fala.

— Esse é o *look* — diz Danny, meio tarde demais. — É... uma... abordagem desconstrutiva ao estilo...

Christina está balançando a cabeça e pondo a camiseta de volta no lugar.

— Meu rapaz. Você certamente tem topete. Até pode ter talento. Infelizmente isso não basta. Enquanto não puder fazer um acabamento decente no seu trabalho, não vai chegar muito longe.

— Em geral minhas roupas têm um acabamento imaculado! — diz Danny imediatamente. — Talvez esta coleção em particular tenha sido meio feita às pressas...

— Sugiro que volte ao princípio, faça algumas peças, com muito cuidado...

— Você está dizendo que eu sou descuidado?

— Estou dizendo que precisa aprender a levar um projeto até o fim. — Christina dá um sorriso gentil. — Então, veremos.

— Eu posso levar um projeto até o fim! — diz Danny, indignado. — É um dos meus pontos fortes! É um dos meus... Caso contrário, eu estaria fazendo o vestido de noiva de Becky? — Ele me agarra, como se fôssemos cantar um dueto. — A roupa mais importante de toda a vida dela? Ela acredita em mim, ainda que ninguém mais acredite. Quando Becky Bloom andar pelo salão do Hotel Plaza vestindo uma criação Danny Kovitz, você não vai estar me chamando de descuidado. E quando os telefones começarem a tocar sem parar...

— O quê? — digo estupidamente. — Danny...

— Você vai fazer o vestido de casamento de Becky? — Christina se vira para mim. — Achei que você ia usar um Richard Tyler.

— Richard Tyler? — ecoa Danny com ar vazio.

— Achei que você ia usar Vera Wang — diz Erin, que tinha se aproximado do grupo alguns minutos antes, e desde então estava olhando boquiaberta.

— Ouvi dizer que você ia usar o vestido da sua mãe — intervém Lisa.

— *Eu* vou fazer o seu vestido! — diz Danny, arregalado de choque. — Não vou? Você me prometeu, Becky! Nós tínhamos um trato!

— O Vera Wang parece perfeito — diz Erin. — Você tem de usá-lo.

— Eu prefiro o Richard Tyler — diz Tracy.

— E o vestido da sua mãe? — pergunta Lisa. — Não seria tão romântico?

— O Vera Wang seria divino — diz Erin, decidida.

— Mas como você pode recusar o vestido de casamento da sua mãe? — insiste Lisa. — Como pode deixar de lado toda uma tradição familiar como essa? Becky, não concorda?

— O fundamental é ficar bonita! — diz Erin.

— O fundamental é ser romântica — retruca Lisa.

— Mas e o meu vestido? — diz a voz lamentosa de Danny. — E a lealdade para com seu melhor amigo? E isso, Becky?

As vozes parecem abrir buracos na minha cabeça, e todos estão me olhando avidamente, esperando uma resposta... e, sem qualquer aviso, eu me sinto arrebentar.

— Não sei, certo? — grito desesperada. — Eu simplesmente... não sei o que vou fazer!

De repente me sinto à beira das lágrimas — o que é completamente ridículo. Quer dizer, não é como se eu *não fosse* ter um vestido.

— Becky, acho que nós precisamos bater um papinho — diz Christina, dando-me um olhar sagaz. — Erin, arrume isso tudo, por favor, e peça desculpas a Carla, está bem? Becky, venha comigo.

Entramos na elegante sala em bege e camurça de Christina, que fecha a porta. Ela se vira — e por um instante medonho acho que vai gritar comigo. Mas em vez disso sinaliza para eu me sentar e me lança um olhar longo, penetrante.

— Como você está, Becky?

— Ótima!

— Está ótima. Sei. — Cristina balança a cabeça, cética. — O que está acontecendo com sua vida neste momento?

— Não muita coisa — digo animada. — Você sabe! As mesmas e velhas...

— Os planos para o casamento estão indo bem?

— Estão! — digo imediatamente. — Estão! Não há absolutamente nenhum problema.

— Sei. — Christina fica em silêncio um momento, batendo nos dentes com a caneta. — Você visitou um amigo no hospital recentemente. Quem era?

— Ah, sim. Era... na verdade era um amigo de Luke. Michael. Ele teve um ataque cardíaco.

— Deve ter sido um choque para vocês.

Por um momento fico em silêncio.

— Bem... sim, acho que foi — digo finalmente, passando um dedo pelo braço da poltrona. — Especialmente para Luke.

Os dois sempre foram muito próximos, mas tinham tido uma diferença, e Luke já estava se sentindo muito culpado. Então nós recebemos o telefonema falando de Michael. Quer dizer, se ele morresse, Luke nunca poderia... — Paro e esfrego o rosto, sentindo a emoção subir. — E, claro, há toda a tensão entre Luke e a mãe dele no momento, o que não ajuda. Ela o usou completamente. De fato, mais do que usou, abusou dele. Ele está se sentindo totalmente traído por ela. Mas não quer falar comigo sobre isso. — Minha voz começa a tremer. — No momento ele não quer falar comigo sobre nada. Nem sobre o casamento, nem sobre a lua-de-mel... Nem sobre onde nós vamos morar! Estamos sendo despejados do apartamento e ainda não achamos outro, e nem sei quando vamos começar a procurar...

Para minha perplexidade, lágrimas começam a escorrer pelo lado do nariz. De onde isso veio?

— Mas, afora isso, você está ótima — diz Christina.

— Ah, sim! — Esfrego o rosto. — Afora isso, tudo está fantástico!

— Becky! — Christina balança a cabeça. — Isso não está bem. Quero que tire uns dias de folga. De qualquer modo, você tem direito.

— Eu não preciso de folga!

— Eu tinha notado que você anda tensa recentemente, mas não fazia idéia de que fosse tão ruim. Só quando Laurel conversou comigo hoje cedo...

— Laurel? — digo, perplexa.

— Ela também está preocupada. Disse que achou que você perdeu o brilho. Até Erin notou. Disse que contou a você sobre uma liquidação da Kate Spade ontem e que você mal levantou a cabeça. Esta não é a Becky que eu contratei.

— Você vai me demitir? — falei desconsolada.

— Não vou demitir você! Eu estou *preocupada* com você.

Becky, isso que você me contou é uma tremenda combinação de coisas. Seu amigo... Luke... seu apartamento...

Ela pega uma garrafa de água mineral, serve dois copos e me entrega um.

— E não é só isso. É, Becky?

— O que você quer dizer? — digo, apreensiva.

— Acho que há outra complicação que você não está me contando. Tem a ver com o casamento. — Ela me encara. — Estou certa?

Ah, meu Deus.

Como ela descobriu? Eu tive tanto cuidado, fui tão...

— Eu estou certa? — repete Christina gentilmente.

Por mais alguns instantes fico completamente imóvel. Então, muito devagar, confirmo com a cabeça.

É quase um alívio pensar que o segredo foi revelado.

— Como descobriu? — digo, afundando de volta na poltrona.

— Laurel me contou.

— *Laurel?* — Um novo choque me atravessa. — Mas eu nunca...

— Ela disse que era óbvio. Além disso, você deixou escapar umas coisinhas... Sabe, guardar segredo nunca é tão fácil quanto a gente pensa.

— Eu só... não posso acreditar que você saiba. Não cheguei a contar a ninguém! — Puxo o cabelo para longe do rosto quente. — Só Deus sabe o que você está pensando de mim agora.

— Ninguém pensa mal de você — diz Christina. — Verdade.

— Nunca pensei em deixar que as coisas fossem tão longe.

— Claro que não! Não se culpe.

— Mas é tudo minha culpa!

— Não é não. É perfeitamente normal.

— *Normal?*

— Sim! Todas as noivas discutem com as mães por causa do casamento. Você não é a única, Becky!

Encaro-a, confusa. O que foi que ela disse?

— Posso entender a tensão que isso está lhe causando. — Christina olha para mim cheia de simpatia. — Especialmente se você e sua mãe sempre foram muito ligadas no passado.

Christina acha...

De repente percebo que ela está esperando uma resposta.

— É... sim! — engulo em seco. — Tem sido... bem difícil.

Christina assente, como se eu tivesse confirmado cada suspeita sua.

— Becky, eu não costumo lhe dar conselhos, não é?

— Bem... não.

— Mas quero que ouça isto. Quero que se lembre: o casamento é seu. Não da sua mãe. É seu e de Luke, e você só tem uma chance. Então faça isso como *você* quer. Acredite, se não fizer, vai se arrepender.

— Hmm. O negócio... — Engulo em seco. — É que não é *tão* simples assim...

— É simples assim. É exatamente simples assim. Becky, é o seu casamento. *É o seu casamento*.

Sua voz é clara e enfática, e eu a encaro, com o copo na metade do caminho até os lábios, sentindo que um raio de luz atravessa as nuvens.

É o meu casamento. Nunca pensei nisso assim antes.

Não é o casamento de mamãe. Não é o casamento de Elinor. É o meu.

— É fácil cair na armadilha de tentar agradar demais à sua mãe — está dizendo Christina. — É um instinto natural, generoso. Mas algumas vezes você tem de se colocar na frente. Quando me casei...

— Você se casou? — digo, surpresa. — Eu não sabia.

— Há muito tempo. Não deu certo. Talvez não tenha dado certo porque odiei cada momento do meu casamento. Desde a música de entrada até os votos que mamãe insistiu em escrever. — Sua mão fica tensa em volta de um misturador de plástico. — Desde os horríveis coquetéis azuis até aquele vestido cafona, *cafona*...

— Verdade? Isso é horrível!

— Agora são águas passadas. — O misturador se parte e ela me dá um sorrisinho tenso. — Mas pense nas minhas palavras. É o seu dia. Seu e de Luke. Faça como você quiser, e não se sinta culpada com isso. E... Becky?

— Sim?

— Lembre-se, você e sua mãe são adultas agora. Então tenham uma conversa adulta. — Ela levanta as sobrancelhas. — Talvez você fique surpresa com o resultado.

Christina está muito certa. Muito certa!

Enquanto vou para casa, subitamente posso ver tudo com mais clareza. Toda a minha abordagem ao casamento mudou. Sinto-me cheia de uma decisão nova, limpa. Este é o *meu* casamento. É o *meu* dia. E se eu quiser me casar em Nova York é onde vou me casar. E se quiser usar um vestido Vera Wang é o que vou usar. É ridículo sentir culpa por causa disso.

Estive adiando demais a conversa com mamãe. Quer dizer, o que eu espero que ela vá fazer, abrir o berreiro? Nós duas somos adultas. Teremos uma conversa adulta, sensata, e eu vou mostrar meu ponto de vista com calma, e a coisa toda vai ser resolvida. De uma vez por todas. Meu Deus, estou me sentindo liberada. Vou ligar para ela agora mesmo.

Entro no quarto, largo a bolsa na cama e disco o número.

— Oi, papai — digo assim que ele atende. — Mamãe está

aí? Há uma coisa que eu preciso conversar com ela. É muito importante.

Quando olho meu rosto no espelho, estou me sentindo como uma locutora de telejornal na NBC, toda nos trinques, tranqüila e controlada.

— Becky? — diz papai, perplexo. — Você está bem?

— Estou muito bem. Só tenho de discutir um... umas duas coisinhas com mamãe.

Quando papai sai da linha, respiro fundo e empurro o cabelo para trás, sentindo-me subitamente muito adulta. Aqui estou, em vias de ter uma conversa de adulta para adulta, direta, com minha mãe, provavelmente pela primeira vez na vida. Sabe, talvez este seja o início de todo um novo relacionamento com meus pais. Um novo respeito mútuo. Uma compreensão compartilhada da vida.

— Alô, querida?

— Oi, mamãe. — Respiro fundo. Aqui vai. Calma e madura. — Mamãe...

— Ah, Becky, eu ia ligar mesmo para você. Não vai adivinhar quem nós vimos no Lake District!

— Quem?

— Tia Zannie! Você costumava colocar todos os colares antigos dela, lembra? E os sapatos. Nós estávamos rindo disso, da sua figura, cambaleando pela casa...

— Mamãe. Há uma coisa importante que eu preciso discutir com você.

— E ainda há a mesma mercearia na cidade. Onde você comprava balas de morango. Lembra de quando você comeu demais e não ficou muito bem? Nós rimos disso também!

— Mamãe...

— E os Tiverton ainda moram na mesma casa... mas...

— O quê?

— Ah, querida... O jumento Cenoura... — Mamãe baixa a voz. — Foi para o céu dos jumentos. Mas estava muito velho, e vai ficar muito feliz lá em cima...

Isso é impossível. Eu não estou me sentindo adulta. Estou me sentindo com uns seis anos.

— Todos eles mandaram lembranças — diz mamãe, chegando ao fim das reminiscências. — E claro que vão todos ao casamento! Então, papai disse que você queria falar uma coisa?

— Eu... — Pigarreio, subitamente cônscia do silêncio ecoando na linha; da distância entre nós. — Bem, eu queria... é...

Ah, meu Deus. Minha boca está tremendo e minha voz de locutor virou um guincho nervoso.

— O que é, Becky? — A voz de mamãe se eleva, cheia de preocupação. — Alguma coisa errada?

— Não! É só que... que...

Não adianta.

Sei que Christina está certa. Sei que não há necessidade de sentir culpa. É o meu casamento, e eu sou adulta, e ele deveria ser como eu quero. Não estou pedindo a papai e mamãe para pagar. Não estou pedindo para fazerem nenhum esforço.

Mas mesmo assim.

Não posso dizer a mamãe pelo telefone que quero me casar no Plaza. Simplesmente não posso.

— Pensei em dar um pulo em casa para ver vocês — ouço-me dizendo rapidamente. — Era só isso que eu queria falar. Eu estou indo para casa.

Finerman Wallstein
Advogados
Finerman House
Avenue of the Americas, 1398
Nova York, NY 10105

Srta. Rebecca Bloom
Apto. B
251 W 11th Street
Nova York
NY 10014

18 de abril de 2002

Cara Srta. Bloom

Obrigada por sua carta de 16 de abril, relativa ao seu testamento. Confirmo que, na segunda cláusula, seção (e), acrescentei a frase "E também minhas botas novas de jeans, de salto alto", como foi pedido.

Atenciosamente

Jane Cardozo

ONZE

Assim que vejo mamãe, fico nervosa. Ela está parada perto de papai no Terminal 4, examinando o portão de desembarque, e quando me vê todo o seu rosto se ilumina com uma mistura de deleite e ansiedade. Ela ficou bastante abalada quando falei que ia para casa sem Luke. De fato, tive de tranqüilizá-la várias vezes, dizer que tudo ainda estava bem entre nós.

E tive de tranqüilizá-la de que não fui demitida.

E depois tive de prometer que não estava sendo perseguida por agiotas internacionais.

Sabe, quando penso nos últimos anos, algumas vezes me sinto um pouquinho mal sobre tudo que fiz meus pais passarem.

— Becky! Graham, ela está aqui! — Mamãe corre para a frente, afastando a cotoveladas uma família com turbantes. — Becky! Amor! Como você está? Como o Luke está? Está tudo bem?

— Oi, mamãe — digo e lhe dou um abraço enorme. — Estou bem. Luke manda lembranças. Está tudo bem.

Só uma coisinha de nada — eu estou planejando um casamento enorme em Nova York pelas suas costas.

Pára com isso, instruo meu cérebro com firmeza, enquanto papai me dá um beijo e pega o meu carrinho de bagagem. Não há sentido em falar disso ainda. Vou puxar o assunto mais tarde, quando estivermos todos em casa, quando houver uma abertura natural na conversa.

O que deve acontecer.

— Então, Becky, você andou pensando mais em se casar nos Estados Unidos?

— Bem, mamãe. É engraçado a senhora perguntar isso...

Exatamente. Vou esperar alguma oportunidade assim.

Mas, por mais que eu finja estar o mais relaxada possível, não posso pensar em mais nada. O tempo todo em que mamãe e papai estão procurando o carro, discordando sobre onde fica a saída e discutindo se três libras e sessenta por uma hora de estacionamento é uma quantia razoável, eu estou com um nó de ansiedade no estômago, que se aperta sempre que as palavras "casamento", "Luke", "Nova York" ou "Estados Unidos" são mencionadas, ainda que de passagem.

É exatamente como quando contei a meus pais que ia estudar matemática avançada na GCSE. Tom, o vizinho, estava estudando matemática avançada, e Janice ficou bem presunçosa com isso. Por isso falei a mamãe e papai que também ia estudar. Então começaram as provas, e eu tive de fingir que estava fazendo um dever extra (em vez disso, passei três horas no Topshop). E então saíram os resultados e eles ficaram dizendo: "Mas quanto você tirou em matemática avançada?"

Então inventei uma história de que os examinadores demoravam mais para dar o resultado de matemática avançada do que das outras matérias, porque era mais difícil. E acho honestamente que eles acreditariam em mim, só que Janice veio correndo e dizendo: "Tom tirou dez em matemática avançada, quanto Becky tirou?"

Tom desgraçado.

— Você ainda não perguntou sobre o casamento — diz mamãe enquanto disparamos pela A3 em direção a Oxshott.

— Ah! Não, não é? — Forço um tom animado na voz. — Então... é... Como vão os preparativos?

— Para ser honesto, não fizemos muita coisa — diz papai, enquanto nos aproximamos da entrada para Oxshott.

— Ainda é cedo — diz mamãe tranqüilamente.

— É só um casamento — acrescenta papai. — Acho que as pessoas ficam muito cheias de frescura com essas coisas. A gente pode montar tudo no último minuto.

— Sem dúvida! — digo, aliviada. — Eu não poderia concordar mais!

Bem, graças a Deus. Afundo-me no banco e sinto a ansiedade ir embora. Isso vai tornar tudo muito mais fácil. Se eles ainda não arrumaram muita coisa, não vai ser difícil parar. De fato, parece que eles não se incomodaram de verdade. Ah, vai ser ótimo. Eu estive me preocupando por nada!

— A propósito, Suzie telefonou — diz mamãe quando começamos a chegar perto de casa. — Ela disse que vocês iriam se encontrar hoje mais tarde, não é? Eu disse que tinha certeza de que você iria... Ah, e eu devo lhe avisar. — Mamãe se vira no banco. — Tom e Lucy.

— Ah, sim? — Resigno-me a ouvir os detalhes da última cozinha que eles montaram ou que promoção Lucy ganhou no trabalho.

— Eles se separaram. — Mamãe baixa a voz, ainda que estejamos só nós três no carro.

— Separaram? — Encaro-a, completamente pasma. — Sério? Mas eles só se casaram há...

— Nem dois anos. Janice está péssima, como você pode imaginar.

— Mas o que aconteceu? — digo, chapada, e mamãe franze os lábios.

— Lucy fugiu com um baterista.

— Um baterista?

— De uma banda. Parece que ele tem piercing no... — Ela faz uma pausa, desaprovando, e minha mente dispara louca com todas as possibilidades, algumas das quais tenho certeza de que mamãe jamais ouviu falar. (Para ser honesta, eu também não tinha ouvido, até me mudar para o West Village.) — Mamilo — diz ela finalmente, para meu ligeiro alívio.

— Deixe-me entender direito. Lucy fugiu... com um baterista... que tem piercing no mamilo.

— Ele mora num trailer — intervém papai, sinalizando para a esquerda.

— Depois de todo o trabalho que Tom teve naquela linda estufa — diz mamãe, balançando a cabeça. — Algumas garotas não têm gratidão.

Não consigo enfiar isso na cabeça. Lucy trabalha no banco de investimentos Wetherby's. Ela e Tom moram em Reigate. A cortina deles combina com o sofá. Como, diabos, ela conheceu um baterista com piercing no mamilo?

De repente me lembro daquela conversa que entreouvi no jardim, quando estive aqui da última vez. Lucy não parecia exatamente feliz. Mas, afinal de contas, ela também não parecia exatamente uma pessoa que estivesse pensando em dar no pé.

— E como Tom está?

— Enfrentando — diz papai. — Está em casa com Janice e Martin, coitado.

— Se querem saber, acho que ele está melhor assim — diz mamãe rispidamente. — É de Janice que eu sinto pena. Depois daquele lindo casamento que ela organizou. Todos eles foram enganados por aquela garota.

Paramos diante de casa, e, para minha surpresa, há dois furgões brancos parados na entrada.

— O que está acontecendo? — pergunto.

— Nada — diz mamãe.

— Encanadores — diz papai.

Mas os dois estão com expressões ligeiramente estranhas. Os olhos de mamãe estão brilhantes, e ela olha para papai umas duas vezes enquanto subimos até a porta da frente.

— Então, está pronta? — diz papai em tom casual. Ele põe a chave na fechadura e abre a porta.

— Surpresa! — gritam mamãe e papai simultaneamente, e meu queixo cai no chão.

O velho papel de parede do hall sumiu. O velho carpete do hall sumiu. Todo o lugar está decorado em cores leves, frescas, com piso de sisal e novas luminárias em toda parte. Enquanto meu olhar sobe incrédulo vejo um homem discreto, de macacão, pintando o balaústre; no patamar há mais dois, numa escada de pintor e montando um candelabro. Em toda parte há o cheiro de tinta e novidade. E de dinheiro sendo gasto.

— Vocês estão redecorando a casa — digo debilmente.

— Para o casamento! — diz mamãe, rindo de orelha a orelha.

— Vocês disseram... — Engulo em seco. — Vocês disseram que não tinham feito muita coisa.

— Queríamos fazer uma surpresa!

— O que acha, Becky? — diz papai, sinalizando em volta. — Gosta? Tem sua aprovação?

A voz dele é brincalhona. Mas dá para ver que realmente é importante saber se eu gosto. Para os dois. Eles estão fazendo tudo isso para mim.

— É... fantástico — digo com voz rouca. — Realmente lindo.

— Bem, venha e olhe o jardim! — diz mamãe, e eu vou humildemente atrás dela, passando pela porta dupla, quando vejo uma equipe de jardineiros uniformizados trabalhando nos canteiros.

— Eles vão plantar "Luke e Becky" em amores-perfeitos! — diz mamãe. — Bem a tempo para junho. E vamos colocar uma nova fonte, bem onde ficará a entrada para a tenda. Vi num episódio de *Ground Force*.

— Parece... muito legal.

— E se ilumina à noite, de modo que quando soltarem os fogos de artifício...

— Que fogos de artifício? — digo, e mamãe me olha, surpresa.

— Mandei um fax para você falando dos fogos de artifício, Becky! Não diga que esqueceu.

— Não! Claro que não!

Minha mente volta à pilha de faxes que mamãe tem me mandado, e que venho enfiando debaixo da cama, cheia de culpa, alguns vistos de relance, outros sem sequer ser lidos.

O que eu estive fazendo? Por que não prestei atenção ao que está acontecendo?

— Becky, meu amor, você não está parecendo muito bem — diz mamãe. — Deve estar cansada da viagem. Venha tomar uma bela xícara de café.

Entramos na cozinha e sinto as entranhas presas nas garras de um novo horror.

— Instalou uma nova cozinha também?

— Ah, não! — diz mamãe toda animada. — Só mandamos repintar os armários. Estão bonitos, não é? Bom. Coma um belo croissant. São da padaria nova.

Ela me entrega uma cesta — mas não posso comer. Estou enjoada. Não fazia idéia de que tudo isso estava acontecendo.

— Becky? — Mamãe dá uma espiada em mim. — Alguma coisa errada?

— Não! — digo rapidamente. — Nada errado. Está tudo... perfeito.

O que vou fazer?

— Sabe... acho que vou subir e desfazer as malas — digo, e consigo dar um sorriso débil. — Dar um jeito nas coisas.

Fecho a porta do quarto, e meu sorriso débil continua grudado no rosto. Mas por dentro o coração bate loucamente.

Isso não está indo de acordo com o plano.

Nem de longe está de acordo com o plano. Novo papel de parede? Fontes? Fogos de artifício? Como é que eu não sabia de nada disso? Deveria ter adivinhado. É tudo minha culpa. Ah, meu Deus, ah, meu Deus...

Como posso dizer a mamãe e papai que tudo isso tem de ser cancelado? Como?

Não posso.

Mas preciso.

Mas não posso, simplesmente não posso.

O casamento é *meu*, repito com firmeza, tentando recuperar minha confiança bruta de Nova York. Posso me casar onde bem quiser.

Mas as palavras soam falsas no cérebro, fazendo-me encolher. Talvez isso fosse verdade no início. Antes que qualquer coisa fosse feita, antes que qualquer esforço fosse feito. Mas agora... não é mais apenas meu casamento. É o presente de papai e mamãe para mim. É o maior presente que eles já me deram na vida, e fizeram isso com todo o amor e carinho que puderam juntar.

E eu estou propondo rejeitá-lo. Dizer: obrigada, mas, não, obrigada.

O que eu andei pensando?

Com o coração batendo forte, enfio a mão no bolso para pegar as anotações que rabisquei no avião, tentando me lembrar de todas as justificativas.

Motivos para o nosso casamento ser no Plaza.

1. Vocês não adorariam uma viagem a Nova York, com todas as despesas pagas?
2. O Plaza é um hotel fantástico.
3. Vocês não teriam de fazer nenhum esforço.
4. Uma tenda só vai fazer uma bagunça no jardim.
5. Vocês não teriam de convidar tia Sylvia.
6. Vocês vão ganhar molduras da Tiffany...

Pareciam tão convincentes quando eu estava anotando! Agora parecem piadas. Mamãe e papai não sabem nada do Plaza. Por que iriam querer viajar até um hotel metido a besta em que nunca puseram os olhos? Por que quereriam abrir mão de dar a festa de casamento com a qual sempre sonharam? Eu sou sua filha única. A única.

Então... o que vou fazer?

Fico sentada olhando o papel, respirando com dificuldade, deixando os pensamentos lutarem com isso. Estou procurando desesperadamente uma solução, uma saída por onde me espremer, não querendo desistir até ter experimentado cada possibilidade. Girando e girando, no mesmo terreno antigo. Girando e girando, como o coelho batendo tambor.

— Becky?

Mamãe entra, e dou um pulo, cheio de culpa, amassando a lista na mão.

— Oi! — digo toda animada. — Aah. Café. Que ótimo!

— É descafeinado — diz mamãe, entregando uma caneca onde está escrito *Você não precisa ser louca para organizar um casamento, mas sua mãe, sim.* — Pensei que talvez você estivesse tomando descafeinado esses dias.

— Não — digo, surpresa. — Mas não faz mal.

— E como está se sentindo? — Mamãe senta-se perto de mim e, disfarçadamente, eu transfiro o pedaço de papel amassado de uma das mãos para a outra. — Um pouquinho cansada? Enjoada, também, provavelmente.

— Não estou muito mal. — Dou um suspiro ligeiramente mais pesado do que pretendia. — Mas a comida de avião era bem ruim.

— Você precisa manter as forças! — Mamãe aperta meu braço. — Bom, tenho uma coisa para você, querida! — Ela me entrega um pedaço de papel. — O que acha?

Desdobro o papel e olho, perplexa. São os detalhes da casa. De uma casa de quatro quartos em Oxshott, para ser exata.

— É legal, não é? — O rosto de mamãe está luzindo. — Olha tudo que tem!

— Vocês não vão se mudar, vão?

— Não é para nós, sua boba! Vocês vão morar pertinho de nós! Olha, tem uma churrasqueira, duas suítes com banheiro...

— Mamãe, nós moramos em Nova York.

— Moram atualmente. Mas não vão querer ficar em Nova York para sempre, vão? Não a longo prazo.

Há um súbito fio de preocupação em sua voz; e, mesmo ela estando sorrindo, posso ver a tensão em seus olhos. Abro a boca para responder — então percebo, para minha própria surpresa, que Luke e eu nem falamos direito sobre o longo prazo.

Acho que sempre presumimos que voltaríamos à Inglaterra um dia. Mas quando?

— Vocês não estão planejando ficar lá de uma vez por todas, não é? — acrescenta ela e dá um risinho.

— Não sei — digo, confusa. — Não sei o que nós queremos fazer.

— Vocês não podem criar uma família naquele apartamentozinho! Vão querer vir para casa! Vão querer uma bela casa com jardim! Especialmente agora.

— Agora o quê?

— Agora... — Ela faz um gesto de eufemismo.

— O quê?

— Ah, Becky. — Mamãe suspira. — Posso entender que você esteja um pouco... tímida em relação a contar. Mas está tudo bem, querida! Hoje em dia é perfeitamente aceitável. Não há estigma!

— *Estigma?* Do que você...

— A única coisa que precisaremos saber... — Ela faz uma pausa, delicadamente. — É quanto vamos ter de folgar o vestido. Para o dia, sabe?

Folgar o vestido? O que diab...

Espera aí.

— Mamãe! Você não está imaginando que eu estou... que eu estou... — Faço o mesmo gesto de eufemismo que ela fez.

— Não está? — O rosto de mamãe despenca, desapontado.

— Não! Claro que não estou! Por que diabos pensou isso?

— Você disse que tinha uma coisa importante para discutir conosco! — diz mamãe, defensivamente, tomando um gole de café. — Não era Luke, não era o seu emprego e não era o seu gerente de banco. E Suzie vai ter um neném, e vocês duas sempre fazem as coisas juntas, por isso a gente presumiu...

— Bom, não estou, certo? E também não estou tomando drogas, antes que me pergunte.

— Então, o *que* você queria contar? — Ela pousa o café e me olha ansiosa. — O que era tão importante a ponto de você ter de vir para casa?

Há silêncio no quarto. Meus dedos se apertam na caneca.

É isso. Este é o momento. É minha oportunidade de confessar tudo. Contar a mamãe sobre o Plaza. Vou fazer isso, tenho de fazer agora. Antes que eles vão mais longe. Antes que possam gastar mais dinheiro.

— Bom, é... — Dou um pigarro. — É só que...

Paro e tomo um gole de café. Minha garganta está tensa e me sinto ligeiramente enjoada. Como posso contar a mamãe que quero me casar em outro lugar? Como posso fazer isso?

Fecho os olhos e deixo o brilho do Plaza relampejar diante dos meus olhos, tentando invocar de novo toda a empolgação e o glamour. Os salões dourados, o luxo em toda parte. Imagens de mim mesma girando naquele gigantesco salão de baile diante de uma multidão de admiradores.

Mas de algum modo... não parece tão impressionante como antes. De algum modo não parece tão convincente.

Ah, meu Deus. O que eu quero? O que eu quero de verdade?

— Eu sabia!

Olho e vejo mamãe me encarando consternada.

— Eu sabia! Você e Luke *realmente* romperam, não foi?

— Mamãe...

— Eu sabia mesmo! Falei com seu pai várias vezes: "Eu sinto nos meus ossos, Becky está vindo para casa para cancelar o casamento." Ele disse que era absurdo, mas eu simplesmente podia *sentir*, aqui. — Mamãe aperta o peito. — Uma mãe sabe dessas coisas. E eu estava certa, não estava? Você quer cancelar o casamento, não quer?

Encaro-a idiotamente. Ela sabe que eu vim para cancelar o casamento. Como sabe disso?

— Becky? Você está bem? — Mamãe passa o braço pelos meus ombros. — Querida, escute. Nós não vamos nos importar. Papai e eu só queremos o melhor para você. E se isso significa cancelar o casamento, é o que vamos fazer. Meu amor, você não deve ir em frente com isso a não ser que tenha cem por cento de certeza. Cem por cento!

— Mas... vocês fizeram um esforço tão grande... — murmuro. — Gastaram todo esse dinheiro...

— Isso não importa! Dinheiro não importa! — Ela me aperta com força. — Becky, se você tem alguma dúvida, nós cancelamos agora mesmo. Só queremos que você seja feliz. É só o que nós queremos.

Mamãe parece tão simpática e compreensiva que por alguns instantes não consigo falar. Aqui está ela, me oferecendo a coisa que vim pedir. Sem perguntas, sem recriminações. Sem nada além de amor e apoio.

E quando olho seu rosto gentil, aconchegante, familiar, sei, sem qualquer dúvida, que é impossível.

— Está tudo bem — consigo dizer finalmente. — Mamãe, Luke e eu não rompemos. O... o casamento continua de pé. — Esfrego o rosto. — Sabe, acho que vou lá fora e... tomar um pouco de ar.

Quando saio no quintal, dois dos jardineiros contratados erguem a cabeça e dizem:

— Olá.

E eu sorrio de volta, meio desanimada. Sinto-me completamente paranóica, como se meu segredo fosse tão gigantesco que de algum modo devo estar entregando-o. Como se as pessoas pudessem vê-lo, brotando de mim, ou flutuando acima da minha cabeça como um balão de história em quadrinhos.

Eu tenho outro casamento planejado.
Para o mesmo dia deste.
Meus pais não fazem idéia.

É, eu sei que estou encrencada.
Sim, sei que fui estúpida.
Ah, vão embora e me deixem em paz, vocês não podem VER como estou completamente estressada?

— Olá, Becky.

Dou um pulo de surpresa e me viro. Parado junto à cerca do quintal vizinho, olhando-me como se estivesse de luto, vejo Tom.

— Tom! Oi! — digo tentando esconder meu choque com sua aparência.

Mas... minha nossa. Ele está terrível, todo pálido e arrasado, e usando roupas absolutamente terríveis. Não que Tom já tivesse sido um rei do estilo — mas enquanto estava com Lucy adquiriu um verniz mais ou menos. De fato seu cabelo passou por um estágio bem legal. Mas agora ele voltou ao cabelo oleoso e ao casaco marrom com capuz que Janice lhe deu há cinco natais.

— Fiquei sabendo... sinto muito... — Paro sem jeito.

— Tudo bem.

Ele curva os ombros, arrasado, e olha em volta os jardineiros cavando e podando atrás de mim.

— Então, como vão os preparativos para o casamento?

— Ah... ótimos — digo animada. — Sabe, neste estágio são principalmente listas. Coisas a fazer, coisas a verificar, detalhezinhos a... finalizar...

Como em que continente fazer o casamento. Ah, meu Deus. Ah, meu Deus.

— Então... é... Como vão seus pais?

— Me lembro dos preparativos do nosso casamento. — Tom balança a cabeça. — Parece ter sido há um milhão de anos. Pessoas diferentes.

— Ah, Tom. — Mordo o lábio. — Sinto muito. Vamos mudar de...

— Sabe o que é pior? — diz Tom, me ignorando.

— É... — Quase digo: o seu cabelo.

Quase digo.

— O pior é que eu achava que entendia Lucy. Nós nos entendíamos. Mas o tempo todo... — Ele pára, enfia a mão no bolso procurando um lenço e assoa o nariz. — Quer dizer, agora que eu olho para trás, claro que posso ver que havia sinais.

— Verdade?

— Ah, sim. Só que não captei na época.

— Sinais como... — sondo gentilmente, tentando não revelar como estou curiosa.

— Bem. — Ele pensa um momento. — Como o modo como ela ficava dizendo que, se continuasse morando em Reigate mais um minuto, iria se matar com um tiro.

— Certo — digo, ligeiramente pasma.

— E houve o ataque de gritos que ela teve no Furniture Village...

— Ataque de gritos?

— Ela começou a berrar: "Eu tenho vinte e sete anos! Tenho vinte e sete anos! O que estou fazendo aqui?" No fim a segurança teve de vir e acalmá-la.

— Mas não entendo. Achei que ela adorava Reigate! Vocês pareciam tão...

"Pretensiosos" é a palavra que estou procurando.

— Tão... felizes!

— Ela estava feliz até que os presentes de casamento foram desembrulhados — diz Tom pensativamente. — Mas então... foi como se ela olhasse em volta subitamente e percebesse... que agora aquilo era a vida dela. E não gostou do que viu. Inclusive de mim, imagino.

— Ah, Tom.

— Ela começou a dizer que não suportava o subúrbio, e que queria ter um pouco de vida enquanto era jovem. Mas eu pensava: nós acabamos de repintar a casa, estamos na metade da estufa nova, não é um bom momento para mudar... — Ele ergue os olhos cheios de sofrimento. — Eu deveria ter prestado atenção, não é? Talvez até devesse ter feito a tatuagem.

— Ela queria que você fizesse uma *tatuagem*?

— Para combinar com a dela.

Lucy Webster com uma tatuagem! Quase senti vontade de rir. Mas então, quando vi o rosto arrasado de Tom, senti um jorro de raiva. Certo, Tom e eu nem sempre nos demos muito bem no correr dos anos. Mas ele não merecia isso. Ele é o que é. E se Lucy não estava satisfeita, por que se casou com ele?

— Tom, você não pode se culpar — digo com firmeza. — Parece que Lucy estava tendo problemas que eram dela.

— Você acha?

— Claro. Ela teve muita sorte em ter você. Idiota foi ela, em não apreciar isso. — Impulsivamente me inclino por cima da cerca e lhe dou um abraço. Quando me afasto de novo, ele me encara com olhos enormes, como um cachorro.

— Você sempre me entendeu, Becky.

— Bem, nós nos conhecemos há muito tempo.

— Ninguém me conhece como você.

Suas mãos ainda estão nos meus ombros, e ele não parece a fim de soltar, por isso recuo com o pretexto de sinalizar para a casa, onde um homem de avental está pintando uma janela.

— Já viu todo o trabalho que mamãe e papai estão tendo? É incrível.

— Ah, sim. Eles estão dando tudo. Ouvi falar dos fogos de artifício. Você deve estar muito empolgada.

— Estou realmente ansiosa — digo automaticamente. É o que digo imediatamente toda vez que alguém menciona o casamento. Mas agora, quando olho nossa casa velha e familiar sendo arrumada, como uma dama se maquiando, começo a sentir uma coisa estranha. Um tranco esquisito no coração.

E, com uma pontada súbita, percebo que *estou* ansiosa mesmo.

Estou ansiosa para ver nosso jardim todo enfeitado com balões. Para ver mamãe toda arrumada e feliz. Para me preparar no meu quarto, na minha penteadeira. Dizendo adeus do jeito certo à minha vida antiga. E não em alguma suíte impessoal num hotel... e sim aqui. Em casa, onde eu cresci.

Enquanto estava em Nova York, não conseguia visualizar o casamento. Parecia tão minúsculo e humilde em comparação ao glamour do Plaza! Mas, agora que estou aqui, é o Plaza que começa a parecer irreal. É o Plaza que está se afastando, como um feriado exótico e distante, que já começo a esquecer. Foi bem divertido fazer o papel de princesa de Nova York, provando pratos suntuosos, falando de champanha envelhecido e arranjos de flores de um milhão de dólares. Mas o fato é este: eu estava representando um papel.

A verdade é que meu lugar é aqui. Bem aqui neste jardim inglês que conheço durante toda a vida.

Então o que vou fazer?

Vou realmente...

Mal consigo pensar.

Será que estou sequer pensando em cancelar todo aquele casamento gigantesco e caríssimo?

Só a idéia faz minhas entranhas se revirarem.

— Becky? — A voz de mamãe penetra meus pensamentos, e levanto os olhos, atordoada, vendo-a parada junto da porta do quintal, segurando uma toalha de mesa. — Becky! Tem um telefonema para você.

— Ah. Certo. Quem é?

— Uma pessoa chamada Robin. Olá, Tom, meu amor!

— Robin? — Franzo a testa, perplexa, enquanto volto para a casa. — Robin de quê?

Não sei se conheço alguém chamado Robin. Afora Robin Anderson que trabalhava no *Investment Monthly*, mas eu mal o conhecia, verdade...

— Não peguei o sobrenome — diz mamãe. — Mas ela pareceu muito legal. Disse que estava ligando de Nova York...

Robyn?

De repente não consigo me mexer. Estou grudada, com horror, aos degraus do quintal.

Robyn telefonou... para cá?

Isso está totalmente errado. Robyn não pertence a este mundo, pertence a Nova York. É como quando as pessoas voltam no tempo e fazem uma bagunça com a Segunda Guerra Mundial.

— É sua amiga? — pergunta mamãe, inocente. — Nós batemos um papinho sobre o casamento...

O chão balança debaixo dos meus pés.

— O que... o que ela disse? — consigo falar.

— Nada específico! — Mamãe me olha, cheia de surpresa. — Perguntou que cor eu ia usar... e ficou dizendo uma coisa estranha sobre violinistas. Você não quer violinistas no casamento, quer, meu amor?

— Claro que não! — Minha voz sobe, aguda. — Por que ia querer violinistas?

— Becky, querida, você está bem? — Mamãe me olha atentamente. — Vou dizer que você liga de volta, certo?

— Não! Não fale com ela de novo! Quer dizer... está tudo bem. Eu atendo.

Entro correndo em casa, com o coração martelando. O que vou dizer? Devo dizer que mudei de idéia?

Quando pego o telefone, vejo que mamãe veio atrás de mim. Ah, meu Deus. Como vou resolver isso?

— Robyn, oi! — Tento um tom de voz natural. — Como vai?

Certo. Só vou dispensá-la do telefone o mais rápido possível.

— Oi, Becky! Fiquei tão feliz em ter a chance de falar com sua mãe! Ela parece uma senhora maravilhosa. Estou ansiosa para conhecê-la!

— Eu também — digo o mais animada que consigo. — Mal posso esperar para vocês... se encontrarem.

— Mas fiquei surpresa porque ela não sabia da orquestra de cordas vienense. Que coisa! Você realmente deveria manter sua mãe a par, Becky!

— Eu sei — digo depois de uma pausa. — Estive muito ocupada...

— Dá pra entender — diz Robyn, cheia de simpatia. — Por que não manda um pacote de informações para ela? Seria fácil, pelo FedEx. Aí ela vai ver a coisa toda diante dos olhos! Se você me der o endereço...

— Não! — grito antes que possa me controlar. — Quer dizer... não se preocupe. Eu vou contar tudo adiante. Verdade. Não... mande nada. Nadinha.

— Nem mesmo alguns cartões de menus? Tenho certeza de que ela adoraria ver.

— Não! Nada!

Minha mão está apertando o fone com força e meu rosto está suando. Nem ouso olhar para mamãe.

— Bem, OK! — diz Robyn finalmente. — Você é a chefe! Bom, falei com Sheldon Lloyd, sobre os arranjos de mesa...

Enquanto ela fala sem parar, lanço um olhar para mamãe, que está a mais ou menos um metro de mim. Sem dúvida ela pode ouvir o que está sendo dito ao telefone, não pode? Sem dúvida acabou de ouvir a palavra "Plaza", não é? Sem dúvida acabou de ouvir "casamento" e "salão de baile", não é?

— Certo — digo, sem ouvir nada que Robyn está dizendo. — Tudo está ótimo. — Giro o fio nos dedos. — Mas... mas escute, Robyn. O negócio é que eu vim para casa para me distanciar disso tudo. De modo que... será que você poderia não ligar mais para cá?

— Você não quer ficar em dia? — diz Robyn, surpresa.

— Não. Tudo bem. Você simplesmente... faça o que tem de fazer, e eu fico a par quando tiver voltado, na semana que vem.

— Sem problema. Entendo. Você precisa de um tempo! Becky, eu prometo, a não ser que seja uma emergência, vou deixar você em paz. Tenha uma ótima folga!

— Obrigada. Terei. Tchau, Robyn.

Desligo o telefone, trêmula de alívio. Graças a Deus, acabou.

Mas não me sinto segura. Robyn tem o número daqui. Poderia telefonar a qualquer momento. Quer dizer, o que pode ser uma emergência na organização de um casamento? Provavelmente, qualquer coisa. Provavelmente, uma pétala de rosa posta no lugar errado. E ela só precisa dizer a palavra errada para mamãe e as duas vão perceber o que está acontecendo. Mamãe vai perceber imediatamente por que voltei aqui e o que eu estava tentando dizer.

Meu Deus, ela iria ficar tão magoada! Não posso deixar que isso aconteça.

Certo, tenho duas opções. Número um: fazer com que mamãe e papai se mudem desta casa imediatamente. Número dois...

— Escute, mamãe — digo, girando. — Aquela tal de Robyn. Ela é...

— Sim?

— Ela é... meio maluca.

— Meio maluca? — Mamãe me encara. — O que quer dizer, querida?

— Ela... ela está apaixonada pelo Luke!

— Ah, meu Deus!

— É, e ela tem uma estranha ilusão de que vai se casar com ele.

— *Casar* com ele? — Mamãe fica boquiaberta.

— É! No Hotel Plaza! Parece que até tentou... hmm... reservar o lugar. Usando o meu nome!

Meus dedos estão se torcendo em nós complicados. Devo estar doida. Mamãe nunca vai engolir isso. Nunca. Nem em um milhão...

— Sabe, isso não me surpreende! — diz mamãe. — Dava pra ver que havia alguma coisa meio estranha com ela, de cara. Todo aquele absurdo sobre violinos! E ela parecia obcecada em saber que cor eu ia usar...

— Ah, ela é completamente obcecada. Então... se ela ligar de novo, dê uma desculpa e desligue o telefone. E, independentemente do que ela disser, mesmo que pareça plausível... não acredite numa palavra. Promete?

— Certo, meu amor — diz mamãe, assentindo. — Como quiser.

Enquanto ela entra na cozinha, ouço-a dizendo:

— Coitada. É preciso ter pena desse tipo de gente, verdade. Graham, você ouviu? Aquela mulher dos Estados Unidos que telefonou perguntando por Becky. Ela está apaixonada pelo Luke!

Não posso mais suportar isso.

Tenho de ver Suze.

DOZE

Marquei um encontro com Suze na Sloane Square para uma xícara de chá. Há um monte de turistas andando por ali quando chego, e por um momento não consigo vê-la. Depois a multidão se dispersa — e ali está ela, sentada perto da fonte, com o cabelo louro comprido como um halo de sol, e com a barriga mais gigantesca que se possa imaginar.

Quando a vejo, estou pronta para correr até lá e exclamar: "Ah, meu Deus, Suze, isso é um pesadelo", e contar tudo.

Mas então paro. Ela parece um anjo, sentada ali. Um anjo grávido.

Ou talvez a Virgem Maria. Toda serena, linda e perfeita.

E de repente me sinto toda enrolada e estúpida, em comparação. Eu vinha planejando descarregar toda a situação em cima de Suze. Mas agora... simplesmente não posso. Ela parece tão calma e feliz! Seria como jogar lixo tóxico num mar lindo e limpo.

— Bex! Oi! — Quando me vê, ela se levanta, e sinto um novo choque ao ver como... bem, como ela está grandona.

— Suze! — Corro para ela e lhe dou um abraço enorme. — Você está incrível!

— Estou me sentindo ótima. E você? Como vai o casamento?

— Ah... eu estou bem! — digo depois de uma pausa. — Está tudo bem. Venha. Vamos tomar um chá.

Não vou contar a ela. É isso. Pela primeira vez na vida vou resolver meus problemas sozinha.

Vamos ao Oriel e pegamos uma mesa perto da janela. Quando fazemos o pedido, peço chocolate quente, mas Suze pega um saquinho de chá e entrega ao garçom.

— Chá de folha de framboesa — explica. — Reforça o útero. Para o parto.

— Certo — confirmo com a cabeça. — Parto. Claro!

Sinto um leve tremor na base da coluna e dou um sorriso rápido para esconder.

Em segredo, não estou totalmente convencida desse negócio de dar à luz. Quer dizer, olha só o tamanho da barriga de Suze. Olha o tamanho de um bebê totalmente crescido. E depois diga que *isso* vai passar...

Quer dizer, eu sei a teoria. Só que... para ser honesta, não vejo a coisa dando certo.

— Para quando mesmo é o neném? — pergunto, olhando a pança de Suze.

— Daqui a quatro semanas!

— Então... ela vai crescer ainda mais?

— Ah, vai! — Suze dá um tapinha carinhoso na barriga. — Um bocado, eu acho.

— Bom — digo debilmente enquanto um garçom põe uma xícara de chocolate quente diante de mim. — Excelente. Então... como vai o Tarquin?

— Está ótimo! Agora está em Craie. Você sabe, a ilha dele na Escócia. Está na época de tosquiar as ovelhas, por isso ele tinha de ir ajudar. Antes da chegada do neném.

— Ah, certo. E você não foi com ele?

— Bem, seria meio arriscado. — Suze mexe seu chá de framboesa pensativamente. — E o negócio é que eu não sou *tão* interessada em ovelhas quanto ele. Quer dizer, elas são interessantes — acrescenta ela com lealdade. — Mas sabe, depois de você ter visto mil...

— Mas ele vai voltar a tempo, não vai?

— Ah, vai. Ele está empolgado de verdade! Foi a todas as aulas e tudo.

Meu Deus, não posso acreditar que daqui a algumas semanas Suze vai ter um neném. Eu nem vou estar aqui.

— Posso tocar? — Ponho a mão cautelosamente na barriga de Suze. — Não estou sentindo nada.

— Tudo bem. Deve estar dormindo.

— Você sabe se é menino ou menina?

— Não descobri. — Suze se inclina para a frente, séria. — Mas acho que é menina, porque vivo sendo atraída para todos os vestidinhos lindos nas lojas. Tipo, um desejo, sabe? E em todos os livros diz que seu corpo vai dizer do que precisa. Então, sabe, talvez seja um sinal.

— E qual vai ser o nome dela?

— Não conseguimos decidir. É tão difícil! Sabe, a gente compra aqueles livros, e todos os nomes são uma merda... — Ela toma um gole de chá. — Como você chamaria um neném?

— Aah! Não sei! Talvez Lauren, por causa de Ralph Lauren. — Penso alguns instantes. — Ou Dolce.

— Dolce Cleath-Stuart — diz Suze, pensativa. — Gosto disso! A gente chamaria de Dolly, como um diminutivo.

— Ou Vera, por causa de Vera Wang.

— *Vera?* — Suze me encara. — Não vou chamar meu neném de Vera!

— Não estamos falando do seu neném! Estamos falando do meu. Vera Lauren Comme des Brandon. Acho que soa muito bem.

— Vera Brandon parece um personagem de novela! Mas eu gosto de Dolce. E se for um menino?

— Harvey. Ou Barney — digo depois de pensar um pouco. — Dependendo de se ele nascer em Londres ou Nova York.

Tomo um gole de chocolate — depois levanto os olhos e vejo Suze me encarando séria.

— Você não teria realmente um neném nos Estados Unidos, teria, Bex?

— Eu... não sei. Quem pode dizer? Nós provavelmente vamos demorar anos para ter filhos!

— Sabe, todos nós sentimos sua falta.

— Ah, você também, não, Suze. — Dou um risinho. — Mamãe ficou pegando no meu pé hoje, para me mudar de volta para Oxshott.

— Bem, é verdade! Tarkie estava dizendo um dia desses: Londres não é a mesma sem você.

— Verdade? — Encaro-a, sentindo-me ridiculamente emocionada.

— E sua mãe vive me perguntando se eu acho que você vai ficar para sempre em Nova York... Você não vai, vai?

— Honestamente, não sei — digo desamparada. — Tudo depende do Luke... e dos negócios dele...

— Ele não é o chefe! Você também tem opinião. Você quer ficar lá?

— Não sei. — Franzo o rosto, tentando explicar. — Algumas vezes acho que quero. Quando estou em Nova York, parece o lugar mais importante do mundo. Meu trabalho é fantástico, e as pessoas são fantásticas, e tudo é maravilhoso. Mas, quando venho para casa, penso de repente: espera aí, aqui é minha casa. Este é o meu lugar. — Pego um saquinho de açúcar e começo a rasgá-lo. — Só não sei se já estou preparada para voltar.

— Ah, volte para a Inglaterra e tenha um neném! — diz Suze, quase gemendo. — Aí nós vamos poder ser mamães juntas!

— Honestamente, Suze! — Tomo outro gole de chocolate, revirando os olhos. — Como se eu estivesse pronta para ter um neném! — E me levanto para ir ao banheiro antes que ela possa dizer outra coisa.

Por outro lado... ela tem alguma razão. Por que eu não deveria ter um neném? Outras pessoas têm, por que não eu? Quer dizer, se eu pudesse passar por cima do *ter*, um pouquinho. Talvez pudesse fazer uma daquelas operações em que você vai dormir e não sente nada. E então, quando acordar, eu teria um neném!

Tenho uma súbita visão agradável de Suze e eu andando pela rua juntas, empurrando carrinhos. Seria divertido. Quer dizer, hoje em dia a gente pode comprar montes de coisas lindas para bebês, não é? Chapeuzinhos bonitos, e jaquetinhas de jeans... E... é, a Gucci não faz um carregador de bebês realmente maneiro?

Poderíamos tomar cappuccinos juntas, e percorrer as lojas, e... quer dizer, isso é basicamente tudo que as mães fazem, não é? Meu Deus, agora que estou pensando bem, eu seria uma mãe perfeita!

Definitivamente, preciso bater um papo com Luke.

Só quando estamos saindo do Oriel é que Suze diz:

— E então, Bex, você não me contou nada sobre o casamento!

Meu estômago dá uma pequena cambalhota, e eu viro a cabeça para o outro lado, com a desculpa de estar vestindo o casaco.

Meio que consegui esquecer de todo o assunto do casamento.

— É — digo finalmente. — Bem, está tudo... é... ótimo!

Não vou incomodar Suze com meus problemas. Não vou.

— Luke achou bom se casar na Inglaterra? — Ela me olha ansiosa. — Quer dizer, isso não causou uma discussão nem nada?

— Não — digo depois de uma pausa. — Honestamente, posso dizer que não.

Seguro a porta aberta para ela e nós saímos na Sloane Square. Uma fila de estudantes, com calções de veludo cotelê, está apinhando a calçada, e nós ficamos de lado, esperando que elas passem.

— Sabe, você tomou a decisão certa. — Suze aperta meu braço. — Fiquei tão preocupada com a hipótese de você escolher Nova York! O que fez com que você decidisse finalmente?

— É... uma coisa e outra. Você sabe. Então, é... Você já leu sobre aquelas propostas novas de privatizar o fornecimento de água?

Mas Suze me ignora. Honestamente, ela não está interessada em assuntos atuais?

— E o que Elinor disse quando você cancelou o Plaza?

— Disse... é... Bem, ela não ficou satisfeita, claro. Disse que estava muito agastada, e... é...

— "Muito agastada"? — Suze levanta as sobrancelhas. — Só isso? Achei que ela ficaria furiosa!

— Ela *ficou* furiosa — emendo rapidamente. — Ficou tão furiosa que... estourou uma veia!

— Estourou uma veia? — Suze me encara. — Onde?

— No... queixo.

Há um silêncio. Suze está imóvel na rua, com a expressão mudando lentamente.

— Bex...

— Vamos olhar roupinhas de neném! — digo apressadamente. — Tem uma lojinha que é uma doçura ali adiante...

— Bex, o que está acontecendo?

— Nada!

— Está, sim! Dá pra ver. Você está escondendo alguma coisa.

— Não estou!

— Você cancelou o casamento nos Estados Unidos, não cancelou?

— Eu...

— Bex. — A voz dela é a mais séria que já ouvi. — Diga a verdade.

Ah, meu Deus. Não posso mais mentir.

— Eu... eu vou cancelar — digo debilmente.

— Você vai? — A voz de Suze se ergue, consternada. — Você *vai*?

— Suze...

— Eu devia saber! Devia ter adivinhado! Mas só presumi que você devia ter cancelado porque sua mãe continuou organizando o casamento em Oxshott e ninguém disse nada sobre Nova York, e eu pensei: ah, Bex deve ter decidido se casar em casa, afinal de contas...

— Suze, por favor. Não se preocupe com isso — digo rapidamente. — Só fique calma... respire fundo...

— Como é que não vou me preocupar? — grita Suze. — Como posso não me preocupar? Bex, você prometeu que ia resolver isso há semanas! Você prometeu!

— Eu sei! E vou resolver. É só... que tem sido difícil demais. Decidir entre um e outro. Os dois parecem tão perfeitos, de modos completamente diferentes...

— Bex, um casamento não é uma bolsa! — diz Suze, incrédula. — Você não pode decidir que vai ter os dois!

— Eu sei! Eu sei! Olha, eu vou resolver...

— Por que não me contou antes?

— Porque você está tão linda, serena e feliz! — gemo. — E eu não queria estragar isso com os meus problemas estúpidos.

— Ah, Bex. — Suze me olha em silêncio, depois passa o braço em volta de mim. — Então... o que você vai fazer?

Respiro fundo.

— Vou dizer a Elinor que o casamento em Nova York está cancelado. E vou me casar aqui na Inglaterra.

— Verdade? Você tem toda a certeza?

— Tenho. Tenho certeza. Depois de ter visto mamãe e papai... e mamãe foi tão doce... e ela não faz idéia do que eu andei planejando pelas costas dela... — Engulo em seco. — E quando eu estava saindo agora mesmo papai me contou em particular como mamãe ficou perturbada quando eu mal *sugeri* que podia me casar nos Estados Unidos. Quer dizer, esse casamento é tudo para ela. Ah, meu Deus, Suze, sinto-me tão estúpida! Não sei o que estava pensando. Não quero me casar no Plaza. Não quero me casar em nenhum lugar que não seja em casa.

— Você não vai mudar de idéia de novo?

— Não. Desta vez, não. Honestamente, Suze, é isso.

— E o Luke?

— Ele não se importa. Disse que eu é que decidia.

Suze fica quieta um momento. Depois enfia a mão na bolsa para pegar o celular e o empurra para mim.

— Certo. Se vai fazer isso, faça agora. Digite o número.

— Não posso. Elinor está numa clínica na Suíça. Eu estava planejando escrever uma carta para ela...

— Não. — Suze balança a cabeça com firmeza. — Faça agora. Deve haver alguém para quem você possa ligar. Ligue para aquela organizadora de casamentos, Robyn, e diga que cancelou. Bex, você não pode se dar ao luxo de demorar mais.

— Certo — digo, ignorando o salto de apreensão por dentro. — Certo, vou fazer. Vou... ligar para ela. Eu sei o número.

Levanto o telefone. Depois baixo de novo. Tomar a decisão na cabeça é uma coisa. Dar o telefonema é outra. Vou realmente cancelar todo o casamento em Nova York?

O que Robyn vai dizer? O que todo mundo vai dizer? Meu Deus, eu gostaria de ter um pouco de tempo, só para pensar exatamente o que vou falar...

— Anda! — diz Suze. — Faça isso.

— Certo!

Com mãos trêmulas levanto o telefone e digito 001 para os Estados Unidos — mas a tela continua vazia.

— Ah... minha nossa! — exclamo, tentando parecer chateada. — Não tem sinal! Ah, bem, vou ter de telefonar mais tarde...

— Não, não vai! Vamos ficar andando até receber um sinal. Venha! — Suze começa a marchar para a King's Road e eu vou nervosamente atrás. — Tente de novo — diz ela quando chegamos ao primeiro cruzamento de pedestres.

— Nada — falo com voz trêmula. Meu Deus, Suze está incrível, como a proa de um navio. O cabelo louro balança atrás dela, e o rosto está ruborizado de determinação. Como é que ela consegue ter tanta energia? Eu achava que as grávidas deveriam ir com calma.

— Tente de novo! — repete ela depois de cada trezentos metros. — Tente de novo! Eu não vou parar enquanto você não der esse telefonema!

— Não há nada!

— Tem certeza?

— Tenho! — Aperto freneticamente os botões, sem conseguir um sinal. — Olha!

— Bem, continue tentando! Anda!

— Eu estou tentando! Eu estou!

— Ah, meu Deus! — Suze dá um grito súbito e eu pulo de terror.

— Eu estou tentando! Honestamente, Suze, estou tentando ao máximo que...

— Não! Olha!

Paro e giro. Ela está imóvel na calçada, dez metros atrás de mim, e há uma poça d'água aos seus pés.

— Suze... não se preocupe — digo sem jeito. — Eu não vou contar a ninguém.

— Não! Você não entende! Não é... — Ela me encara loucamente. — Acho que minha bolsa estourou!

— Sua o quê? — Sinto um golpe de puro medo. — Ah, meu Deus! Isso significa que... você vai...

Isso não pode estar acontecendo.

— Não sei. — Posso ver o pânico subindo no rosto de Suze. — Quer dizer, é possível... Mas faltam quatro semanas! É cedo demais! Tarkie não está aqui, nada está pronto... Ah, meu Deus...

Nunca vi Suze tão apavorada. Uma perplexidade chocada me envolve, e eu luto contra a tentação de abrir o berreiro. O que fiz agora? Além de todo o resto, levei minha melhor amiga a um parto prematuro.

— Suze, eu sinto muito. — Engulo em seco.

— Não é sua culpa! Não seja estúpida!

— É, sim! Você estava toda feliz e serena, e então me viu. Eu deveria ficar longe de gente grávida...

— Eu tenho de ir ao hospital. — O rosto de Suze está pálido. — Todas os Cleath-Stuart têm partos rápidos. Mamãe me teve em cerca de meia hora.

— Meia hora? — Praticamente largo o telefone. — Bem, vamos! Venha!

— Mas eu não estou com minha bolsa, nem nada. Há um monte de coisas que eu tenho de pegar... — Ela morde o lábio, preocupada. — Será que devo ir para casa primeiro?

— Você não tem tempo para isso! — digo em pânico. — Do que você precisa?

— Óleo de neném... fraldas... coisas assim...

— Bem, onde você... — Olho em volta, desamparada. Então, com um súbito jorro de alívio, vejo a placa da Peter Jones.

— Certo — digo, e pego seu braço. — Venha.

Assim que entramos na Peter Jones olho em volta procurando uma vendedora. E, graças a Deus, aí vem uma, uma senhora de meia-idade, de aparência gentil, com batom vermelho e óculos dourados numa corrente.

— Minha amiga precisa de uma ambulância — digo ofegante.

— Um táxi vai servir, honestamente — diz Suze. — É só que a minha bolsa estourou. Eu preciso ir para o hospital.

— Minha nossa! — diz a mulher. — Venha sentar-se, querida, e eu chamo um táxi para você...

Nós sentamos Suze numa cadeira perto de um balcão de pagamento, e uma vendedora traz um copo d'água.

— Certo — digo. — Fale do que você precisa.

— Não consigo lembrar exatamente. — Suze parece ansiosa. — Nós recebemos uma lista... Talvez eles saibam no departamento de bebês.

— Tudo bem se eu deixar você aqui?

— Vou ficar bem.

— Tem certeza? — Olho nervosamente sua barriga.

— Bex, anda logo!

Honestamente. Por que diabos eles põem os departamentos infantis tão longe da entrada principal das lojas? Quer dizer, qual é o sentido de todos aqueles estúpidos andares com roupas, maquiagens e bolsas mas quais ninguém está interessada? Depois de subir e descer correndo umas seis escadas rolantes, finalmente acho e paro ofegando ligeiramente.

Por um instante olho em volta, atordoada com todos os nomes de coisas de que nunca ouvi falar.

Camisinha de pagão?

Chupetas anticólica?

Ah, dane-se. Vou comprar tudo. Vou rapidamente para a gôndola mais próxima e começo a pegar coisas indiscriminadamente. Óleo para neném... fraldas... bonequinhos de luva para o caso do bebê ficar entediado... um casaquinho Christian Dior realmente chique... Nossa, será que fazem em tamanho adulto também?...

Largo tudo no balcão de pagamento e pego meu cartão Visa.

— É para minha amiga — explico sem fôlego. — Ela acabou de entrar em trabalho de parto. Tudo que ela precisa está aqui?

— Não sei, querida — diz a vendedora, examinando um termômetro para banho de bebê.

— Eu tenho uma lista aqui — diz uma mulher ali perto, com macacão de grávida e sapato baixo folgado. — É o que a NCT recomenda.

— Ah, obrigada!

Ela me entrega um pedaço de papel, e examino consternada a lista interminável. Pensei que tinha me saído tão bem, mas não tenho nem metade das coisas escritas aqui. E se deixar algo de fora vai ser completamente vital, e toda a experiência do parto de Suze será arruinada, e eu nunca vou me perdoar.

— Camiseta larga... Velas perfumadas... Borrifador para plantas...

Esta é a lista certa?

— Borrifador para plantas? — digo, perplexa.

— Para borrifar no rosto da mãe durante o trabalho de parto — explica a mulher de macacão. — Os quartos de hospital ficam quentes demais.

— Para isso você terá de ir ao departamento doméstico — diz a vendedora.

— Ah, certo. Obrigada.

Gravador... fitas de música tranqüilizante... bola inflável...

— Bola inflável? O neném não vai ser meio pequeno para brincar de bola?

— É para a mãe se encostar — diz a mulher com gentileza. — Para aliviar as ondas de dor. Como opção ela pode usar um almofadão.

Ondas de dor? Ah, meu Deus. A idéia de Suze sentindo dor me deixa toda bamba por dentro.

— Vou querer uma bola *e* um almofadão — digo às pressas. — E talvez um pouco de aspirina. Extraforte.

Finalmente cambaleio de volta ao térreo, com o rosto vermelho e ofegando. Espero que esteja com tudo certo. Não pude achar uma bola inflável em toda aquela loja estúpida — por isso, no fim, peguei uma canoa inflável e fiz o homem encher para mim. Agora estou com ela enfiada debaixo de um braço, com um almofadão dos Teletubbies e um moisés debaixo do outro, e umas seis bolsas cheias penduradas nos pulsos.

Olho o relógio e, para horror absoluto, vejo que já se passaram vinte minutos. Chego a estar esperando ver Suze sentada e segurando um neném no colo.

Mas ali está ela, ainda na cadeira, encolhendo-se ligeiramente.

— Bex, finalmente! Acho que as contrações começaram.

— Desculpe ter demorado tanto — digo, ofegante. — Queria conseguir tudo que você vai precisar. — Uma caixa com um jogo de palavras cruzadas caiu de uma das bolsas no chão, e eu me abaixo para pegar. — É para quando você tiver uma epidural — explico.

— O táxi está aqui — interrompe a mulher com óculos de ouro. — Precisa de ajuda com isso tudo?

Enquanto vamos até o táxi barulhento, Suze está olhando minha carga com perplexidade total.

— Bex... por que comprou uma canoa inflável?

— É para você se apoiar. Ou sei lá o quê.

— E um regador?

— Não consegui achar um borrifador para plantas. — Sem fôlego, começo a enfiar as bolsas no táxi.

— Mas para que eu preciso de um borrifador para plantas?

— Olha, não foi minha idéia, certo? — digo na defensiva. — Anda, venha!

E de algum modo conseguimos atulhar tudo no táxi. Um remo da canoa cai quando fechamos a porta, mas não me incomodo em tentar pegá-lo. Quer dizer, Suze não vai ter um parto dentro d'água.

— O gerente de Tarkie está tentando falar com ele — diz Suze enquanto disparamos pela King's Road. — Mas mesmo que ele pegue um avião imediatamente não vai dar tempo.

— Talvez dê! — digo, encorajando. — Nunca se sabe!

— Não vai. — Para minha consternação, ouço a voz dela começando a embargar. — Ele vai perder o nascimento do primeiro filho. Depois de esperar todo esse tempo. E de ter feito as aulas, e tudo. Ele foi muito bom na respiração cachorrinho. A professora mandou ele fazer na frente de todo mundo, de tão bom que ele era.

— Ah, Suze. — Sinto vontade de chorar. — Talvez seu parto demore horas e horas, e ele consiga chegar a tempo.

— Você vai ficar comigo, não vai? — Ela se vira subitamente no banco. — Não vai me deixar sozinha lá?

— Claro que não! — digo, pasma. — Vou ficar com você o tempo todo, Suze. — Seguro suas mãos com força. — Vamos fazer isso juntas.

— Você sabe alguma coisa sobre dar à luz?

— Hmm... sei — minto. — Um monte de coisas!

— Tipo o quê?

— Tipo... é... a gente precisa de toalhas quentes... e... — De repente vejo uma caixa de leite para bebês meio fora de uma das bolsas. — E sei que muitos bebês precisam de injeção de vitamina K depois do nascimento.

Suze me encara, impressionada.

— Uau. Como sabia disso?

— Eu simplesmente sei coisas — digo, empurrando a caixa de leite com o pé, para fora das vistas. — Está vendo? Vai ficar tudo bem.

Tudo bem, eu posso fazer isso. Posso ajudar Suze. Só tenho de ficar calma e não entrar em pânico.

Puxa, milhões de pessoas dão à luz todos os dias, não é? Provavelmente é uma daquelas coisas que *parecem* realmente apavorantes mas que são bem fáceis na hora. Como um teste de motorista.

— Ah, meu Deus. — O rosto de Suze se contorce de repente. — Aí vem de novo.

— Certo! Calma aí! — Num jorro de alarme, procuro dentro de uma das bolsas de plástico. — Aqui está! — Suze abre os olhos atordoada enquanto pego uma pequena caixa envolta em celofane.

— Bex, por que está me dando perfume?

— Dizem que óleo de jasmim ajuda a aliviar a dor — digo sem fôlego. — Mas como não consegui achar comprei Romance, de Ralph Lauren. Ele tem um toque de jasmim. — Rasgo a caixa e borrifo o perfume nela, cheia de esperança. — Ajuda?

— Na verdade, não. Mas o cheiro é bom.

— É mesmo, não é? — digo satisfeita. — E como gastei mais de trinta libras, ganhei uma nécessaire grátis, com luva esfoliante para o corpo e...

— Hospital St Christopher — diz o motorista subitamente, parando diante de um grande prédio de tijolos vermelhos. Nós duas nos enrijecemos alarmadas e nos olhamos.

— Tudo bem — digo. — Fique calma, Suze. Não entre em pânico. Só... espere aqui.

Abro a porta do táxi, corro por uma porta onde está escrito Maternidade e me vejo numa recepção com cadeiras estofadas de azul. Duas mulheres de roupão erguem os olhos das revistas que estão lendo, mas afora isso não há sinais de vida.

Pelo amor de Deus, onde está todo mundo?

— Minha amiga está tendo um neném! — grito. — Depressa, todo mundo! Arranjem uma maca! Chamem uma parteira!

— Você está bem? — diz uma mulher de uniforme branco, aparecendo do nada. — Eu sou parteira. Qual é o problema?

— Minha amiga está em trabalho de parto! Ela precisa de ajuda imediatamente!

— Onde ela está?

— Estou aqui — diz Suze, lutando para passar pela porta com três bolsas debaixo de um braço.

— Suze! — digo horrorizada. — Não se mexa. Você deveria estar deitada! Ela precisa de remédios — digo à parteira. — Precisa de uma epidural, anestesia geral e um pouco de gás hilariante, e... basicamente, tudo que vocês tiverem...

— Eu estou bem — insiste Suze. — Verdade.

— Certo — diz a parteira. — Vamos acomodar você num quarto. Depois podemos examiná-la e pegar alguns detalhes...

— Eu pego o resto das coisas — digo, e começo a ir para a porta. — Suze, não se preocupe, eu já volto. Vá com a parteira e eu acho você...

— Espera — diz Suze, ansiosa, virando-se subitamente. — Espera, Bex!

— O que foi?

— Você não deu aquele telefonema. Não cancelou o casamento em Nova York.

— Eu faço isso depois. Ande. Vá com a parteira.

— Telefone agora.

— *Agora?* — Encaro-a.

— Se não telefonar agora, não vai telefonar nunca! Eu conheço você, Bex.

— Suze, não seja estúpida! Você está tendo um neném! Vamos acertar quais são as prioridades, certo?

— Eu terei o neném quando você tiver dado o telefonema! — diz Suze, obstinada. Ah! Seu rosto se retorce de súbito. — Está começando de novo.

— Certo — diz a parteira com calma. — Agora respire... tente relaxar...

— Não posso relaxar! Pelo menos enquanto ela não cancelar o casamento! Caso contrário, ela só vai embromar de novo! Eu conheço Bex!

— Não vou!

— Vai, sim, Bex! Você já embromou durante meses!

— Ele é um canalha então? — diz a parteira. — Você devia ouvir sua amiga. Ela parece que sabe do que está falando.

— As amigas sempre podem dizer quando o sujeito é um canalha — concorda a mulher de roupão cor-de-rosa.

— Ele não é canalha! — retruco indignada. — Suze, por favor! Calma! Vá com a enfermeira! Tome uns remédios!

— Dê o telefonema — responde ela, com o rosto contorcido. — Depois eu vou. — Ela ergue os olhos. — Ande! Dê o telefonema!

— Se você quer que esse neném nasça em segurança — diz a parteira —, é melhor dar esse telefonema.

— Dê o telefonema, querida — cantarola a mulher de roupão cor-de-rosa.

— Certo! Certo! — Pego o celular e digito o número. — Estou ligando. Agora vá, Suze!

— Só quando eu ouvir você dizendo as palavras!

— Respire *através* da dor...

— Alô! — cantarola Robyn no meu ouvido. — São os sinos do casamento que estou ouvindo?

— Não tem ninguém em casa — digo, levantando os olhos.

— Então deixe um recado — diz Suze com os dentes trincados.

— Respire fundo de novo, agora...

— Seu telefonema é *muito* importante para mim...

— Anda, Bex!

— Certo! Aí vai. — Respiro fundo enquanto soa o bip. — Robyn, aqui é Becky Bloom... e estou cancelando o casamento. Repito, estou cancelando o casamento. Sinto muito por toda a inconveniência que isso vai causar. Sei o quanto você investiu nisso e só posso imaginar como Elinor vai ficar furiosa... — Engulo em seco. — Mas tomei minha decisão final, e quero me casar em casa, na Inglaterra. Se quiser conversar comigo sobre isso, deixe um recado em minha casa e eu ligo de volta. Caso contrário, acho que é adeus. E... obrigada. Foi divertido enquanto durou.

Desligo o telefone e encaro-o, silencioso na minha mão.

Fiz.

— Muito bem — diz a parteira a Suze. — Foi dureza!

— Muito bem, Bex — diz Suze, com o rosto cor-de-rosa. Ela aperta minha mão e dá um sorriso minúsculo. — Você fez a coisa certa. — Ela olha a parteira. — Certo. Vamos.

— Eu só vou... pegar o resto das coisas — digo, e ando lentamente até a porta dupla que leva para fora do hospital.

Quando saio ao ar livre, não consigo evitar um pequeno tremor. Então é isso. Nada de casamento no Plaza. Nada de floresta encantada. Nada de bolo mágico. Nada de fantasia.

Não posso acreditar que tudo se foi.

Mas afinal de contas... se eu for realmente honesta, isso nunca passou de uma fantasia, não foi? Nunca pareceu de fato a vida real.

Esta é a vida real, bem aqui.

Por alguns instantes fico em silêncio, deixando os pensamentos vaguearem, até que o som de uma sirene de ambulância me traz de volta ao presente. Descarrego depressa o táxi, pago ao motorista e encaro o monte de coisas, imaginando como diabos vou levar tudo para dentro. E se realmente precisava mesmo comprar um cercadinho desmontável.

— Você é Becky Bloom? — Uma voz interrompe meus pensamentos. Olho e vejo uma jovem enfermeira parada junto à porta.

— Sou! — Sinto um tremor de alarme. — Suze está bem?

— Está ótima, mas as contrações estão aumentando, e nós ainda estamos esperando a chegada do anestesista... Ela disse que queria experimentar... — A mulher me olha, perplexa — ...é... uma canoa?

Ah, meu Deus.

Ah, meu Deus.

Eu nem posso começar a... a...

São nove da noite, e estou completamente arrasada. Nunca vi nada igual na vida. Não tinha idéia de que seria tão...

De que Suze seria tão...

Demorou seis horas no total, o que aparentemente é bem rápido. Bom, só posso dizer que eu não gostaria de ser uma das lentas.

Não posso acreditar. Suze ganhou um menininho. Um menininho minúsculo, cor-de-rosa, que vive fungando. Tem uma hora de idade.

Ele foi pesado, medido e vestido com o mais estupendo macacãozinho branco e azul e com uma manta branca, e agora está nos braços de Suze, o rosto todo amarrotado, com tufos de pêlos pretos eriçados em cima das orelhas. O neném que Suze e Tarquin fizeram. Quase tenho vontade de chorar... só que estou empolgadíssima. É o sentimento mais estranho.

Encontro o olhar de Suze e ela me dá um riso eufórico. Está rindo desde que ele nasceu, e imagino secretamente se lhe deram um pouquinho demais de gás hilariante.

— Ele não é perfeito?

— É perfeito. — Toco a unha minúscula do neném. Pensar que aquilo estava crescendo dentro de Suze, esse tempo todo.

— Gostaria de uma xícara de chá? — diz uma enfermeira, entrando no quarto quente e claro. — Você deve estar exausta.

— Muito obrigada — digo agradecida, estendendo a mão.

— Eu falei com a mamãe — diz a enfermeira, dando-me um olhar estranho.

— Ah — digo ruborizada. — Sim, claro. Desculpe.

— Tudo bem — diz Suze. — Dê à Bex. Ela merece. — Suze me dá um sorriso envergonhado. — Desculpe ter ficado furiosa com você.

— Tudo bem. — Mordo o lábio. — Desculpe eu ter ficado perguntando se doía mesmo.

— Não, você foi fantástica. Sério, Bex. Eu não teria conseguido sem você.

— Chegaram algumas flores — diz uma enfermeira entrando. — E recebemos um recado do seu marido. Ele está preso na ilha por enquanto, por causa do mau tempo, mas estará aqui assim que puder.

— Obrigada — diz Suze, conseguindo sorrir. — Isso é ótimo.

Mas quando a enfermeira sai de novo seus lábios começam a tremer.

— Bex, o que vou fazer se Tarkie não conseguir voltar? Mamãe está em Ulan Bator e papai não sabe identificar o que é a cabeça e o que são os pés de um bebê... vou ficar sozinha...

— Não vai, não! — ponho o braço rapidamente em volta dela. — Eu cuido de você!

— Mas você não tem de voltar para os Estados Unidos?

— Eu não tenho de ir a lugar nenhum. Vou adiar meu vôo e tirar mais uns dias de férias. — Dou-lhe um abraço apertado. — Vou ficar aqui enquanto você precisar, Suze, e ponto final.

— E o casamento?

— Não preciso mais me preocupar com o casamento. Suze, eu vou ficar com você, e é isso.

— Verdade? — O queixo de Suze treme. — Obrigada,

Bex. — Ela ajeita o neném cuidadosamente nos braços, e ele dá uma pequena fungada. — Você... sabe alguma coisa sobre bebês?

— A gente não precisa saber nada! — digo cheia de confiança. — Só precisa alimentar, vestir roupas bonitas e empurrar o carrinho pelas lojas.

— Não sei, não...

— E, de qualquer modo, olha só o pequeno Armani. — Estendo a mão para a trouxinha branca e toco com carinho a bochecha do bebê.

— Nós *não* vamos chamá-lo de Armani! Pare de chamá-lo assim!

— Bem, tanto faz. Ele é um anjo! Deve ser o que chamam de neném calminho.

— Ele é bom, não é? — diz Suze, satisfeita. — Não chorou nem uma vez!

— Honestamente, Suze, não se preocupe. — Eu tomo um gole de chá e sorrio. — Vai ser um barato!

Finerman Wallstein
Advogados
Finerman House
Avenue of the Americas, 1398
Nova York, NY 10105

Srta. Rebecca Bloom
Apto. B
W 11th Street, 251
Nova York
NY 10014

6 de maio de 2002

Cara Srta. Bloom

Obrigada por sua mensagem de 30 de abril, e confirmo que na segunda cláusula acrescentei a seção "(f) deixo ao meu esplendoroso afilhado Ernest a quantia de mil dólares".

Será que posso chamar sua atenção para o fato de que esta é a sétima emenda que a senhorita faz ao testamento desde que ele foi esboçado há um mês?

Atenciosamente

Jane Cardozo

TREZE

Subo com dificuldade a escada do nosso prédio. Cambaleando ligeiramente, pego a chave — e depois de três tentativas consigo enfiá-la na fechadura.

Em casa de novo.

Silêncio de novo.

— Becky? É você? — Ouço a voz de Danny acima do som dos passos dele na escada.

Olho para o alto atordoada, incapaz de focalizar. Parece que corri uma maratona. Não, seis maratonas. As últimas duas semanas foram um amontoado de noites e dias embolados num só. Só eu, Suze e o neném Ernest. E o choro.

Não me entenda mal, eu adoro o Erniezinho. Puxa, vou ser a madrinha dele e tudo...

Mas... meu Deus. Aqueles *gritos*...

Não fazia idéia de como era um neném. Achava que seria *divertido*.

Não sabia que Suze teria de amamentar a cada hora. Não sabia que ele iria se recusar a dormir. Ou que odiaria o berço. Puxa, era da Conran Shop! De uma madeira de faia linda, com lençóis brancos maravilhosos. Era de pensar que ele adoraria! Mas quando a gente o colocava dentro ele só se sacudia, fazendo "Buáááá"!

Então tentei levá-lo às compras — e quando começamos foi legal. Pessoas sorrindo para o carrinho e para mim, e eu estava começando a me sentir bem orgulhosa de mim mesma. Mas quando entramos na Karen Millen, e eu estava no meio de vestir uma calça de couro, ele começou a berrar. Não um gemidinho bonitinho. Não um uivozinho lamentoso. Um berro de garganta aberta, cortante, do tipo Essa Mulher Me Seqüestrou, Chamem a Polícia!

Eu não tinha nenhuma mamadeira, nem fralda, nem nada, e tive de ir correndo pela Fulham Road, e quando cheguei em casa estava com a cara vermelha e ofegando, e Suze estava chorando e Ernest me olhando como se eu fosse uma assassina em série ou algo do tipo.

E então, mesmo depois de ser alimentado, ele gritou e gritou a noite inteira...

— Meu Deus! — diz Danny, chegando ao corredor embaixo. — O que aconteceu com você?

Olho o espelho e sinto uma pontada de choque. Estou pálida de exaustão, o cabelo está escorrido e os olhos sem energia. Não ajudou em nada o fato de que, quando finalmente entrei no avião, me sentei ao lado de uma mulher com gêmeos de seis meses.

— Minha amiga Suze teve um neném — digo com voz de sono. — E o marido dela estava preso numa ilha, por isso eu ajudei um pouco...

— Luke disse que você estava de férias — disse Danny, me encarando horrorizado. — Disse que você estava descansando!

— Luke... não faz idéia.

Cada vez que Luke telefonava eu estava trocando uma fralda, tentando acalmar Ernie, que berrava, tentando acalmar Suze, que chorava — ou apagada, dormindo. Nós tivemos uma breve conversa desconjuntada, mas no fim Luke sugeriu que eu fosse dormir, já que não estava falando coisa com coisa.

Afora isso, não falei com ninguém. Mamãe ligou para dizer que Robyn tinha deixado um recado pedindo para eu ligar urgentemente. E eu realmente pretendia ligar. Mas sempre que tinha alguns minutos livres... simplesmente não podia enfrentar a situação. Não tenho idéia do que anda acontecendo; que tipo de discussões e problemas. Sei que Elinor deve estar furiosa. Sei que provavelmente a mãe de todas as brigas está me esperando.

Mas... simplesmente não me importo. Agora só me importo em ir para a cama.

— Ei, chegou um monte de caixas da QVC. — Danny me olha curiosamente. — Você pediu um jogo de bonecas Marie Osmond?

— Não sei — digo com ar vazio. — Acho que sim. Pedi praticamente tudo que eles tinham.

Tenho uma leve lembrança de mim mesma às três da madrugada, balançando Ernest no colo para Suze dormir, olhando grogue para a tela.

— Sabe como é terrível a televisão inglesa às três da madrugada? — Esfrego as bochechas secas. — E não adianta assistir a um filme, porque no minuto em que chega a parte boa o neném chora e você tem de pular e começar a correr com ele, cantando "Dorme neném, do meu coraçããão...". E mesmo assim ele não pára de chorar. Por isso a gente tem de mudar para "Maaaarcha soldado, cabeça de papel...", mas isso também não funciona...

— Certo — diz Danny, recuando. — Eu... aceito sua palavra. Becky, acho que você precisa de um cochilo.

— É. Eu também acho. Vejo você depois.

Cambaleio para dentro do apartamento, jogo toda a correspondência no sofá e vou para o quarto, tão decidida quanto um viciado doido por um pico.

Dormir. Eu preciso dormir...

Uma luz está piscando na secretária eletrônica e, enquanto deito, estendo a mão automaticamente e aperto o botão.

— Oi, Becky! Aqui é Robyn. Só para dizer que a reunião com Sheldon Lloyd para falar dos centros de mesa foi adiada para a próxima terça-feira, dia 21, às duas e meia. Tcha-au!

Só tenho tempo de pensar "Isso é estranho" antes de minha cabeça bater no travesseiro e eu apagar num sono profundo e sem sonhos.

Oito horas depois acordo e me sento num pulo.

O que foi aquilo?

Estendo a mão para a secretária e aperto o botão de repetir. A voz de Robyn cantarola exatamente a mesma mensagem, e a tela de cristal líquido informa que ela foi deixada ontem.

Mas... isso não faz nenhum sentido. O casamento em Nova York está cancelado.

Olho desorientada o apartamento escuro em volta. Meu relógio corporal está tão ferrado que pode ser qualquer hora. Vou à cozinha pegar um copo d'água e olho sonolenta pela janela, para o mural de dançarinos no prédio do outro lado.

Eu cancelei o casamento. Houve testemunhas. Por que Robyn ainda está organizando centros de mesa? Puxa, eu não fui nem um pouco vaga sobre isso.

O que aconteceu?

Tomo minha água, encho outro copo e vou para a sala. São quatro da tarde, segundo o relógio do vídeo, de modo que ainda dá tempo de ligar para ela. Descobrir o que está acontecendo.

— Alô! Eventos Matrimoniais, Inc. — diz uma garota que não reconheço. — Em que posso ajudar?

— Oi! Desculpe, aqui é Becky Bloom. Você é... vocês estavam organizando um casamento para mim?

— Ah, oi, Becky! Eu sou Kirsten, secretária de Robyn. Posso dizer que o seu tema da Bela Adormecida é totalmente inspirado? Contei para todas as minhas amigas, e todas elas disseram: "Eu adoro a Bela Adormecida! É isso que vou fazer quando *eu* me casar!"

— Ah. É... obrigada. Escute, Kirsten, essa pergunta pode parecer meio estranha...

Como vou dizer isso? Não posso dizer: meu casamento ainda está de pé?

— Meu... casamento ainda está de pé?

— Certamente. Espero que sim! — diz Kirsten com uma gargalhada. — A não ser que você tenha tido uma briga com Luke! — O tom de voz dela muda subitamente. — Você *teve* uma briga com o Luke? Porque nós temos um procedimento para o caso de isso acontecer...

— Não! Não tive! É só que... Vocês não receberam o meu recado?

— Que recado? — diz Kirsten, animada.

— O recado que eu deixei há umas duas semanas!

— Ah. Sinto muito. Com a inundação...

— Inundação? — Encaro o telefone, pasma. — Vocês tiveram uma *inundação*?

— Eu tinha certeza que Robyn tinha ligado pra você na Inglaterra, avisando! Tudo bem, ninguém se afogou. Mas tivemos de evacuar o prédio durante uns dias, e alguns telefones foram afetados... Além do que, infelizmente, uma antiga almofada de alianças de uma cliente nossa foi arruinada...

— Então vocês *não* receberam a mensagem?

— Foi sobre os canapês? — diz Kirsten, pensativa.

Engulo em seco várias vezes, sentindo a cabeça meio leve.

— Becky, Robyn acaba de entrar — está dizendo Kirsten. — Se quiser falar com ela...

De jeito nenhum. Não confio mais no telefone.

— Diga a ela que estou indo para o escritório — falo, tentando manter a calma. — Diga para ela esperar. Eu chego o mais rápido possível.

— É urgente?

— É. É bem urgente.

O escritório de Robyn fica num prédio chique, bem na rua 96. Quando bato na porta, posso ouvir seu riso gorgolejante, e, enquanto abro a porta cautelosamente, vejo-a sentada à sua mesa, com uma taça de champanha numa das mãos, o telefone na outra e uma caixa de chocolates aberta sobre a mesa. No canto, batucando num computador, está uma garota com prendedores nos cabelos. Deve ser a Kirsten.

— Becky! — diz Robyn. — Entre! Não vou demorar um segundo! Jennifer, acho que deveríamos escolher o cetim devoré. É? Certo. Vejo você depois. — Ela desliga o telefone e sorri para mim. — Becky. Querida. Como vai? Como estava a Inglaterra?

— Bem, obrigada. Robyn...

— Acabei de ir a um delicioso almoço de agradecimento que me foi dado pela Sra. Herman Winkler no Carlton. Ah, foi um casamento fabuloso. O noivo deu um filhotinho de schnauzer à noiva no altar! Que coisa linda... — Sua sobrancelha se franze. — O que eu ia dizer? Ah, sim! Sabe de uma coisa? A filha dela e o genro acabaram de viajar para a lua-de-mel na Inglaterra! Eu disse: talvez vocês esbarrem em Becky Bloom!

— Robyn, eu preciso falar com você.

— Sem dúvida. E se for sobre os pratos de sobremesa, eu falei com o Plaza...

— Não é sobre os pratos! — grito. — Robyn, escute! Enquanto eu estava na Inglaterra, cancelei o casamento. Deixei um recado! Mas você não recebeu.

Há um silêncio na sala elegante. Então o rosto de Robyn se franze num riso.

— Hahaha! Becky, você é impagável! Ela não é impagável, Kirsten?

— Robyn, estou falando sério. Quero cancelar tudo. Quero me casar na Inglaterra. Minha mãe está organizando um casamento, está tudo arranjado...

— Dá para imaginar, se você fizesse isso? — diz Robyn, com um gorgolejo. — Bem, claro, você não poderia, por causa do contrato pré-nupcial. Se cancelasse agora, iria perder um bocado de dinheiro! — Ela dá um riso alegre. — Quer um pouco de champanha?

Encaro-a, momentaneamente em dúvida.

— O que quer dizer com contrato pré-nupcial?

— O contrato que você assinou, meu doce. — Ela me entrega uma taça de champanha, e meus dedos se fecham automaticamente em volta.

— Mas... mas Luke não assinou. Ele disse que não era válido se ele não assinasse...

— Não o contrato entre você e Luke! Entre você e eu! Ou melhor a Eventos Matrimoniais, Inc.

— O quê? — Engulo em seco. — Robyn, do que você está falando? Eu nunca assinei nada.

— Claro que assinou! Todas as minhas noivas assinam! Eu dei a Elinor para passar a você, e ela me devolveu... tenho uma cópia por aí em algum lugar. — Ela toma um gole de champanha, gira na poltrona e estende a mão para um elegante arquivo de madeira. — Cá estamos. — Ela me entrega uma fotocópia de um documento. — Claro, o original está com o meu advogado...

Olho a página, o coração martelando. É uma folha datilografada, com o título CONTRATO. Olho direto para a linha pontilhada embaixo — e ali está minha assinatura.

Minha mente dispara de volta para aquela noite escura e chuvosa. No apartamento de Elinor. Assinando indignada cada folha que estava na minha frente. Sem me incomodar em ler as palavras acima.

Ah, meu Deus. O que eu fiz?

O que eu assinei?

Febrilmente começo a examinar o contrato, captando apenas pela metade as frases jurídicas.

"A organizadora fará os preparativos integrais... o tempo será definido em concordância entre as partes... a Cliente deverá ser consultada em todas as questões... intermediação com os fornecedores de serviços... orçamento será combinado... decisões finais ficarão com a cliente... qualquer rompimento ou cancelamento por qualquer motivo... reembolso... 30 dias... pagamento integral e final... além disso..."

Enquanto leio as palavras seguintes, lesmas se arrastam subindo e descendo pelas minhas costas.

"Além disso, em caso de cancelamento, caso a Cliente se case em menos de um ano da data de cancelamento, a Cliente sofrerá uma penalidade de cem mil dólares, pagável à Eventos Matrimoniais, nc."

Penalidade de cem mil dólares.

E eu assinei.

— Cem mil dólares? — digo finalmente. — Isso... parece muito.

— Isso é apenas para as garotas tolas que fingem cancelar e depois se casam assim mesmo — diz Robyn, lépida.

— Mas por que...

— Becky, se eu organizo um casamento, quero que esse casamento aconteça. Nós tivemos garotas cancelando antes. — Sua voz se endurece subitamente. — Garotas que decidiram agir por conta própria. Garotas que decidiram usar minhas idéias, meus contatos. Garotas que acharam que poderiam usar meu conhecimento e se dar bem. — Ela se inclina para a frente com olhos brilhantes, e eu me encolho com medo. — Becky, você não quer ser uma dessas garotas!

Ela é louca. A organizadora de casamentos é louca.

— B... boa idéia — digo rapidamente. — Você tem de se proteger!

— Claro, a própria Elinor poderia ter assinado. Mas nós concordamos que assim ela está protegendo seu investimento também! — Robyn dá um grande sorriso. — É um belo arranjo.

— Muito esperto! — Dou um riso agudo e tomo um gole de champanha.

O que vou fazer? Deve haver algum meio de sair disso. *Tem* de haver. As pessoas não podem obrigar as outras a se casar. Não é ético.

— Anime-se, Becky! — diz Robyn saltando de volta para o estilo cantarolado. — Está tudo sob controle. Nós cuidamos de tudo enquanto você estava na Inglaterra. Os convites estão sendo escritos agora mesmo...

— Convites? — Sinto um novo choque. — Mas não podem. Nós ainda não fizemos uma lista de convidados.

— Fizeram, sim, garota bobinha! O que é isso?

Ela aperta alguns botões no computador e uma lista aparece. Encaro-a boquiaberta. Nomes e endereços familiares estão passando na tela, um depois do outro. Nomes dos meus primos. Nomes de antigos colegas de escola. Com um tremor súbito vejo "Janice e Martin Webster, The Oaks, 41 Elton Road, Oxshott".

Isso está virando um pesadelo. Como é que Robyn sabe de Janice e Martin? Sinto que caí na toca de algum arquivilão. A qualquer minuto um painel vai deslizar e eu verei mamãe e papai amarrados em cadeiras, com mordaças.

— Onde... onde conseguiu esses nomes? — Tento fazer com que pareça uma pergunta casual.

— Luke nos deu uma lista! Eu o estava pressionando, por isso ele procurou em seu apartamento. Disse que achou escondida debaixo da cama, ou algum lugar estranho assim. Eu disse que era provavelmente o lugar mais seguro para colocar!

Ela pega um pedaço de papel, e meus olhos se concentram nele, incrédulos.

A letra de mamãe.

A lista de convidados que ela mandou por fax, há semanas. Os nomes e endereços de todos os amigos e parentes que vão ser convidados para o casamento. O casamento em casa.

Robyn está convidando as mesmas pessoas que mamãe.

— Os convites... já foram mandados? — digo, numa voz que não reconheço.

— Bem, não. — Robyn balança o dedo para mim. — Os de Elinor foram todos na semana passada. Mas nós recebemos sua lista tão tarde que acho que os seus ainda estão com a calígrafa! Ela vai colocar no correio assim que terminar...

— Impeça — digo desesperadamente. — Você tem de impedir!

— O quê? — Robyn me olha, cheia de surpresa, e eu

percebo Kirsten levantando a cabeça, interessada. — Por que, meu doce?

— Eu... eu mesma tenho de pôr os convites no correio — digo. — É... uma... uma tradição de família. A noiva sempre é... coloca no correio seus próprios convites.

— Que incomum! Nunca ouvi falar nesse costume!

— Está dizendo que inventei?

— Não! Claro que não! Vou dizer a Judith — diz Robyn, pegando o telefone e girando seu Rolodex, e eu fico mais calma, respirando fundo.

Minha cabeça está rodando. Há muita coisa acontecendo. Enquanto estive fechada com Suze e Ernie, tudo disparou em frente sem que eu percebesse, e agora perdi totalmente o controle da situação. É como se esse casamento fosse um grande cavalo branco que ia trotando muito bem, mas de repente empinou e galopou para longe sem mim.

Robyn não iria *realmente* me processar. Iria?

— Oi, Judith? É, é Robyn. Você já... já? Bem, foi um serviço muito rápido! — Robyn levanta os olhos. — Você não vai acreditar, mas ela já terminou!

— O quê? — digo horrorizada.

— Ela já está na caixa de correio! Não é uma...

— Bom, faça com que ela pare! — grito. — Faça com que ela pare!

— Judith — diz Robyn, ansiosa. — Judith, pare. A noiva é muito exigente. Ela quer pôr os convites pessoalmente no correio. É uma tradição de família — diz em voz mais baixa. — Inglesa. É. Não, eu também não conhecia.

Ela ergue os olhos com um sorriso cauteloso, como se eu fosse uma criança bagunceira de três anos.

— Becky, acho que alguns já entraram na caixa de correio. Mas você pode colocar todo o resto!

— Alguns? — digo agitada. — Quantos?

— Quantos, Judith? — diz Robyn, depois se vira para mim. — Ela acha que três.

— Três? Bem... Ela pode enfiar a mão e pegar de volta?

— Não creio.

— Ela não poderia arranjar um... pedaço de pau...

Robyn me olha em silêncio por um segundo, depois se vira para o telefone.

— Judith, diga onde fica essa caixa de correio. — Ela escreve num pedaço de papel, depois levanta os olhos. — Sabe de uma coisa, Becky, acho que a melhor coisa é você ir lá, e simplesmente... fazer o que tiver de fazer...

— Certo. Eu vou. Obrigada.

Enquanto coloco o casaco, posso ver Robyn e Kirsten trocando olhares.

— Sabe, Becky, talvez seja bom você esfriar um pouco — diz Robyn. — Tudo está sob controle. Não há com que se preocupar! — Ela se inclina para a frente, toda aconchegante. — Como costumo dizer às minhas noivas quando elas ficam um pouquinho agitadas... é só um casamento!

Nem me dou ao trabalho de responder.

A caixa de correio fica na esquina da rua 93 com Lexington. Quando entro na rua, vejo uma mulher que deve ser Judith, vestida com casaco preto, encostada na lateral de um prédio. Enquanto caminho rapidamente na sua direção, vejo-a olhar o relógio, dar de ombros impaciente e ir para a caixa de correio, com uma pilha de envelopes na mão.

— Pare! — grito, começando a correr. — Não ponha esses!

Chego ao seu lado, ofegando tanto que mal posso falar.

— Me dê esses convites — consigo dizer. — Eu sou a noiva. Becky Bloom.

— Aqui está — diz Judith. — Alguns já foram. Mas, sabe, ninguém me disse que eu não deveria pôr no correio — acrescenta ela, na defensiva.

— Eu sei. Desculpe.

— Se Robyn não tivesse ligado naquela hora... eles teriam ido. Todos!

— Eu... agradeço.

Folheio os grossos envelopes cinza-acastanhados, sentindo-me ligeiramente trêmula ao ver todos os nomes da lista de mamãe, lindamente escritos em letras góticas.

— Então, você vai colocar?

— Claro que vou. — De repente percebo que Judith está esperando que eu faça isso. — Mas não quero ser olhada — acrescento depressa. — É um assunto muito particular. Eu tenho de... dizer um poema e beijar cada um...

— Ótimo — diz Judith revirando os olhos. — Como quiser.

Ela segue para a esquina, e eu fico imóvel como uma pedra até ela desaparecer. Depois, agarrando a pilha de convites junto ao peito, corro até a esquina, levanto a mão e chamo um táxi para me levar para casa.

Luke ainda está fora quando chego de volta, e o apartamento está tão escuro e silencioso como quando saí. Minha mala está aberta no chão — e quando entro posso ver dentro dela a pilha de convites para o casamento de Oxshott, que mamãe me deu para entregar a Elinor.

Pego a segunda pilha de convites e olho de uma para a outra. Dois casamentos. No mesmo dia. Em menos de seis semanas.

Se eu estiver num, mamãe nunca mais fala comigo.

Se eu estiver no outro, vou ser processada em cem mil dólares.

Certo, só... fique calma. Pense com lógica. Tem de haver um modo de sair dessa. *Tem* de haver. Enquanto eu mantiver a cabeça no lugar e não entrar numa...

De repente ouço o som da porta da frente se abrindo.

— Becky? — É a voz de Luke. — É você?

Porra.

Num pânico completo, abro o armário de coquetéis, jogo dentro as duas pilhas de convites e giro sem fôlego enquanto Luke entra.

— Querida! — Todo o seu rosto se ilumina e ele larga a pasta no chão. — Você voltou! Senti saudade. — Ele me dá um abraço enorme. Depois recua e me olha ansioso. — Becky? Está tudo bem?

— Eu estou muito bem! — digo toda animada. — Honestamente, está tudo ótimo! Só estou cansada.

— Você parece exausta. Vou fazer um chá, e você pode contar tudo sobre Suze.

Ele sai da sala e eu desmorono debilmente no sofá.

Que diabo vou fazer agora?

The Pines
43 Elton Road
Oxshott
Surrey

MENSAGEM POR FAX

PARA BECKY BLOOM

DE MAMÃE

20 de março de 2002

Becky, meu amor, não quero preocupar você. Mas parece que aquela mulher perturbada da qual você falou conosco deu um passo além e chegou a imprimir convites! Tia Irene telefonou para a gente hoje e disse que recebeu um convite estranho pelo correio, para o Hotel Plaza, como você tinha dito. Parece que é tudo em bronze e bege, muito estranho, e nem parece um convite de casamento que se preze!

O melhor é ignorar essas pessoas, por isso eu disse para ela colocar direto no lixo e nem pensar a respeito. E você deve fazer o mesmo, querida. Mas eu achei que deveria dizer.

Muito amor, e a gente se fala em breve

Mamãe xxxxxxxxxxx

Finerman Wallstein
Advogados
Finerman House
Avenue of the Americas, 1398
Nova York, NY 10105

Srta. Rebecca Bloom
Apto. B
251 W 11th Street
Nova York
NY 10014

FATURA Nº 10956

3 de abril	Recebimento instruções para alterar seu testamento	$150
6 de abril	Recebimento mais instruções para alterar seu testamento	$150
11 de abril	Recebimento instruções para mais emendas em seu testamento	$150
17 de abril	Recebimento mais instruções para alterar seu testamento	$150
19 de abril	Recebimento instruções para mais emendas no seu testamento	$150
24 de abril	Recebimento mais instruções para alterar seu testamento	$150
30 de abril	Recebimento instruções para outras emendas em seu testamento	$150
Total:		**$1.050**

Gratos

QUATORZE

Tudo bem. A coisa realmente vital é manter um sentido de proporção. Quer dizer, vamos encarar os fatos, todo casamento tem um probleminha ou outro, não é? Não se pode esperar que todo o processo corra totalmente lubrificado. Acabei de comprar um livro novo, chamado *A noiva realista*, que estou achando muito reconfortante. Tem um capítulo enorme todo sobre dificuldades em casamentos, e diz: "Não importa o quanto o problema pareça intransponível, sempre haverá uma solução! Portanto, não se preocupe!"

E o exemplo que eles dão é de uma noiva que perde o sapato de cetim no caminho para a recepção. Não de uma noiva que marcou dois casamentos diferentes no mesmo dia em continentes separados, que está escondendo os convites num armário de coquetéis e descobriu que sua organizadora de casamento é uma pirada litigiosa.

Mas sabe? Tenho certeza que, em termos amplos, o princípio é o mesmo.

A outra coisa que está me mantendo sã é uma dica valiosíssima que eu recomendaria a toda futura noiva. De fato, estou surpresa por não terem mencionado em nenhuma das revistas para noivas. É manter uma garrafinha de vodca na bolsa e tomar um gole sempre que alguém fala do casamento.

Já estou de volta a Nova York há uma semana, e durante esse tempo falei com dezessete advogados diferentes para discutir o contrato com Robyn. Todos o examinaram cuidadosamente, disseram que ele é totalmente impecável e me aconselharam a ler todos os documentos antes de assinar.

De fato, isso não é totalmente verdadeiro. Um advogado disse: "Desculpe, moça, não há nada que possamos fazer", assim que mencionei que o contrato era com Robyn de Bendern. Outro disse: "Garota, você está encrencada", e desligou o telefone.

Mas não acredito que não haja uma saída. Como último recurso, mandei-o a Garson Low, o advogado mais caro de Manhattan. Li sobre ele na revista *People*, e a matéria dizia que ele tem a mente mais aguçada do mundo jurídico. Dizia que ele era capaz de achar um furo num pedaço de concreto e que é reverenciado por todo mundo. Por isso estou meio que pondo todas as esperanças nele — e, enquanto isso, tentando com todo o empenho agir normalmente e não desmoronar virando um trapo babão.

— Vou almoçar com Michael hoje — diz Luke, entrando na cozinha com duas caixas nos braços. — Parece que ele se adaptou muito bem ao apartamento novo.

Michael tomou a decisão e se mudou para Nova York, o que é fantástico para nós. Está trabalhando em meio expediente como consultor na Brandon Communications, e no resto do tempo, como falou, está "reivindicando sua vida". Passou a pintar e entrou para um grupo que faz caminhadas aceleradas no Central Park, e na última vez em que o vimos ele estava falando em fazer um curso de culinária italiana.

— Isso é fantástico! — digo.

— Ele disse que a gente devia fazer uma visita logo... — Luke me olha. — Becky, você está bem?

Abruptamente percebo que estou batucando um lápis com tanta força que está fazendo marcas na mesa da cozinha.

— Estou absolutamente ótima — digo, com um sorriso luminoso demais. — Por que não estaria?

Não falei uma palavra sobre nada com Luke. Em *A noiva realista* diz que o modo de impedir que seu noivo fique entediado com os detalhes do casamento é repassar para ele apenas o absolutamente necessário.

E, pensando bem, não acho que Luke precise saber de nada por enquanto.

— Mais dois presentes — diz ele. Em seguida larga as caixas na bancada e ri para mim. — Está ficando mais perto, não é?

— É! Está, sim! — Tento dar uma gargalhada, sem muito sucesso.

— Outra torradeira... desta vez da Bloomingdales. — Ele franze a testa. — Becky, exatamente quantas listas de casamento nós temos?

— Não sei. Algumas.

— Eu achava que o objetivo de uma lista era não terminarmos com sete torradeiras.

— Nós não ganhamos sete torradeiras! — Aponto a caixa. — Esse é um *grill para brioches*.

— E nós também temos... uma bolsa Gucci. — Ele levanta os olhos interrogativamente para mim. — Uma bolsa Gucci como presente de casamento?

— Isso é a bagagem dele e dela! — digo na defensiva. — Eu anotei uma pasta para você...

— Que ninguém comprou.

— Não é minha culpa! Eu não digo o que comprar!

Luke balança a cabeça, incrédulo.

— Você pôs sapatos Jimmy Choo para ele e para ela também?

— Alguém comprou os Jimmy Choo? — digo toda animada. E paro ao ver o rosto dele. — Eu estou... brincando. — Pigarreio. — Aqui. Olha o neném da Suze.

Eu mandei revelar três rolos de filme, principalmente de Suze e Ernie.

— Aqui é o Ernie no banho... — Aponto, entregando as fotos. — E aqui é o Ernie dormindo... e Suze dormindo... e Suze... espera um minuto... — Rapidamente separo as de Suze amamentando vestindo apenas uma calcinha. Na verdade ela comprou uma blusa especial para amamentação, num catálogo, que prometia "discrição e facilidade em casa e em público". Mas ficou tão irritada com o estúpido zíper escondido que a jogou fora depois de um dia. — E olha! Esse foi o dia em que nós o levamos para casa!

Luke se senta à mesa, e, enquanto olha as fotos, uma expressão estranha cobre seu rosto.

— Ela parece... numa felicidade suprema — diz ele.

— E está mesmo. Ela o adora. Mesmo quando ele grita.

— Os dois já parecem muito ligados. — Ele olha uma foto de Suze rindo enquanto Ernie agarra seu cabelo.

— Ah, eles estão. Mesmo quando eu estava quase vindo embora, ele gritava se eu tentasse tirá-lo dela.

Olho para Luke, sentindo-me tocada. Ele está completamente hipnotizado pelas fotos. O que na verdade me surpreende. Nunca pensei que ele gostasse particularmente de bebês. Quer dizer, a maioria dos homens, se você entrega um monte de fotos de nenéns...

— Eu não tenho nenhuma foto de quando era neném — diz ele, chegando a uma foto de Ernie particularmente pacífico, dormindo em cima de Suze.

— Não? Ah, bem...

— Minha mãe levou todas.

Seu rosto está ilegível, e uma pequena campainha de alarme começa a tocar dentro da minha cabeça.

— Verdade? — digo casualmente. — Bem, de qualquer modo...

— Talvez ela quisesse ficar com elas.

— É — digo em dúvida. — Talvez sim.

Ah, meu Deus. Eu deveria ter percebido que essas fotos fariam Luke pensar de novo na mãe.

Não sei bem o que aconteceu entre os dois enquanto eu estava longe. Só sei que Luke acabou conseguindo falar com ela na clínica. E parece que ela deu alguma explicação estropiada para o motivo de a matéria de jornal não falar dele. Alguma coisa sobre o jornalista não estar interessado.

Não sei se Luke acreditou. Não sei se perdoou ou não. Para ser honesta, não creio que *ele* saiba. De vez em quanto ele fica inexpressivo e recolhido, e dá pra ver que está pensando nisso.

Parte de mim quer dizer: "Olha, Luke, esqueça! Ela é uma vaca sem tamanho e não ama você, e você vai estar melhor sem ela."

Mas então me lembro de uma coisa que sua madrasta Annabel disse, quando tivemos aquele papo, há tantos meses. Enquanto estávamos nos despedindo, ela falou:

— Por mais que seja difícil acreditar, Luke precisa de Elinor.

— Não, não precisa! — respondi, indignada. — Ele tem você, ele tem o pai, ele me tem...

Mas Annabel balançou a cabeça.

— Você não entende. Ele sentia um desejo de estar com Elinor desde que era criança. Isso o levou a trabalhar tanto, isso o mandou para os Estados Unidos; faz parte de quem ele é agora. Como uma trepadeira enrolada numa árvore. — E então ela me deu um olhar muito penetrante e disse: — Tenha cuidado, Becky. Não tente arrancá-la da vida dele. Porque você vai fazer mal a ele também.

Como ela leu minha mente? Como sabia que eu estava exatamente visualizando a mim, Elinor e um machado...

Observo Luke, e ele está olhando fixo, hipnotizado, para uma foto de Suze beijando a barriguinha de Ernie.

— De qualquer modo! — digo toda animada, pegando as fotos e enfiando de volta nos envelopes. — Sabe, o elo é igualmente grande entre Tarquin e Ernie. Quer dizer, o amor de um pai é tão importante quanto o da mãe. Especialmente hoje em dia. De fato, algumas vezes eu acho que o amor materno é superestimado...

Ah, não adianta. Luke nem está ouvindo.

O telefone toca, e ele não se mexe, por isso entro na sala para atender.

— Alô?

— Alô. É Rebecca Bloom? — diz uma voz estranha, de homem.

— É, sim — digo, notando um novo catálogo da Pottery Barn na mesa. Talvez eu deva fazer uma lista lá também. — Quem é?

— Garson Low, da Low and Associates.

Todo o meu corpo se imobiliza. O próprio Garson Low? Ligando para minha casa?

— Desculpe estar ligando tão cedo — diz ele.

— Não! De jeito nenhum! — digo, voltando à vida, e rapidamente chutando a porta para Luke não ouvir. — Obrigada por ter ligado!

Graças a Deus. Ele deve achar que eu tenho alguma saída. Deve querer me ajudar a me livrar de Robyn. Provavelmente nós vamos abrir um novo campo na história jurídica, ou algo do tipo, e ficar parados do lado de fora do tribunal enquanto câmeras espocam e vai ser que nem *Erin Brockovich*!

— Recebi sua carta ontem — diz Garson Low. — E fiquei intrigado com o seu dilema. Você se meteu numa tremenda enrascada.

— Eu sei — digo. — Por isso procurei o senhor.

— Seu noivo sabe da situação?

— Ainda não. — Baixo a voz. — Espero encontrar uma solução antes. E depois contar a ele. O senhor entende, Sr. Low.

— Certamente.

Isso é ótimo. Nós temos um entendimento e coisa e tal.

— Nesse caso — diz Garson Low —, vamos ao que interessa.

— Sem dúvida! — concordo, sentindo um jorro de alívio. Veja só, é isso que a gente consegue quando consulta o advogado mais caro de Manhattan. Obtém resultados rápidos.

— Em primeiro lugar, o contrato foi redigido com muita inteligência — diz Garson Low.

— Certo. — Confirmo com a cabeça.

— Há algumas cláusulas extremamente engenhosas, cobrindo todas as eventualidades.

— Sei.

— Eu o examinei detalhadamente. Pelo que posso ver, não há como você se casar na Inglaterra sem incorrer na penalidade.

— Certo — assinto cheia de expectativa.

Há um curto silêncio.

— Então... onde está o furo? — pergunto por fim.

— Não há furo. Esses são os fatos.

— O quê? — Encaro o telefone, confusa. — Mas... foi para isso que o senhor ligou, não foi? Para dizer que encontrou um furo. Para dizer que nós poderíamos vencer!

— Não, Srta. Bloom. Liguei para dizer que, se fosse a senhorita, começaria a fazer os arranjos para cancelar seu casamento na Inglaterra.

Sinto uma pontada de choque.

— Mas... mas eu não posso. Esse é o ponto. Minha mãe mandou reformar a casa e tudo. Isso vai matá-la.

— Então acho que a senhorita terá de pagar a Eventos Matrimoniais Inc, a penalidade integral.

— Mas... — Minha garganta está apertada. — Eu também não posso fazer isso. Não tenho cem mil dólares! Deve haver outro modo!

— Acho...

— Deve haver alguma solução brilhante! — Empurro o cabelo para trás, tentando não entrar em pânico. — Anda! O senhor supostamente é a pessoa mais inteligente dos Estados Unidos ou sei lá o quê! Deve ser capaz de pensar numa saída!

— Srta. Bloom, deixe-me esclarecer. Eu examinei isso de todos os ângulos, e não existe solução brilhante. Não há saída. — Garson Low suspira. — Posso lhe dar três pequenos conselhos?

— Quais? — digo, com uma fagulha de esperança.

— O primeiro é nunca assinar nenhum documento sem primeiro ler.

— Eu sei disso! — grito, antes de me controlar. — De que adianta todo mundo ficar me dizendo isso agora?

— O segundo, e eu recomendo isso enfaticamente, é contar ao seu noivo.

— E qual é o terceiro?

— Esperar o melhor.

É isso que um advogado de um milhão de dólares pode sugerir? Conte ao seu noivo e espere o melhor? Porcaria de advogado estúpido... caro... completamente inútil...

Tudo bem, fique calma. Eu sou mais inteligente do que

ele. Posso pensar em alguma coisa. Sei que posso. Simplesmente *sei* que...

Espera aí.

Vou andando casualmente até a cozinha, onde Luke está olhando pensativo para o espaço.

— Oi — digo, passando a mão pelas costas de sua cadeira. — Ei, Luke. Você tem um monte de dinheiro, não tem?

— Não.

— O que quer dizer com não? — pergunto, ligeiramente afrontada. — Claro que tem!

— Eu tenho ativos. Tenho uma empresa. Isso não é necessariamente o mesmo que dinheiro.

— Tanto faz. — Balanço a mão impaciente. — E nós vamos nos casar. Você sabe. "E todos os vossos bens terrenos", e coisa e tal. Então de certo modo... — Faço uma pausa cautelosa. — Ele é meu também.

— Éééé. Isso vai dar em algum lugar?

— Então... se eu pedisse um dinheiro a você, você daria?

— Acho que sim. Quanto?

— É... cem mil dólares — digo, tentando parecer casual.

Luke levanta a cabeça.

— Cem mil dólares?

— É! Quer dizer, na verdade não é tanto dinheiro assim...

Luke suspira.

— Certo, Becky. O que você viu? Porque, se é outro casaco de couro feito a mão...

— Não é um casaco! É uma... uma surpresa.

— Uma surpresa de cem mil dólares.

— É — digo depois de uma pausa. Mas nem eu me acho tão convincente assim.

Talvez não seja uma solução brilhante, afinal de contas.

— Becky, cem mil dólares *é* tanto assim. É um monte de dinheiro!

— Eu sei. Eu sei. Olha... tudo bem... não faz mal. — E saio correndo antes que ele possa me interrogar mais.

Tudo bem. Esqueça os advogados. Esqueça o dinheiro. Tem de haver outra solução para isso. Eu só preciso pensar lateralmente.

Quer dizer, nós poderíamos simplesmente fugir. Casar numa praia, trocar de nome e nunca mais ver nossas famílias de novo.

Não, é isso: eu vou ao casamento em Oxshott. E Luke vai ao casamento de Nova York. E cada um de nós diz que foi abandonado no altar... e então nos encontramos em segredo...

Não! Descobri! A gente contrata substitutos! Gênio!

Estou subindo a escada rolante para o trabalho quando essa idéia aparece. E estou tão empolgada que quase esqueço de sair no final. É isso. Vamos contratar sósias e eles fazem o nosso papel no casamento do Plaza, e ninguém vai notar. Puxa, todos os convidados lá vão ser amigos de Elinor. Pessoas que Luke e eu mal conhecemos. Nós poderíamos fazer com que a sósia da noiva usasse um véu bem grosso... e o sósia de Luke poderia dizer que cortou o rosto se barbeando, e usar um curativo enorme... e, enquanto isso, nós teríamos viajado de volta à Inglaterra...

— Cuidado, Becky! — diz Christina com um sorriso, e eu ergo os olhos, espantada. Meu Deus, eu ia dar de cara com um manequim. — Pensando no casamento? — acrescenta ela, enquanto entro no departamento de compras pessoais.

— Isso mesmo — digo, animada.

— Sabe, você está parecendo tão mais relaxada esses dias — diz Christina, aprovando. — Sua folga obviamente lhe fez um tremendo bem. Ver sua mãe... dar um tempo em casa...

— É, foi... fantástico!

— Acho admirável o modo como você está tão tranqüila. — Christina toma um gole de café. — Você mal falou do casamento com alguma de nós desde que voltou! De fato, quase parece que você está evitando o assunto!

— Eu não estou evitando! — digo, com o sorriso fixo. — Por que faria isso?

Quero minha vodca. Minha mão está se esgueirando para a bolsa. Tenho de impedi-la.

— Algumas noivas fazem tanto estardalhaço por causa do casamento! Quase deixam que ele tome conta da vida. Mas você parece estar com tudo sob controle...

— Sem dúvida! — digo, ainda mais animada. — Se me der licença, vou me preparar para minha primeira cliente...

— Ah, eu tive de mudar seus horários — diz Christina enquanto abro a porta da minha sala. — Você vai ter uma cliente nova às dez horas. Amy Forrester.

— Ótimo! Obrigada!

Fecho a porta depois de entrar, afundo na minha poltrona, pego minha garrafinha de Smirnoff e tomo um gole.

Assim está melhor.

Bom, será que eu tenho tempo de ligar para uma agência de sósias antes da chegada de Amy Forrester?

Certo, pensando bem, talvez eu devesse ter pensado antes de ligar.

E talvez devesse ter percebido que seria meio improvável que eu me parecesse com alguma das sósias na Agência de Sósias de Celebridades "Astros Como Quiser".

Mas devo dizer que eles foram bem gentis. Disseram que eu poderia mandar uma foto e que eles olhariam nos livros. Depois, quando perceberam meu sotaque inglês, perguntaram se, quem sabe, eu não me parecia com Elizabeth Hurley, porque eles tinham uma sósia muito boa dela.

É, certo.

Mesmo assim. Nunca se sabe. Vou mandar uma foto, só para o caso de... Talvez eu seja como uma gêmea idêntica de alguém da vizinhança, ou sei lá.

— Não gosto de amarelo nem de laranja. — A voz de Amy Forrester ainda está arengando. — E quando digo rebuscado, não quero dizer rebuscado *demais*. Só meio formal... mas sensual. Sabe o que eu quero dizer? — Ela estala o chiclete de bola e me olha cheia de expectativa.

— É... sim! — digo, sem ter a mínima idéia do que ela está falando. Meu Deus, nem consigo lembrar o que ela quer. Qual é, Becky. Concentre-se. — Só para recapitular, você está querendo... um vestido de noite? — arrisco, rabiscando no meu caderno.

— Ou um terninho. Tanto faz. Eu praticamente posso usar qualquer coisa. — Amy Forrester se olha com satisfação no espelho, e eu lhe dou uma sub-reptícia Olhada de Manhattan, observando seu top lilás justo e a calça colante turquesa. Ela parece um modelo num anúncio ruim para equipamento de ginástica. O mesmo cabelo louro mal cortado e tudo o mais.

— Você tem um corpo magnífico! — digo, percebendo um pouco tarde demais que ela está esperando elogio.

— Obrigada! Eu me esforço ao máximo.

Com a ajuda de Rolabanha! Basta rolar que a banha...

— Eu já comprei meu guarda-roupa de férias. — Ela estala o chiclete de novo. — Mas então meu namorado disse: por que não compra mais umas coisinhas? Ele adora me bajular. É um homem maravilhoso. E então... Você tem alguma idéia?

— Sim — digo, finalmente me obrigando a me concentrar. — Sim, tenho. Vou pegar umas peças que acho que podem cair bem em você.

Saio e começo a juntar vestidos. Gradualmente, enquanto vou de uma arara a outra, começo a relaxar. É um alívio me concentrar em outra coisa; pensar em outra coisa que não em casamentos...

— Oi, Becky! — diz Erin, passando com a Sra. Zaleskie, uma de suas clientes regulares. — Ei, eu estava acabando de falar com Christina, nós temos de planejar a sua despedida de solteira!

Ah, meu Deus.

— Sabe, minha filha trabalha no Plaza — intervém a Sra. Zaleskie. — Ela disse que *todo mundo* está falando do seu casamento.

— É mesmo? — digo, depois de uma pausa. — Bem, na verdade não é grande coisa...

— Não é grande coisa? Está brincando? Todos os funcionários estão brigando para saber quem vai servir! Todos querem ver a floresta encantada! — Ela me olha através dos óculos. — É verdade que você vai ter uma orquestra de cordas, um DJ *e* uma banda com dez músicos?

— Hmm... é.

— Minhas amigas estão com *tanto* ciúme porque eu vou! — diz Erin, com o rosto todo iluminado. — Elas ficam tipo: você tem de mostrar as fotos depois! Nós vamos poder tirar fotos, não é?

— Eu... não sei. Acho que sim.

— Você deve estar empolgada — diz a Sra. Zaleskie. — É uma garota de sorte.

— Eu... eu sei.

Não suporto isso. Quero minha vodca de novo.

— Tenho de ir — murmuro, e corro de volta para o departamento de compras pessoais.

Não posso vencer. Independentemente do que faça. De qualquer modo vou deixar um monte de gente na pior.

Quando Amy se espreme no primeiro vestido, fico parada, olhando com expressão vazia para o chão, o coração batendo forte. Já estive encrencada antes. Já fui estúpida antes. Mas nunca neste nível. Nunca numa coisa tão grande, tão cara, tão importante...

— Eu gosto deste — diz Amy, olhando-se criticamente. — Mas tem decote suficiente?

— Hmm... — Olho para ela. É um vestido de chiffon preto, cortado praticamente até o umbigo. — Eu *acho* que sim. Mas a gente pode fazer uma alteração...

— Ah, eu não tenho tempo para isso! — diz Amy. — Só estou em Nova York por mais um dia. Vamos sair de férias amanhã, e depois vamos nos mudar para Atlanta. Por isso eu saí para fazer compras. Eles estão desmontando o apartamento, e isso está me deixando maluca.

— Sei — digo, distraída.

— Meu namorado adora meu corpo — diz ela toda presunçosa, enquanto sai do vestido de chiffon preto. — Mas a mulher dele nunca se preocupou com a aparência. Ex-mulher, quer dizer. Eles estão se divorciando.

— Certo — digo educadamente, entregando-lhe um vestido de cetim branco e prata.

— Não acredito que ele ficou com ela durante tanto tempo. Ela é uma bruxa completamente ciumenta. Eu vou ter de tomar uma atitude jurídica! — Amy entra no vestido de cetim. — Quero dizer, por que ela teria o direito de me impedir de buscar meu prazer? É uma coisa tão egoísta! Sabe, ela me atacou fisicamente na rua! Bem na Madison!

Madison. Isso parece familiar. Ergo a cabeça, com o cérebro começando a trabalhar.

— Então ela... bateu em você?

— Ah, meu Deus, bateu! Ela quase arrancou meu olho! As pessoas estavam olhando, e ela ficou fazendo um monte de acusações... Acho que algumas vezes essas mulheres que só se preocupam com a carreira ficam meio piradas quando chegam aos quarenta. Pode fechar o zíper para mim?

Não pode ser a mesma garota. Quer dizer, qual é, deve haver pelo menos mil amantes louras em Nova York que foram atacadas na avenida Madison pela furibunda ex-mulher do namorado.

— Como... como foi mesmo que você disse que era o nome do seu namorado? — digo casualmente.

— William. — Seus lábios se enrolam cheios de escárnio. — *Ela* chamava ele de Bill.

Ah, meu Deus.

É. É a estagiária loura. Bem aqui na minha frente.

Certo. Só... continue sorrindo. Não a deixe saber que você suspeita de alguma coisa.

Mas por dentro estou quente de ultraje. *Esta* é a mulher por quem Laurel foi posta de lado? Essa cabeça-oca estúpida e cafona?

— É por isso que nós vamos nos mudar para Atlanta — diz Amy, examinando seu reflexo com complacência. — Queremos começar uma vida nova juntos, por isso William pediu para ser transferido pela firma. Você sabe, discretamente. Não queremos a bruxa velha nos perseguindo. — Ela franze a testa. — Bom, eu gostei mais deste.

Ela se curva mais e eu congelo. Espera aí. Ela está usando um pingente. Um pingente com uma... aquela pedra verde é uma *esmeralda*?

— Amy, eu tenho de dar um telefonema — digo casualmente. — Fique experimentando os vestidos!

E saio da sala.

Quando finalmente consigo falar com o escritório de Laurel, sua secretária Gina diz que ela está numa reunião com a American Airlines e não pode ser perturbada.

— Por favor — digo. — Tire-a de lá. É importante.

— A American Airlines também é. Você vai ter de esperar.

— Mas você não entende! É realmente crucial!

— Becky, um novo comprimento de saia da Prada não é crucial — diz Gina meio cansada. — Não no mundo do aluguel de aviões.

— Não são roupas! — digo indignada. Então hesito um segundo, imaginando o quanto Laurel confia em Gina. — É Amy Forrester — digo finalmente, em voz baixa. — Sabe o que eu quero dizer?

— Sim, sei — diz Gina numa voz que me faz pensar que ela sabe mais ainda do que eu. — O que é que tem?

— Eu estou com ela.

— Você *está* com ela? O que você...

— Ela está na minha sala de provas agora mesmo! — Olho para trás, para me certificar de que ninguém está ouvindo. — Gina, ela está usando um pingente com uma esmeralda! Tenho certeza que é o da avó de Laurel! O que a polícia não conseguiu achar, sabe?

Há uma longa pausa.

— Certo — diz Gina finalmente. — Vou tirar Laurel da reunião. Ela na certa irá aí imediatamente. Só não deixe que... *ela* saia.

— Não vou deixar. Obrigada, Gina.

Desligo o telefone e fico imóvel um momento, pensando. Então volto à sala de provas, tentando parecer o mais natural possível.

— Então! — digo lépida ao entrar. — Vamos voltar a experimentar vestidos! E lembre-se, Amy, demore o quanto quiser com cada um. Quanto quiser. Podemos levar o dia inteiro, se for preciso...

— Eu não preciso experimentar mais nenhum — diz

Amy, girando num vestido vermelho de lantejoulas. — Vou ficar com este.

— O quê? — digo inexpressiva.

— É fantástico! Olha, serve perfeitamente. — Ela dá um pequeno giro, admirando-se no espelho.

— Mas nós nem começamos!

— E daí? Já tomei minha decisão. Quero este. — Ela olha o seu relógio. — Além disso, estou meio com pressa. Pode abrir o zíper, por favor?

— Amy... — Forço um sorriso. — Eu realmente acho que você deveria experimentar mais alguns antes de tomar uma decisão.

— Não preciso experimentar outros! Você tem um olho muito bom.

— Não, não tenho! Ele está terrível! — digo sem pensar. E ela me dá um olhar estranho. — Quer dizer... havia um lindo vestido cor-de-rosa em que eu queria ver você... — Pego o cabide. — Só imagine este no seu corpo! Ou... ou este de alça no pescoço...

Amy Forrester me dá um olhar impaciente.

— Vou levar este. Por favor, me ajuda a tirar?

Ah, meu Deus. O que posso fazer? Não posso *obrigá-la* a ficar.

Olho disfarçadamente para o relógio. O escritório de Laurel fica somente a um ou dois quarteirões. Ela deve chegar a qualquer minuto.

— Por favor, me ajuda a tirar? — repete ela, a voz ficando mais dura.

— Sim! — digo ruborizada. — Tudo certo!

Pego o zíper do vestido de cetim e começo a puxar para baixo. Então tenho uma idéia súbita.

— Na verdade — digo —, na verdade vai ser mais fácil tirar se eu puxar por cima da sua cabeça.

— Certo — diz Amy Forrester, impaciente. — Tanto faz.

Abro o zíper só mais um pouquinho, puxo o vestido pelos quadris e passo por cima da cabeça.

Ah! Ela está presa! O tecido vermelho e rígido cobre seu rosto completamente, mas o resto dela está vestido apenas com a roupa de baixo e os saltos altos. Parece uma Barbie cruzada com um embrulho de natal.

— Ei, ficou preso. — Ela balança um dos braços inutilmente, mas ele está preso à cabeça pelo vestido.

— Verdade? — exclamo inocentemente. — Minha nossa, às vezes isso acontece.

— Bom, me tira daqui! — Amy dá dois passos, e eu recuo nervosamente para que ela não agarre meu braço. Sinto-me com seis anos de idade brincando de cabra-cega numa festa de aniversário. — Onde você está? — diz uma foz furiosa e abafada. — Me tira daqui!

— Só estou... tentando... — Cautelosamente dou um leve puxão no vestido. — Está preso mesmo — digo em tom de desculpas. — Talvez se você se dobrar e se sacudir um pouco...

Anda, Laurel. Depressa! Abro minha sala de provas e dou uma rápida olhada para fora. Nada.

— Certo! Estou conseguindo alguma coisa!

Ergo os olhos e sinto uma pontada de consternação. A mão de Amy surgiu de repente do nada, e de algum modo ela conseguiu segurar o zíper com duas unhas pintadas.

— Pode me ajudar a puxar o zíper para baixo?

— Hmm... posso tentar...

Seguro o zíper e começo a puxá-lo na direção oposta.

— Está preso! Estou tentando abrir...

— Espera um pouco. — A voz dela está subitamente cheia de suspeitas. — Para que lado você está puxando?

— É... para o mesmo que você...

— Oi, Laurel — ouço Christina dizendo, surpresa. — Você está bem? Você marcou hora?

— Não. Mas acho que Becky tem alguma coisa para mim...

— Aqui! — digo correndo até a porta e olhando para fora.

E ali está Laurel, com as bochechas vermelhas de animação, usando sua nova saia Michael Kors com um blazer azul-marinho — que parece completamente errado.

Quantas vezes disse a ela? No duro, bem que eu deveria dar mais umas incertas nas minhas clientes. Quem pode saber o que elas usam lá fora?

— Aqui está ela — digo apontando para aquela coisa híbrida de Barbie e embrulho de natal, que ainda está às voltas com o zíper do vestido.

— Tudo bem — diz Laurel, entrando na sala de provas. — Deixa ela comigo.

— O quê? Quem é? — A cabeça de Amy se levanta bruscamente, desorientada, ao som da voz de Laurel. — Ah, meu Deus. Não. É...?

— Sim — diz Laurel, fechando a porta. — Sou eu.

Fico parada na frente da porta, tentando ignorar as vozes altas vindo da minha sala. Depois de uns minutos Christina sai de sua sala e me olha.

— Becky, o que está acontecendo?

— É... Laurel encontrou uma conhecida. Pensei em dar alguma privacidade a elas. — Um som oco vem da sala e eu tusso alto. — Acho que elas estão... batendo um papo.

— Batendo um papo... — Christina me dá um olhar duro.

— É! Batendo um papo!

A porta se abre subitamente, e Laurel sai com um punhado de chaves na mão.

— Becky, preciso fazer uma visitinha ao apartamento de Amy, e ela gostaria de ficar aqui até eu voltar. Não é mesmo, Amy?

Olho para a sala de provas atrás de Laurel. Amy está sentada no canto, de roupa de baixo, completamente em choque. Ela assente em silêncio.

Enquanto Laurel se afasta, Christina me lança um olhar incrédulo.

— Becky...

— E então! — digo rapidamente a Amy, em meu melhor estilo funcionária da Barneys. — Enquanto esperamos, não gostaria de experimentar mais uns vestidos?

Quarenta minutos depois Laurel volta, o rosto luzindo.

— Pegou o resto? — digo, ansiosa.

— Peguei tudo.

Christina, do outro lado do departamento, ergue os olhos e depois desvia o olhar de novo. Ela disse que o único modo de não me demitir pelo que acaba de acontecer é não tomar conhecimento do assunto.

Então, basicamente concordamos que ela não sabe.

— Aqui está — Laurel joga as chaves para Amy. — Agora pode ir. Dê lembranças ao Bill. Ele merece você.

Sem dizer nada, Amy, agora totalmente vestida, salta de pé.

— Espera — diz Laurel. — Você agradeceu a Becky?

— Eu... é... — Amy olha nervosamente para Laurel. — Obrigada, Becky.

— Tudo bem — digo sem jeito.

Enquanto Amy se afasta quase correndo em direção à escada rolante, Laurel passa um braço em volta de mim.

— Becky, você é um anjo — diz calorosamente. — Nem posso começar a pagar o que lhe devo. Mas, o que quer que você queira, é seu.

— Não seja boba! — digo imediatamente. — Só quis ajudar.

— Estou falando sério!

— Laurel...

— Eu insisto. É só dizer, e vai estar lá a tempo para o casamento.

Meu casamento.

É como se alguém escancarasse uma janela e o ar frio entrasse violentamente.

Com toda a empolgação e a urgência, eu tinha conseguido esquecer brevemente dele. Mas agora tudo volta se empilhando na minha cabeça.

Meus dois casamentos. Meus dois fiascos.

Como dois trens viajando na minha direção. Cada vez mais rápido, chegando mais perto mesmo quando não estou olhando para eles. Ganhando ímpeto a cada minuto. Se eu conseguir me desviar de um, vou ser atropelada pelo outro.

Olho o rosto quente e aberto de Laurel, e tudo que quero é desmoronar contra ela e chorar.

— Resolva minha vida para mim!

— O que você quiser — diz Laurel de novo e aperta meus ombros.

Enquanto volto lentamente para a sala de provas, toda a adrenalina se foi. Sinto uma ansiedade familiar, exaustiva, arrastando-se sobre mim. Outro dia se passou, e nem por isso fiquei mais perto de uma solução brilhante. Não tenho idéia do que vou fazer. E estou começando a ficar sem tempo.

Talvez a verdade seja que não posso resolver isso sozinha, penso, afundando pesada na minha poltrona. Talvez precise de ajuda. Caminhões de resgate dos bombeiros e equipes da SWAT.

Ou talvez só o Luke.

QUINZE

Quando chego em casa estou surpreendentemente calma. De fato, quase sinto um alívio. Tentei tudo — e agora cheguei ao fim da linha. Não há nada que possa fazer além de confessar a Luke. Ele vai ficar chocado. Com raiva também. Mas pelo menos vai saber.

Parei num bar no caminho, tomei duas bebidas e pensei muito cuidadosamente em como ia contar. Porque, como todo mundo sabe, tudo está na apresentação. Quando o presidente vai aumentar os impostos, ele não diz: "Vou aumentar os impostos." Mas sim: "Todo cidadão americano sabe o valor da educação." Por isso anotei um discurso, meio como a Declaração à Nação, e memorizei palavra por palavra, com trechos para interjeições da parte de Luke. (Ou aplauso. Mas isso é meio improvável.) Enquanto me ativer ao texto e ninguém levantar a questão da política em Uganda, vamos estar bem.

Minhas pernas tremem ligeiramente quando subo a escada até o nosso apartamento, mesmo que Luke ainda não esteja de volta; terei tempo de me preparar. Mas quando abro a porta, levo um susto: ali está ele, sentado à mesa com uma pilha de papéis.

Certo, Becky, anda. Senhoras e senhores do Congresso. Cidadãos e cidadãs. Fecho a porta, pego minhas anotações e respiro fundo.

— Luke — começo, numa voz grave, adulta. — Tenho uma coisa a lhe dizer sobre o casamento. É um problema bastante sério, sem solução fácil. Se houver uma solução, será uma solução que só poderei alcançar com a sua ajuda. Por isso estou lhe dizendo isso agora e pedindo que você me escute de mente aberta.

Até aqui tudo bem. Na verdade, estou bastante orgulhosa dessa parte. O "me escute de mente aberta" foi especialmente inspirado, porque significa que ele não pode gritar comigo.

— Para explicar minha complicada situação atual — continuo —, devo recuar um pouco no tempo. Ao início. Com isso não quero dizer a criação da Terra. Nem mesmo o Big Bang. Mas o chá no Claridges.

Paro — mas Luke ainda está em silêncio, ouvindo. Talvez isso vá correr bem.

— Foi lá, no Claridges, que meu problema começou. Recebi uma tarefa impossível. Eu era, se você quiser, aquela deusa grega tendo de escolher entre as três maçãs. Só que havia apenas duas, e não eram maçãs. — Paro significativamente. — Eram casamentos.

E agora, por fim, Luke gira na cadeira. Seus olhos estão injetados e há uma expressão estranha em seu rosto. Enquanto ele me olha, sinto um tremor de apreensão.

— Becky — diz ele, como num esforço gigantesco.

— Sim? — Engulo em seco.

— Você acha que minha mãe me ama de verdade?

— O quê? — digo abalada.

— Fale honestamente. Você acha que minha mãe me ama?

Espera aí. Será que ele ouviu ao menos uma palavra do que eu falei?

— É... claro que acho! — digo. — E, por falar em mães, isto, é, de certo modo, onde está meu problema originalmente.

— Fui um idiota. — Luke pega o seu copo e toma um gole do que parece ser uísque. — Ela só esteve me usando, não é?

Encaro-o confusa — então noto a garrafa pela metade, na mesa. Há quanto tempo ele está sentado aqui? Olho seu rosto de novo, tenso e vulnerável, e engulo algumas das coisas que eu poderia dizer sobre Elinor.

— Claro que ela ama você! — Largo meu discurso e vou até ele. — Tenho certeza que sim. Quer dizer, dá pra ver, pelo modo como ela... é... — Paro debilmente.

O que eu deveria dizer? Pelo modo como ela usa seus funcionários sem recompensa nem agradecimento. Pelo modo como ela apronta para cima de você e depois vai para a Suíça.

— O que... por que você... — digo hesitante. — Aconteceu alguma coisa?

— É tão estúpido. — Ele balança a cabeça. — Descobri uma coisa hoje cedo. — Ele respira fundo. — Fui ao apartamento dela pegar uns papéis para a Fundação. E não sei por que, talvez tenha sido depois de ver aquelas fotos de Suze e Ernie de manhã. — Ele levanta a cabeça. — Mas eu me peguei no escritório dela procurando fotos antigas. Fotos minhas na infância. De nós. Não sei realmente o que eu estava procurando. Qualquer coisa, acho.

— Você achou alguma coisa?

Luke sinaliza para os papéis que cobrem a mesa e olho perplexa para um.

— O que é isso?

— São cartas. Do meu pai. Cartas que ele escreveu para minha mãe depois de se separarem, há quinze, vinte anos. Implorando que ela fosse me ver. — Sua voz é vazia, e eu o olho cautelosamente.

— O que quer dizer?

— Quero dizer que ele implorava a ela para me visitar — diz Luke em voz chapada. — Ele se oferecia para pagar as contas de hotel. Se oferecia para me acompanhar. Pediu um monte de vezes... e eu nunca soube. — Ele pega duas folhas e me entrega. — Olhe, leia você mesma.

Tentando esconder o choque, começo a examiná-las, captando frases aqui e ali.

Luke é tão desesperado para ver a mãe... não pode entender sua atitude...

— Essas cartas explicam muita coisa. Afinal de contas, o novo marido dela não era contra ela me levar. De fato, ele parece um sujeito bastante decente. Ele concordava com o meu pai, que eu deveria vir visitá-la. Mas ela não estava interessada. — Ele dá de ombros. — Por que estaria, não é?

... um menino inteligente e amoroso... deixando escapar uma oportunidade maravilhosa...

— Luke, isso é... terrível — digo inadequadamente.

— O pior é que eu costumava pegar pesado com os meus pais. Quando era adolescente. Eu costumava culpar os dois.

Tenho uma visão súbita de Annabel e seu rosto caloroso e gentil; do pai de Luke, escrevendo aquelas cartas em segredo — e sinto uma pontada de ultraje em relação a Elinor. Ela não merece Luke. Ela não merece nenhuma família.

Há um silêncio, a não ser pela chuva tamborilando lá fora. Aperto a mão de Luke, tentando injetar o máximo de amor e calor que consigo.

— Luke, tenho certeza que seus pais entendiam. E... — Engulo todas as coisas que realmente quero dizer sobre Elinor. — E tenho certeza que Elinor queria que você estivesse presente. Quer dizer, talvez fosse difícil para ela na época, ou... ou talvez ela ficasse fora durante muito tempo...

— Há uma coisa que eu nunca contei a você — me interrompe Luke. — Nem a ninguém. — Ele levanta a cabeça. — Só vim ver minha mãe quando tinha quatorze anos.

— O quê? — Encaro-o, pasma. — Mas pensei que você tinha dito que nunca...

— Houve uma viagem da escola a Nova York. Fiz tudo para estar nela. Mamãe e papai eram contra, obviamente, mas no fim cederam. Disseram que minha mãe estava fora da cidade, que, se não fosse isso, claro, ela adoraria me ver.

Luke pega a garrafa de uísque e se serve de mais uma dose.

— Eu não podia evitar, tinha de tentar vê-la. Só para o caso de eles estarem errados. — Ele olha em frente, passando o dedo pela borda do copo. — Então... perto do fim da viagem nós tivemos um dia livre. Todo mundo foi ao Empire State. Mas eu escapei. Eu tinha o endereço dela, e só fui e fiquei sentado do lado de fora do prédio. Não era o prédio atual, era outro, mais acima, na Park Avenue. Sentei-me num degrau e as pessoas ficavam olhando enquanto passavam, mas eu não me importava.

Ele toma um gole da bebida, e eu o encaro de volta, rígida. Não ouso emitir um som. Mal ouso respirar.

— Então, por volta do meio-dia, uma mulher saiu. Tinha cabelo escuro e um casaco lindo. Eu conhecia o rosto pelas fotos. Era minha mãe. — Ele ficou quieto alguns segundos. — Eu... eu me levantei. Ela ergueu os olhos e me viu. Me olhou por menos de cinco segundos. Depois se virou. Foi como se não tivesse me visto. Entrou num táxi e foi embora. E foi só isso. — Ele fecha os olhos brevemente. — Eu nem tive a chance de dar um passo.

— O que... o que você fez? — digo hesitante.

— Fui embora. E andei pela cidade. E me persuadi de que ela não tinha me reconhecido. Foi o que disse a mim mesmo. Que ela não tinha idéia de como eu era; de que não podia ter sabido que era eu.

— Bem, talvez fosse verdade! — digo, ansiosa. — Como é que ela iria...

Fico quieta quando ele pega uma carta aérea azul desbotada, com alguma coisa presa em cima com um clipe.

— Esta é a carta que meu pai escreveu a ela para dizer que eu estava indo. — Ele levanta o papel e eu sinto um pequeno choque. — E este sou eu.

Estou olhando os olhos de um adolescente. Um Luke de quatorze anos. Está usando uniforme de escola, tem um corte de cabelo terrível; de fato, mal dá para reconhecer. Mas aqueles são seus olhos escuros, olhando o mundo com uma mistura de determinação e esperança.

Não há nada que eu possa dizer. Enquanto olho seu rosto magro e desajeitado, sinto vontade de chorar.

— Você estava certa o tempo todo, Becky. Vim a Nova York para impressionar minha mãe. Queria que ela parasse no meio da rua, se virasse e... e olhasse... e sentisse orgulho...

— Ela tem orgulho de você!

— Não tem. — Ele me dá um meio sorriso. — Eu deveria desistir.

— Não! — digo um pouco tarde demais. Pego o braço de Luke, sentindo-me completamente desamparada. Completamente abrigada e mimada, em comparação. Cresci sabendo que mamãe e papai me achavam a melhor coisa em todo o mundo; sabendo que eles me amavam, e sempre amariam, independentemente do que eu fizesse. E desde então tenho esse calor de segurança me rodeando.

— Desculpe — diz Luke finalmente. — Fui muito fundo com isso. Vamos esquecer. O que você queria falar?

— Nada — respondo imediatamente. — Não importa. Pode esperar.

De repente o casamento parece estar a milhões de quilômetros de distância. Amasso minhas anotações numa bola apertada e jogo no lixo. Depois olho a sala atulhada em volta. Cartas espalhadas na mesa, presentes de casamento empilhados no canto, parafernália em toda parte. É impossível escapar de sua própria vida quando você mora num apartamento em Manhattan.

— Vamos sair para comer — digo, levantando-me abruptamente. — E assistir a um filme ou alguma coisa assim.

— Não estou com fome.

— Esse não é o ponto. Este lugar está... atulhado demais. — Pego a mão de Luke e puxo-a. — Venha, vamos sair daqui. E esquecer tudo. Tudo.

Saímos e andamos de braços dados até o cinema, e nos perdemos num filme sobre a Máfia. Quando terminou, andamos uns dois quarteirões até um restaurante pequeno e quente que conhecemos, e pedimos vinho tinto e risoto.

Não falamos de Elinor nem uma vez. Em vez disso conversamos sobre a infância de Luke em Devon. Ele me fala de piqueniques na praia, e de uma casa na árvore que seu pai construiu para ele no jardim, e de como sua irmã por parte de pai, Zoe, mais nova, sempre aparecia com todas as amigas e o deixava louco. Depois fala de Annabel. De como ela sempre foi fantástica com ele, e de como ela é gentil com todo mundo; e de como ele nunca sentiu que ela o amava menos do que amava Zoe, que era realmente filha dela.

E então falamos, hesitantes, sobre assuntos em que jamais tocamos. Tipo ter filhos. Luke quer ter três. Eu quero... bem, depois de ter assistido o parto de Suze, acho que não quero nenhum, mas não digo isso. Concordo quando ele diz "ou talvez até quatro" e imagino se eu poderia fingir que estou grávida e adotar os filhos secretamente.

No fim da noite acho que Luke está muito melhor. Andamos para casa, caímos na cama e dormimos imediatamente. Durante a noite eu meio que acordo de tempos em tempos e acho que vejo Luke parado perto da janela, olhando para a noite. Mas logo caio no sono de novo antes de ter certeza.

Acordo na manhã seguinte com a boca seca e dor de cabeça. Luke já se levantou e posso ouvir barulhos na cozinha, de modo que talvez ele esteja me fazendo um belo café da manhã. Eu gostaria de um pouco de café, e talvez umas torradas. E depois...

Meu estômago dá uma cambalhota nervosa. Tenho de agarrar o touro pelos chifres. Tenho de contar a ele sobre os dois casamentos.

Ontem à noite foi ontem à noite. Claro que na hora eu não podia fazer nada a respeito. Mas agora é de manhã e não posso esperar mais. Sei que é um momento terrível, sei que é a última coisa que ele quer ouvir agora. Mas simplesmente tenho de dizer.

Posso escutá-lo vindo pelo corredor e respiro fundo, tentando controlar os nervos.

— Luke, escute — digo quando a porta se abre. — Sei que é um mau momento. Mas realmente preciso falar com você. Temos um problema.

— O que é? — diz Robyn entrando no quarto. — Nada a ver com o casamento, espero! — Ela está usando um conjunto azul-pólvora, sapatos baixos de couro e carregando uma bandeja com coisas do café da manhã. — Aí está, querida. Um café para acordar você!

Estou sonhando? O que Robyn está fazendo no meu quarto?

— Só vou pegar os bolinhos — diz ela toda animada e desaparece do quarto. Afundo debilmente no travesseiro, com a cabeça martelando, tentando deduzir o que ela pode estar fazendo aqui.

De repente o filme de ontem à noite, sobre a Máfia, salta na minha mente e eu sinto uma pontada de terror. Ah, meu Deus. É óbvio.

Ela descobriu sobre o outro casamento — e veio me assassinar.

Robyn reaparece passando pela porta, com um cesto de bolinhos, e sorri enquanto o coloca na bandeja. Eu a encaro de volta, hipnotizada.

— Robyn! — digo rouca. — Eu... não esperava ver você. Não é meio... cedo?

— Quando se trata de minhas clientes, não existe isso de cedo demais — diz Robyn, piscando o olho. — Estou ao seu dispor dia e noite. — Ela se senta na poltrona perto da cama e me serve uma xícara de café.

— Mas como entrou?

— Arrombei a fechadura. Brincadeirinha! Luke estava saindo e me deixou entrar.

Ah, meu Deus. Estou sozinha no apartamento com ela. Estou numa armadilha.

— Luke já foi trabalhar?

— Não sei se ele foi trabalhar. — Robyn faz uma pausa, pensativa. — Parecia mais que ia correr.

— Correr?

Luke não corre nunca.

— Agora, beba o seu café. E depois vou lhe mostrar o que você estava esperando. O que todas estávamos esperando. — Ela olha o relógio. — Tenho de ir em vinte minutos, lembre-se!

Encaro-a perplexa.

— Becky, você está bem? Você se *lembra* de que nós temos um compromisso?

Pouco a pouco lembranças começam a se filtrar na minha mente, como uma sombra através de gaze. Robyn. Encontro para o café da manhã. Ah, sim.

Por que concordei num encontro para o café da manhã?

— Claro que lembro! — digo finalmente. — Só estou meio... você sabe, de ressaca.

— Não precisa explicar! — diz Robyn animada. — Você precisa é de um suco de laranja fresco. E um bom café da manhã. Digo a mesma coisa a todas as minhas noivas: você precisa se cuidar! Não há sentido em passar fome e depois desmaiar no altar. Coma um bolinho. — Ela remexe na bolsa. — E olha! Finalmente!

Olho inexpressiva para o pedaço de material prata brilhante que ela está segurando.

— O que é?

— O tecido para as almofadas! — diz Robyn. — Mandado especialmente da China. O que deu um problemão com a alfândega! Você não pode ter esquecido, não é?

— Ah! Não, claro que não! — digo às pressas. — É, ele é... bonito. Realmente lindo.

— Bom, Becky, há outra coisa. — Robyn põe o tecido de lado e ergue os olhos com uma expressão séria. — A verdade é que... eu estou ficando meio preocupada.

Sinto um novo espasmo de nervosismo e tomo um gole de café para esconder.

— Verdade? Com o que... você está preocupada?

— Não recebemos uma única resposta dos seus convidados da Inglaterra. Não é estranho?

Por um momento não consigo falar.

— Hmm... é. — Consigo dizer finalmente. — Muito.

— A não ser os pais de Luke, que aceitaram há um tempo. Claro que eles estavam na lista de convidados de Elinor, de modo que receberam o convite um pouco mais cedo, mas mesmo assim... — Ela pega minha xícara de café e toma um gole. — Hum. Isso é bom. Mesmo sendo eu que digo! Bom, não quero acusar ninguém de ter maus modos. Mas precisamos começar a ter alguns números. De modo que está bem se eu der alguns telefonemas discretos para a Inglaterra? Tenho todos os números de telefone no meu banco de dados.

— Não! — digo me sentando empertigada subitamente. — Não ligue para ninguém! Quer dizer... você vai ter as respostas, prometo.

— Só que é estranho! Não ter nenhuma notícia... Todos eles receberam os convites, não foi?

— Claro que receberam! Tenho certeza que foi só uma distração. — Começo a dobrar o tecido entre o indicador e o polegar. — Você vai receber algumas respostas dentro de uma semana. Eu posso... garantir.

— Bem, eu espero mesmo! Porque o tempo está correndo! Só temos quatro semanas!

— Eu sei! — digo esganiçada, e tomo outro gole de café, desejando desesperadamente que fosse vodca.

Quatro semanas.

Ah, meu Deus.

— Quer mais um pouco de café, querida? — Robyn se levanta, depois se curva. — O que é isso? — diz ela com interesse, pegando um pedaço de papel caído no chão. — Um menu?

Ergo os olhos. E meu coração pára. Ela está com um dos faxes de mamãe.

O menu do outro casamento.

Tudo está ali mesmo, debaixo da cama. Se ela começar a olhar...

— Não é nada! — digo, tirando da mão dela. — Só... é... o menu de... uma festa...

— Você vai dar uma festa?

— Nós... estamos pensando.

— Bem, se quiser alguma ajuda no planejamento, é só dizer! — Robyn baixa a voz, confidencialmente. — E quer uma dicazinha? — Ela sinaliza para o menu de mamãe. — Acho que você vai concordar que fios de ovos é meio *passé*.

— Certo. É... obrigada.

Preciso tirar essa mulher daqui. Imediatamente. Antes que ela descubra mais alguma coisa.

Abruptamente jogo os lençóis para longe e pulo da cama.

— Na verdade, Robyn, eu ainda não estou me sentindo muito bem. Será que a gente não podia... remarcar o resto dessa reunião?

— Entendo. — Ela dá um tapinha no meu ombro. — Vou deixar você em paz.

— A propósito — digo em tom casual quando chegamos à porta da frente. — Eu só estava pensando... Sabe aquela cláusula de penalidade financeira do nosso contrato?

— Sim! — Robyn abre um sorriso.

— Só por curiosidade. — Dou uma pequena gargalhada. — Alguma vez você já cobrou?

— Ah, só algumas vezes. — Robyn faz uma pausa, lembrando. — Uma garota idiota tentou fugir para a Polônia... mas nós acabamos encontrando-a... Vejo você, Becky!

— Vejo você! — digo, imitando seu tom animado, e fecho a porta com o coração martelando forte.

Ela vai me pegar. É apenas questão de tempo.

Assim que chego ao trabalho, ligo para o escritório de Luke e falo com a secretária dele, Julia.

— Oi — digo. — Posso falar com Luke?

— Luke ligou dizendo que estava doente — diz Julia, parecendo surpresa. — Você não sabia?

Encaro o telefone, pasma. Luke dizendo que está doente? Cacete. Talvez a ressaca dele tenha sido pior do que a minha.

Merda, e eu nem disse meu nome.

— Ah, certo — digo rapidamente. — É! Agora que você falou... claro que eu sabia! Na verdade ele está péssimo. Teve uma febre horrível. E o... é... estômago. Eu só tinha esquecido, só isso.

— Bem, deseje a ele as melhoras, da parte de todos nós.

— Vou desejar!

Quando desligo o telefone, percebo que devo ter exagerado um pouquinho. Quer dizer, ninguém vai demitir Luke, vai? Afinal de contas, a empresa é dele.

De fato eu estou *satisfeita* por ele tirar um dia de folga.

Mas mesmo assim. Luke ficando doente. Ele nunca fica doente.

E nunca corre. O que está acontecendo?

Depois do trabalho eu deveria tomar uma bebida com Erin, mas peço desculpa e corro para casa. Quando entro, o apartamento está escuro, e por um instante acho que Luke não voltou. Mas então o vejo, sentado à mesa no escuro, usando calça de moletom e um suéter velho.

Finalmente. Temos a noite para nós. Certo. É isso. Finalmente vou contar tudo.

— Oi — digo, sentando-me numa cadeira ao lado dele. — Está se sentindo melhor? Liguei para o seu trabalho e disseram que você estava doente.

Há um silêncio.

— Eu não estava com cabeça para ir trabalhar — diz Luke finalmente.

— O que fez o dia inteiro? Foi correr mesmo?

— Fui dar uma longa caminhada. E pensei. Pensei um bocado.

— Em... sua mãe? — digo, hesitante.

— É. Em minha mãe. Num monte de coisas também — Ele se vira pela primeira vez e, para minha surpresa, vejo que não fez a barba. Hmm. Na verdade, gosto um bocado dele barbado.

— Mas você está legal?

— Essa é a questão — diz ele depois de uma pausa. — Estou?

— Você provavelmente só bebeu um pouquinho demais ontem à noite. — Tiro o casaco, organizando as palavras. — Luke, escuta. Há uma coisa realmente importante que eu preciso contar a você. Eu já estou adiando há semanas...

— Becky, você já pensou a disposição das ruas de Manhattan? — diz Luke, me interrompendo. — Pensou *realmente*?

— É... não — digo, momentaneamente travada. — Não posso dizer que pensei.

— É como... uma metáfora da vida. Você acha que tem liberdade para andar aonde quer. Mas de fato... — Ele desenha uma linha com o dedo na mesa. — Você está rigidamente controlado. Para cima ou para baixo. Para a esquerda ou para a direita. Nada no meio. Não há outras opções.

— Certo — digo, depois de uma pausa. — Sem dúvida. O negócio, Luke...

— A vida deveria ser um espaço aberto, Becky. A gente deveria poder andar em qualquer direção que quisesse.

— Acho que...

— Hoje eu andei de uma ponta à outra da ilha.

— Verdade? — Encaro-o. — É... por quê?

— Num determinado ponto eu olhei para cima e estava

rodeado de prédios de escritórios. A luz do sol ricocheteava no vidro das janelas. Refletida para trás e para a frente.

— Parece legal — digo de modo inadequado.

— Você entende o que estou dizendo? — Ele me fixa com um olhar intenso, e de repente noto as sombras roxas sob seus olhos. Meu Deus, ele parece exausto. — A luz entra em Manhattan... e fica presa. Presa em seu próprio mundo, ricocheteando para trás e para a frente, sem saída.

— Bem... é, acho que sim. Só que... algumas vezes chove, não é?

— E as pessoas são a mesma coisa.

— São?

— Este é o mundo em que estamos vivendo agora. Refletindo a si mesmo. Obcecado consigo mesmo. Sem sentido. Veja aquele cara no hospital. Trinta e três anos, e teve um ataque cardíaco. E se ele morresse? Teria tido uma vida plena?

— É...

— *Eu* tive uma vida plena? Seja honesta, Becky. Olhe para mim e diga.

— Bem... hmm... claro que teve!

— Besteira. — Ele pega um press release da Brandon Communications que está ali perto e olha. — É isso que tem sido minha vida. Informações sem sentido. — Para meu choque, ele começa a rasgar o papel. — Umas porras de informações sem sentido.

De repente percebo que ele está rasgando o extrato de nossa conta conjunta também.

— Luke! Esse é o extrato da nossa conta!

— E daí? O que importa? São somente números sem sentido. Quem se incomoda com isso?

— Mas... mas...

Alguma coisa está errada aqui.

— O que importa? — Ele espalha os pedaços de papel no chão, e eu me obrigo a não me curvar e pegá-los. — Becky, você está muito certa.

— *Eu* estou certa? — digo alarmada.

Alguma coisa está muito errada aqui.

— Nós todos somos muito impulsionados pelo materialismo. Obcecados com o sucesso. Com o dinheiro. Com tentar impressionar pessoas que nunca vão ser impressionadas, independentemente do que você... — Ele pára, meio ofegante. — Mas é a humanidade que importa. Nós *deveríamos* conhecer os sem-teto. *Deveríamos* conhecer camponeses bolivianos.

— Bem... é — digo depois de uma pausa. — Mas mesmo assim...

— Uma coisa que você disse há um tempo está girando e girando na minha cabeça o dia inteiro. E agora não posso esquecer.

— O que é? — digo nervosamente.

— Você disse... — Ele faz uma pausa, como se tentasse encontrar as palavras certas. — Você disse que nós estamos neste planeta por muito pouco tempo. E que no fim o que é mais importante? Saber que alguns números estão batendo ou saber que você foi a pessoa que queria ser?

Encaro-o boquiaberta.

— Mas... mas isso foi só uma coisa que eu inventei! Eu não estava falando *sério*...

— Eu não sou a pessoa que quero ser, Becky. Acho que nunca fui a pessoa que eu queria ser. Eu usava antolhos. Estava obcecado por todas as coisas erradas...

— Qual é! — digo apertando suas mãos de modo encorajador. — Você é Luke Brandon! Você é bem-sucedido, bonito e rico...

— Não sou a pessoa que eu deveria ter me tornado. O problema é que não sei quem essa pessoa é. Não sei quem eu quero ser... o que quero fazer da vida... que caminho quero tomar... — Ele se curva para a frente e enterra a cabeça nas mãos. — Becky, eu preciso de algumas respostas.

Não acredito. Luke está tendo uma crise de meia-idade.

SECOND UNION BANK
300 WALL STREET
NOVA YORK NY 10005

Srta. Rebecca Bloom
Apto. B
251 W 11th Street
Nova York
NY 10014

23 de maio de 2002

Obrigado por sua carta de 21 de maio. Fico feliz por você estar começando a pensar em mim como amigo, e, em resposta à sua pergunta, meu aniversário é 31 de outubro.

Também admito que casamentos são coisas caras. Mas infelizmente não posso estender seu limite de crédito de $5.000 para $105.000 no momento.

Em vez disso posso lhe oferecer um aumento de limite para $6.000, e espero que isso ajude um pouco.

Sinceramente

Walt Pitman
Gerente de Atendimento ao Cliente

ASTROS COMO QUISER

AGÊNCIA DE SÓSIAS DE CELEBRIDADES
152 WEST 24TH STREET
NOVA YORK NY 10011

Srta. Rebecca Bloom
Apto. B
251 W 11th Street
Nova York
NY 10014

28 de maio de 2002

Cara Rebecca

Obrigado por sua carta e pelas fotos. Sinto dizer que não conseguimos encontrar um sósia para você nem para seu noivo. Também devo dizer que a maioria de nossos clientes não estaria disposta a se casar com outro cliente, mesmo por uma "gorjeta gorda", como você disse.

Mas há exceções, e isso é só para dizer que nosso sósia de Al Gore estaria preparado para se casar com nossa sósia de Charlene Tilton, se o preço for bom.

Por favor, diga se isso for de alguma ajuda.

Sinceramente

Candy Blumenkrantz
Diretora

49 Drakeford Road
Potters Bar
Hertfordshire

27 de maio de 2002

O Sr. Malcolm Bloom agradece muito à Sra. Elinor Sherman pelo gentil convite para o casamento de Becky e Luke no Plaza no dia 22 de junho. Infelizmente ele precisa recusar, porque quebrou a perna.

The Oaks
41 Elton Road
Oxshott
Surrey

27 de maio de 2002

O Sr. e a Sra. Martin Webster agradecem muito à Sra. Elinor Sherman por seu gentil convite para o casamento de Becky e Luke no Plaza em 22 de junho. Infelizmente eles devem recusar, já que ambos contraíram febre glandular.

9 Foxtrot Way
Reigate
Surrey

27 de maio de 2002

O Sr. e a Sra. Tom Webster agradecem muito à Sra. Elinor Sherman por seu gentil convite para o casamento de Becky e Luke no Plaza em 22 de junho. Infelizmente eles devem recusar, já que seu cachorro acaba de morrer.

Dezesseis

Isso já nem é mais uma piada. Luke não vai ao trabalho há mais de uma semana. E não se barbeou. Fica saindo e andando Deus sabe por onde e só volta para casa de madrugada, geralmente bêbado. E ontem ao chegar do trabalho descobri que ele tinha dado os sapatos a uma pessoa na rua.

Sinto-me completamente desamparada. Nada que faço parece funcionar. Tentei preparar para ele nutritivas tigelas de sopa feita em casa. (Pelo menos na caixa diz que são nutritivas e feitas em casa.) Tentei fazer amor caloroso e terno com ele. O que foi fantástico. Mas não mudou nada. Depois ele continuava o mesmo, todo pensativo e olhando para o espaço.

A coisa que mais tentei foi ficar sentada conversando com ele. Algumas vezes realmente acho que estou chegando a algum lugar. Mas então ele reverte para a depressão ou diz "de que adianta?", e sai de novo. O verdadeiro problema é que nada que ele diz parece estar fazendo sentido. Num minuto ele fala que quer largar a empresa e entrar para a política, que é lá que está seu coração, e que nunca deveria ter se vendido. (Política? Ele nunca falou em política antes.) No momento seguinte está dizendo que tudo que sempre quis foi ser pai, vamos ter seis filhos e ele vai ficar em casa e ser marido doméstico.

Enquanto isso sua secretária fica telefonando todo dia para saber se Luke melhorou, e cu estou tendo de inventar detalhes cada vez mais sinistros. Neste momento ele praticamente contraiu a peste negra.

Estou tão desesperada que telefonei ontem para Michael e ele prometeu dar um pulinho aqui para ver se pode fazer alguma coisa. Se alguém puder ajudar, é Michael.

E quanto ao casamento...

Sinto-me doente toda vez em que penso nele. Faltam três semanas. Ainda não arranjei uma solução.

Mamãe me telefona todas as manhãs e, não sei como, eu falo de modo perfeitamente normal com ela. Robyn me liga todas as tardes e, não sei como, eu falo de modo perfeitamente normal com ela. Até fiz uma piada recentemente dizendo que talvez não aparecesse na hora. Nós rimos, e Robyn brincou: "Eu processo você!" E eu consegui não soluçar histericamente.

Parece que estou em queda livre. Mergulhando para o chão sem pára-quedas.

Não sei o que vou fazer. Parece que caí numa área totalmente nova, para além do pânico normal, para além das soluções normais. Será necessário um milagre para me salvar.

E é basicamente nisso que estou pondo minhas esperanças agora. Acendi cinqüenta velas para São Tomás e mais cinqüenta para São Patrick, coloquei um pedido no quadro de orações da sinagoga da rua 65, e dei flores à deusa hindu Ganesh. Além disso, um grupo de pessoas em Ohio que encontrei pela Internet está rezando intensamente por mim.

Pelo menos eles estão rezando para que eu encontre a felicidade depois de minha luta contra o alcoolismo. Não consegui me obrigar a explicar toda a história dos dois casamentos ao padre Gilbert, especialmente depois de ter lido seu sermão sobre como a mentira é tão dolorosa para o Senhor quanto o Diabo arrancar os olhos dos justos. Por isso fui de alcoolismo, porque eles já tinham uma página sobre isso. (E puxa, estou tomando três vodcas miniaturas por dia, de modo que já estou praticamente lá.)

Não há folga. Eu nem posso relaxar em casa. O apartamento parece estar se fechando sobre mim. Há presentes em enormes caixas de papelão cercando cada cômodo. Mamãe manda uns cinqüenta faxes por dia, Robyn começou a aparecer sempre que tem vontade, e há uma seleção de véus e grinaldas na sala de estar, que a Dream Dress mandou sem que eu nem mesmo pedisse.

— Becky? — Levanto os olhos do meu café da manhã e vejo Danny entrando na cozinha. — A porta estava aberta. Não foi trabalhar?

— Tirei o dia de folga.

— Sei. — Ele pega um pedaço de torrada de canela e dá uma mordida. — Então, como vai o paciente?

— Muito engraçado.

— Sério. — Por um momento Danny parece genuinamente preocupado, e eu me sinto um pouco menos eriçada. — Luke já saiu dessa?

— Na verdade, não — admito, e os olhos dele se iluminam.

— Então há mais alguma roupa indo embora?

— Não! — digo indignada. — Não há. E não pense que pode ficar com aquele par de sapatos!

— O Prada novo em folha? Você deve estar brincando! Ele é meu. Luke me deu. Se ele não quer mais...

— Ele quer. Vai querer. Ele só... está meio estressado no momento. Todo mundo fica estressado! Não significa que você pode pegar os sapatos dele!

— Todo mundo fica estressado. Nem todo mundo dá notas de cem dólares para estranhos.

— Verdade? — Ergo os olhos, ansiosa. — Ele fez isso?

— Eu vi no metrô. Tinha um cara cabeludo, com um violão... Luke foi até ele e deu um maço de dinheiro. O cara nem estava pedindo. Na verdade, ele ficou bem ofendido.

— Ah, meu Deus...

— Sabe qual é a minha teoria? Ele precisa de uma lua-de-mel longa e relaxante. Aonde vocês vão?

Ah, não. Para a queda livre de novo. A lua-de-mel. Eu nem marquei ainda. Como é que posso? Nem sei de que porcaria de aeroporto a gente vai estar saindo.

— Nós vamos... é uma surpresa — digo finalmente. — Vamos anunciar no dia.

— Então, o que você está cozinhando? — Danny olha para o fogão, onde uma panela borbulha. — Gravetos? Hum, gostoso.

— São ervas chinesas. Para o estresse. A gente ferve e depois bebe o líquido.

— Você acha que vai conseguir fazer com que Luke tome isso? — Danny mexe o caldo.

— Não é para Luke. É para mim!

— Para você? O que você tem para se estressar?

A campainha toca e Danny estende a mão e aperta o botão de entrada sem ao menos perguntar quem é.

— Danny!

— Está esperando alguém? — diz ele enquanto põe o fone de volta.

— Ah, só aquele assassino em série que anda me seguindo — digo sarcasticamente.

— Legal. — Danny dá mais uma mordida na torrada de canela. — Eu sempre quis ver alguém ser assassinado.

Há uma batida na porta e eu vou atender.

— Se fosse você, eu vestiria alguma coisa mais chique —

diz Danny. — O tribunal vai ver fotos suas nessa roupa. Você vai querer estar nos trinques.

Abro a porta, esperando mais um entregador. Mas é Michael, usando um agasalho de caxemira amarelo e com um grande sorriso. Meu coração se anima, aliviado, só de vê-lo.

— Michael! — exclamo, e lhe dou um abraço. — Muito obrigada por ter vindo.

— Sem problema. Eu teria vindo antes se soubesse. — Michael levanta as sobrancelhas. — Estive ontem no escritório da Brandon Communications e ouvi dizer que Luke estava doente. Mas não fazia idéia...

— É. Bem, eu realmente não andei espalhando a notícia. Achei que ele iria ficar bom em um ou dois dias.

— Então Luke está aqui? — Michael olha para dentro do apartamento.

— Não. Saiu cedo. Não sei para onde. — Dou de ombros, desamparada.

— Diga que eu o amo, quando ele voltar — diz Danny saindo pela porta. — E lembre-se, estou no primeiro lugar da fila para o sobretudo Ralph Lauren dele.

Faço um bule de café (descafeinado — é só o que Michael pode tomar hoje em dia) e mexo as ervas em dúvida, depois atravessamos os entulhos na sala de estar até o sofá.

— Então — diz ele, tirando uma pilha de revistas e sentando-se. — Luke parece meio tenso. — Ele olha enquanto eu sirvo o leite com a mão trêmula. — Pelo jeito, você também.

— Eu estou legal — digo rapidamente. — É o Luke. Ele mudou completamente, da noite para o dia. Num minuto ele estava bem, no outro ficou todo tipo "Eu preciso de respostas", "Qual é o sentido da vida?" e "Para onde é que nós vamos?" Ele está deprimido demais e não vai ao trabalho... simplesmente não sei o que fazer.

— Sabe, eu previa isso há um tempo — diz Michael, pegando seu café. — Esse seu homem pega muito pesado no trabalho. Sempre pegou. Qualquer um que trabalhe nesse ritmo por tanto tempo... — Ele dá de ombros, tristonho, e dá um tapinha no peito. — Eu sei. Alguma coisa acaba estourando.

— Não é só o trabalho. É... tudo. — Mordo o lábio, sem jeito. — Acho que ele ficou mais afetado do que percebeu quando você teve... o negócio cardíaco.

— Episódio.

— Exato. Vocês dois tinham brigado... foi um tremendo choque. Fez com que ele começasse a pensar em... não sei, na vida e coisa e tal. E então houve o negócio com a mãe dele.

— Ah. — Michael assente. — Eu sabia que Luke ficou perturbado com aquela matéria no *New York Times*. É compreensível...

— Isso não é nada! A coisa ficou muito pior depois disso...

Explico a história de Luke ter achado as cartas do pai, e Michael se encolhe visivelmente.

— Certo — diz ele, mexendo o café pensativamente. — Agora tudo faz sentido. A mãe dele tem sido a força impulsionadora de muita coisa que ele conseguiu. Acho que to dos avaliamos isso.

— É como se... de repente ele não soubesse por que está fazendo o que está fazendo. Por isso desistiu de fazer. Ele não vai ao trabalho, não fala sobre isso. Elinor ainda está na Suíça, os colegas dele ficam ligando para saber como ele está, e eu não quero dizer: "Luke não pode atender, ele está tendo uma crise de meia-idade agora mesmo..."

— Não se preocupe. Eu vou ao escritório hoje. Posso inventar alguma história sobre umas férias. Gary Shepherd pode assumir o controle por um tempo. Ele é muito capaz.

— Mas ele vai ser legal? — Olho Michael cheia de medo. — Ele não vai sacanear o Luke?

Na última vez em que Luke afastou os olhos da empresa por mais de três minutos, Alicia Vaca Billington tentou roubar todos os clientes dele e sabotar todo o empreendimento. Foi quase o fim da Brandon Communications.

— Gary vai ser ótimo — diz Michael, tranqüilizando-me. — E eu não estou fazendo muita coisa atualmente. Posso ficar de olho.

— Não! — digo horrorizada. — Você não deve trabalhar muito! Deve ir com calma.

— Becky, eu não estou inválido! — responde Michael com uma pontada de irritação. — Você é tão má quanto minha filha.

O telefone toca, e eu deixo a secretária atender.

— Então, como vão os preparativos do casamento? — diz Michael, olhando a sala em volta.

— Ah... ótimos! — Dou um sorriso luminoso. — Obrigada.

— Recebi um telefonema da organizadora falando sobre o jantar para o ensaio. Ela disse que seus pais não vão poder estar?

— Não — digo depois de uma pausa. — Não vão.

— Que pena. Que dia eles virão?

— É... — Tomo um gole de café, evitando o olhar dele. — Não sei o dia *exato*...

— Becky? — A voz de mamãe ressoa pela sala, saindo da secretária eletrônica, e eu dou um pulo, derramando café no sofá. — Becky, amor, eu preciso falar com você sobre a banda. Eles dizem que não podem tocar "Rock DJ" porque o baixista só sabe quatro acordes. Por isso mandaram uma lista das músicas que eles *podem* tocar. .

Ah, porra. Mergulho pela sala e pego o telefone.

— Mamãe! — digo ofegante. — Oi. Escute, eu estou no meio de uma coisa, posso ligar para você depois?

— Mas, amor, você precisa aprovar a lista de músicas! Eu lhe mando um fax, posso?

— Sim. Certo, faça isso.

Bato o fone e volto ao sofá, tentando parecer composta.

— Sua mãe está claramente envolvida nos preparativos do casamento — diz Michael com um sorriso.

— Ah, bem... é. Está.

O telefone começa a tocar de novo, e ignoro.

— Sabe, eu sempre quis perguntar. Ela não se importou por você estar se casando nos Estados Unidos?

— Não! — digo, torcendo os dedos num nó. — Por que iria se importar?

— Eu sei como as mães são com os casamentos...

— Desculpe, amor, só uma coisa rapidinha — diz a voz de mamãe de novo. — Janice estava perguntando: como você quer que os guardanapos sejam dobrados? Como chapéus de bispos ou cisnes?

Pego o telefone.

— Mamãe, escute. Eu estou com visita!

— Por favor, não se preocupe comigo — diz Michael no sofá. — Se é importante...

— Não é importante! Eu cago e ando para a forma dos guardanapos! Quer dizer, eles só vão parecer um cisne por uns dois segundos...

— Becky! — exclama mamãe, chocada. — Como você pode falar assim! Janice fez um curso de arranjo de guardanapos especialmente para o seu casamento! Custou quarenta e cinco libras a ela, e ela teve de levar o próprio lanche embrulhado...

O remorso se derrama sobre mim.

— Olha, mamãe, desculpe. Eu só estou um pouco preocupada. Vamos fazer... os chapéus de bispo. E diga a Janice que eu realmente agradeço toda a ajuda dela. — Desligo o telefone no momento em que a campainha toca.

— Janice é a organizadora do casamento? — diz Michael, interessado.

— Bem... não. Essa é a Robyn.

— Mensagem pra você! — cantarola o computador no canto da sala.

Isso está ficando demais.

— Com licença, eu tenho de atender à porta...

Abro a porta ofegante e vejo um entregador segurando uma enorme caixa de papelão.

— Pacote para Bloom — diz ele. — Muito frágil.

— Obrigada — digo, pegando sem jeito.

— Assine aqui, por favor... — Ele me entrega uma caneta, depois funga. — Tem alguma coisa queimando na sua cozinha?

Ah, porra. As ervas chinesas.

Entro correndo na cozinha e desligo o fogo, depois volto ao homem e pego a caneta. Agora posso ouvir o telefone tocando de novo. Por que todo mundo não pode me deixar em paz?

— E aqui...

Rabisco na linha do melhor modo possível, e o entregador olha cheio de suspeitas para a assinatura.

— O que diz aí?

— Bloom! Diz Bloom!

— Alô — posso ouvir Michael dizendo. — Não, aqui é o apartamento de Becky. Eu sou Michael Ellis, um amigo.

— Preciso que assine de novo, moça. Legível.

— É, eu sou o padrinho do Luke. Bem, olá! Estou ansioso para conhecê-la!

— Certo? — digo depois de praticamente esfaquear meu nome na folha. — Satisfeito?

— Anime-se! — diz o entregador, levantando as mãos enquanto se afasta lépido. Fecho a porta com o pé e cambaleio para a sala a tempo de ouvir Michael dizendo: — Ouvi falar dos planos da cerimônia. Parece bastante espetacular!

— *Com quem você está falando?* — murmuro.

— *Sua mãe* — Michael murmura de volta, com um sorriso.

Quase largo a caixa no chão.

— Tenho certeza que tudo vai correr muito bem no dia — diz Michael, em tom tranqüilizador. — Eu estava dizendo agora mesmo a Becky, realmente admiro o seu envolvimento com o casamento. Não deve ter sido fácil!

Não. Por favor, não.

— Bem — diz Michael, parecendo surpreso. — Eu só quero dizer que deve ter sido difícil. Com a senhora na Inglaterra... e Becky e Luke se casando no...

— Michael! — digo desesperadamente, e ele ergue os olhos, espantado. — Pára!

Ele põe a mão sobre o fone.

— Parar o quê?

— Minha mãe. Ela... ela não sabe.

— Não sabe o quê?

Encaro-o em agonia. Finalmente ele volta ao telefone.

— Sra. Bloom, eu tenho de ir. Há muita coisa acontecendo aqui. Mas foi ótimo falar com a senhora e... vejo-a no casamento. Tenho certeza. Sim, para a senhora também.

Ele desliga o telefone e há um silêncio apavorante.

— Becky, o que sua mãe não sabe? — diz ele finalmente.

— É... não importa.

— Tenho a sensação de que importa. — Ele me olha de um jeito astuto. — Tenho a sensação de que alguma coisa não está certa.

— Eu... não é nada. Verdade.

Paro ao som de um zumbido no canto. O fax de mamãe. Largo rapidamente a caixa no sofá e me lanço para a máquina de fax.

Mas Michael é rápido demais para mim. Ele tira a folha da máquina e começa a ler.

— "Lista de músicas para o casamento de Rebecca e Luke. Data: 22 de junho. Local: The Pines, Elton Road, 43... Oxshott..." — Ele ergue os olhos, franzindo a testa. — Becky, o que é isso? Você e Luke vão se casar no Plaza. Certo?

Não posso responder. O sangue bombeia na minha cabeça, quase me ensurdecendo.

— Certo? — repete Michael, com a voz ficando mais séria.

— Não sei — digo finalmente, numa voz minúscula.

— Como pode não saber onde vão se casar?

Ele examina o fax de novo. Posso ver a compreensão baixando lentamente.

— Jesus Cristo. — Ele ergue os olhos. — Sua mãe está organizando um casamento na Inglaterra, não é?

Encaro-o numa angústia muda. Isso é ainda pior do que Suze descobrindo. Quero dizer, Suze me conhece há muito tempo. Sabe como sou estúpida e sempre me perdoa. Mas Michael... Engulo em seco. Michael sempre me tratou com respeito. Uma vez disse que eu era inteligente e intuitiva. Até me ofereceu emprego em sua empresa. Não suporto que ele descubra a bagunça completa em que me meti.

— Sua mãe sabe *alguma coisa* sobre o Plaza?

Muito lentamente balanço a cabeça.

— A mãe de Luke sabe disso? — Ele bate no fax.

Balanço a cabeça de novo.

— Alguém sabe? *Luke* sabe?

— Ninguém sabe — digo, finalmente encontrando a voz. — E você tem de prometer que não vai contar a ninguém.

— Não *contar* a ninguém? Está brincando? — Ele balança a cabeça, incrédulo. — Becky, como deixou isso acontecer?

— Não sei. Não sei. Eu não *queria* que acontecesse...

— Você não queria enganar duas famílias inteiras? Para não mencionar os gastos, o esforço... Você percebe a encrenca em que se meteu?

— A coisa vai se resolver sozinha! — digo, desesperada.

— Como vai se resolver sozinha? Becky, isso não são dois jantares marcados para o mesmo momento! São centenas de pessoas!

— Ding-dong, ding-dong! — cantarola de repente meu relógio de contagem regressiva para o casamento, na estante. — Ding-dong, ding-dong! Só faltam vinte e dois dias para o Grande Dia!

— Cala a boca! — digo irritada.

— Ding-dong, ding...

— Cala a *boca*! — grito, e jogo-o no chão, onde o mostrador se despedaça.

— Vinte e dois dias? — diz Michael. — Becky, são apenas três semanas!

— Vou pensar em alguma coisa! Muita coisa pode acontecer em três semanas!

— Você vai pensar em alguma coisa? Essa é sua única resposta?

— Talvez aconteça um milagre!

Tento um sorrisinho, mas o rosto de Michael não reage.

Ele ainda parece com a mesma perplexidade. Com a mesma raiva.

Há uma dor súbita por dentro de mim. Não suporto Michael com raiva de mim. Minha cabeça está latejando e eu sinto lágrimas forçando caminho, quentes, nos olhos. Com mãos trêmulas pego a bolsa e estendo a mão para o casaco.

— O que vai fazer? — A voz dele endurece. — Becky, o que vai fazer?

Encaro-o, com a mente disparando febril. Preciso escapar. Deste apartamento, da minha vida, de toda essa confusão medonha. Preciso de um lugar de paz; um refúgio. Um lugar onde encontre conforto.

— Vou à Tiffany's — digo com um meio soluço e fecho a porta depois de sair.

Cinco segundos depois de ter entrado na Tiffany's já estou mais calma. O ritmo do coração começa a diminuir. Minha mente começa a girar menos freneticamente. Sinto-me aplacada, só de olhar as vitrines cheias de jóias brilhantes. Audrey Hepburn estava certa: nada de ruim pode acontecer na Tiffany's.

Vou até os fundos do primeiro andar, desviando-me dos turistas e olhando os colares de diamante. Há uma garota mais ou menos da minha idade experimentando um anel de noivado do tamanho de um soco-inglês, e quando vejo seu rosto empolgado sinto uma pontada dolorosa por dentro.

Parece que foi há um milhão de anos que Luke e eu ficamos noivos. Sinto-me uma pessoa diferente. Se ao menos pudesse rebobinar a fita! Meu Deus, se eu tivesse essa chance. Faria tudo diferente.

Mas não há sentido em me torturar pensando em como seria. Foi isso que eu fiz — e é assim que está.

Entro no elevador e subo ao terceiro andar. E quando saio, relaxo ainda mais. Isto é realmente outro mundo. É diferente até mesmo do térreo apinhado dos turistas. É como o céu.

Todo o andar é tranqüilo e espaçoso, com pratarias, louças e vidros em armários com tampos espelhados. É um mundo de luxo silencioso. Um mundo de gente brilhante e culta que não tem de se preocupar com nada. Posso ver uma garota imaculada, de azul-marinho, examinando um castiçal de vidro. Outra garota, tremendamente grávida, está olhando um chocalho de neném de prata esterlina. Ninguém tem problemas aqui. O único grande dilema que qualquer um enfrenta é saber se terá ouro ou platina na borda do serviço de jantar.

Enquanto ficar aqui estarei segura.

— Becky? É você?

Meu coração dá um ligeiro pulo e eu giro, vendo Eileen Morgan rindo para mim. Eileen me mostrou tudo quando eu registrei minha lista de casamento. É uma senhora idosa, com coque nos cabelos, e me lembra a professora de balé que eu tive quando era pequena.

— Oi, Eileen — digo. — Como vai?

— Bem. E tenho boas notícias para você!

— Boas notícias? — digo estupidamente.

Não me lembro da última vez em que tive uma boa notícia.

— Sua lista está indo muito bem.

— Verdade? — Mesmo sem querer, sinto a mesma pontada de orgulho que costumava experimentar quando a Srta. Phipps dizia que meus pliés estavam bons.

— Muito bem. De fato, eu estava pensando em lhe telefonar. Acho que chegou a hora... — Eileen faz uma pausa cheia de suspense — ... de escolher alguns itens maiores. Uma tigela de prata. Uma bandeja. Algum pote antigo.

Encaro-a ligeiramente incrédula. Em termos de listas de casamento, é como se ela dissesse que eu deveria tentar o concurso para o Royal Ballet.

— Você honestamente acha que eu tenho... cacife para isso?

— Becky, o desempenho da sua lista está sendo muito impressionante. Você está no nível de algumas de nossas noivas mais importantes.

— Eu... não sei o que dizer. Nunca pensei...

— Nunca se subestime! — diz Eileen com um sorriso caloroso e sinaliza para a loja em volta. — Olhe o quanto quiser e diga o que gostaria de acrescentar. Se precisar de alguma ajuda, sabe onde estou. — Ela aperta meu braço. — Muito bem, Becky.

Enquanto ela se afasta, sinto os olhos ardendo com lágrimas agradecidas. *Alguém* acha que não sou um desastre. *Alguém* não acha que arruinei tudo. Numa área, pelo menos, sou um sucesso.

Vou para o armário de antiguidades e olho para uma bandeja de prata, cheia de emoção. Não vou deixar Eileen na pior. Vou colocar na lista a melhor peça de antiguidade que puder. Vou colocar um bule de chá, um açucareiro...

— Rebecca.

— Sim? — digo, virando-me. — Ainda não decidi...

E então paro, com as palavras se encolhendo nos lábios. Não é Eileen.

É Alicia, a Vaca Pernalta.

Vinda do nada, como uma bruxa má. Está usando um conjunto cor-de-rosa e segurando uma sacola Tiffany, e a hostilidade solta fagulhas ao redor dela.

Logo quem.

— Então — diz ela. — Então, Becky. Imagino que esteja se sentindo muito satisfeita, não é?

— É... não. Na verdade, não.

— Srta. Noiva do Ano. Srta. Floresta Encantada de Merda.

Encaro-a perplexa. Sei que Alicia e eu não somos exatamente colegas — mas isso não é meio extremo?

— Alicia. O que há de errado?

— O que há de errado? — Sua voz se eleva aguda. — O que poderia haver de errado? Talvez o fato de que a organizadora do meu casamento me abandonou sem aviso. Talvez isso esteja me incomodando um pouco.

— O quê?

— E por que ela me abandonou? Para poder se concentrar em sua grande, importante cliente do casamento no Plaza. Sua extra-especial cliente que não poupa gastos, a Srta. Becky Bloom.

Encaro-a horrorizada.

— Alicia, eu não fazia idéia...

— Todo o meu casamento está indo por água abaixo. Não consegui outra organizadora. Ela falou mal de mim na cidade inteira. Parece que o boato é que eu sou "difícil". *Difícil*, porra! Os fornecedores não retornam meus telefonemas, meu vestido está curto demais, o florista é um idiota...

— Sinto muito — digo, desamparada. — Honestamente, não sabia disso...

— Ah, tenho certeza que não. Tenho certeza que você não estava soltando risinhos no escritório de Robyn enquanto ela dava o telefonema.

— Eu não estava! Eu não faria isso! Olha... tenho certeza que tudo vai dar certo. — Respiro fundo. — Para ser honesta, meu casamento também não está indo muito bem...

— Me poupe! Eu sei de tudo sobre o seu casamento. O mundo inteiro sabe. — Ela se vira nos calcanhares e sai pisando duro, e eu fico olhando, abalada.

Não arruinei somente o meu casamento, arruinei o de Alicia também. Quantas outras vidas eu baguncei? Quanto tumulto causei sem nem mesmo saber?

Tento levar a atenção de volta para o armário de antiguidades, mas estou me sentindo perturbada e nervosa. Certo, anda. Vamos escolher umas coisas. Isso pode me animar. Um coador de chá do século XIX. E um açucareiro com madrepérola incrustada. Quer dizer, isso sempre vai ser útil, não é?

E olha esse bule de prata. Só cinco mil dólares. Rabisco na minha lista, e então procuro para ver se há uma jarra de leite combinando. Um jovem casal de jeans e camiseta veio andando até o mesmo armário, e de repente percebo que eles estão olhando o mesmo bule.

— Olha só — diz a garota. — Um bule de chá de cinco mil dólares. O que alguém iria querer com isso?

— Você não gosta de chá — diz o namorado, rindo.

— Claro! Mas, puxa, se você tivesse cinco mil dólares, ia gastar num *bule de chá*?

— Quando eu tiver cinco mil dólares eu digo — diz o namorado. Os dois riem e saem andando, de mãos dadas, leves e felizes um com o outro.

E de repente, parada ali na frente do armário, eu me sinto ridícula. Como uma criança brincando com roupas de adulto. Para que eu quero um bule de chá que custa cinco mil dólares?

Não sei o que estou fazendo aqui. Não sei o que estou fazendo.

Eu quero Luke.

Isso me acerta como um maremoto, esmagando todo o resto. Levando para longe todo o entulho e a sujeira.

É só isso que eu quero. Luke normal e feliz de novo.

Nós dois felizes e normais. Tenho uma visão súbita de nós dois numa praia deserta em algum lugar. Olhando o pôr-do-sol. Sem bagagem, sem confusão. Só nós dois, juntos.

De algum modo perdi de vista o que realmente interessa em tudo isso, não é? Estive distraída com toda a espuma. O vestido, o bolo e os presentes. Quando tudo que importa é que Luke quer ficar comigo, e eu quero ficar com ele. Ah, meu Deus, eu tenho sido uma idiota estúpida...

Meu celular toca, e eu o procuro na bolsa, cheia de súbita esperança.

— Luke?

— Becky! Que diabo está acontecendo? — A voz de Suze guincha no meu ouvido tão ferozmente que quase largo o telefone, apavorada. — Acabei de receber um telefonema de Michael Ellis! Ele disse que você ainda vai se casar em Nova York! Bex, não acredito!

— Não grite comigo! Eu estou na Tiffany's!

— Que diabo você está fazendo na Tiffany's? Você deveria estar resolvendo essa confusão! Bex, você não vai se casar nos Estados Unidos! Isso mataria a sua mãe.

— Eu sei! Eu não vou! Pelo menos... — Passo a mão distraidamente pelos cabelos. — Ah, meu Deus, Suze. Você simplesmente não sabe o que está acontecendo. Luke está tendo uma crise de meia-idade... a organizadora do casamento ameaçou me processar... eu estou me sentindo completamente sozinha...

Para meu horror, meus olhos começam a se encher de lágrimas. Eu me esgueiro para trás do armário e me deixo afundar no chão atapetado, onde ninguém pode me ver.

— Eu estou com dois casamentos e não posso desmarcar nenhum dos dois! De qualquer modo as pessoas vão ficar furiosas comigo. De qualquer modo vai ser um desastre. Deveria ser o melhor dia da minha vida, Suze, e vai ser o pior. O pior de todos!

— Olha, Bex, não entre nessa — diz ela, amaciando um pouco. — Você já examinou todas as opções?

— Pensei em tudo. Pensei em cometer bigamia, pensei em contratar sósias...

— Não é má idéia — diz Suze, pensativamente.

— Sabe o que realmente quero fazer? — Minha garganta se aperta de emoção. — Só fugir de tudo isso e casar numa praia. Só nós dois, um pastor e as gaivotas. Quer dizer, é só isso que importa, não é? O fato de que eu amo Luke e ele me ama, e nós queremos ficar juntos para sempre. — Enquanto visualizo Luke me beijando contra um pôr-de-sol no Caribe, sinto lágrimas surgindo de novo. — Quem se importa com um vestido chique? Quem se importa com uma recepção grandiosa e receber um monte de presentes? Nada disso é importante! Eu usaria um sarongue muito simples, e nós estaríamos descalços, e iríamos andar pela areia, e seria tão romântico...

— Bex! — Eu pulo de medo diante do tom de voz de Suze. Ela parece numa fúria que eu nunca vi. — Pára com isso! Pára agora mesmo! Meu Deus, algumas vezes você é uma vaca egoísta.

— O que quer dizer? — hesito. — Só quis dizer que os badulaques não são importantes.

— Eles *são* importantes. As pessoas fizeram muito esforço por causa desses badulaques! Você conseguiu dois casamentos pelos quais muita gente morreria. Certo, você não pode ter ambos. Mas pode ter um. Se não quiser nenhum dos dois, então... você não merece nenhum. Não merece nada. Bex, esses casamentos não têm a ver só com você! Tem a ver com todas as pessoas envolvidas. Todas as pessoas que se esforçaram, dedicaram tempo, amor e dinheiro para criar uma coisa realmente especial. Você não pode simplesmente fugir disso! Você *tem* de encarar, mesmo que signifique pedir desculpas a quatrocentas pessoas individualmente, de joelhos. Se você simplesmente fugir, então... então você é egoísta e covarde.

Ela pára, ofegando, e eu ouço Ernie começando a gemer ao fundo. Estou completamente chocada, como se ela tivesse me dado um tapa na cara.

— Você está certa — digo finalmente.

— Desculpe. — E ela também parece muito perturbada. — Mas eu estou certa.

— Eu sei que está. — Esfrego o rosto. — Olha... eu vou encarar isso. Não sei como. Mas vou. — O gemido de Ernie cresceu até virar berros luxuriantes, e eu mal consigo me ouvir acima do barulho. — É melhor você ir — digo. — Diga ao meu afilhado que eu o amo. Diga a ele... que a madrinha lamenta ser um fiasco tão grande. Ela vai tentar melhorar.

— Ele está dizendo que ama você também — diz Suze. Ela hesita. — E está dizendo para lembrar que, mesmo que a gente esteja meio chateada com você, ainda estamos prontos a ajudar. Se pudermos.

— Obrigada, Suze — digo com a garganta apertada. — Diga que... vou manter vocês a par.

Guardo o telefone e fico sentada imóvel, pensando. Finalmente me levanto, espano a roupa e volto para a loja.

Alicia está parada a cinco metros de distância.

Meu estômago dá uma ligeira cambalhota. Há quanto tempo ela está ali? O que ela ouviu?

— Oi — digo, com a voz falhando de nervosismo.

— Oi. — Muito lentamente ela vem até mim, com os olhos me avaliando.

— Então — diz ela em tom afável. — Robyn sabe que você está planejando fugir e se casar numa praia?

Porra.

— Eu... — pigarreio. — Não estou planejando fugir para uma praia.

— Pareceu que estava. — Alicia examina uma unha. — Não há uma cláusula sobre isso no seu contrato?

— Eu estava brincando! Eu só estava... você sabe, sendo engraçada.

— Imagino se Robyn vai achar engraçado. — Alicia me dá seu sorriso mais afável. — Saber que Becky Bloom não se importa em ter uma recepção grandiosa. Saber que a cliente favorita dela, a Srta. Perfeita... vai dar o bolo!

Tenho de ficar calma. Tenho de dar um jeito nisso.

— Você não diria nada a Robyn.

— Não.

— Você não pode! Você simplesmente... — Paro, tentando ficar composta. — Alicia, nós nos conhecemos há muito tempo. E eu sei que nem sempre nós... concordamos... mas qual é. Nós somos duas inglesas em Nova York. Nós duas vamos nos casar. De certo modo, nós... somos praticamente irmãs.

Quase me mata dizer tudo isso, mas não tenho outra opção. Tenho de convencê-la. Sentindo-me enjoada, obrigo-me a colocar a mão em sua manga de buclê cor-de-rosa.

— Nós temos de demonstrar solidariedade, não é? Nós temos de... nos apoiar, não é?

Há uma pausa enquanto Alicia passa o olhar cheio de desprezo sobre mim. Depois puxa o braço e começa a se afastar.

— Vejo você, Becky — diz ela por sobre o ombro.

Tenho de impedi-la. Depressa.

— Becky! — A voz de Eileen está atrás de mim e eu me viro atordoada. — Aqui estão as peças de estanho que eu queria lhe mostrar...

— Obrigada — digo distraidamente. — Eu só tenho de...

Viro-me. Mas Alicia desapareceu.

Aonde ela foi?

Desço a escada correndo até o térreo, sem me incomodar com o elevador. Quando chego ao piso, paro e olho em volta, procurando desesperadamente um vislumbre de cor-de-rosa. Mas todo o lugar está apinhado de turistas empolgados, falando sem parar. Há cores fortes em toda parte.

Abro caminho pelo meio deles, ofegante, dizendo a mim mesma que Alicia não diria nada a Robyn; ela não seria tão vingativa. E ao mesmo tempo sabendo que seria.

Não a vejo em lugar nenhum. Finalmente consigo me espremer passando por um grupo de turistas apinhados em volta de uma vitrine cheia de relógios, e chego à porta giratória. Saio e fico parada na rua, olhando da esquerda para a direita. Mal posso ver alguma coisa. O dia está ofuscante, com a luz do sol baixo brilhando nos vidros, transformando tudo em silhuetas e sombras.

— Rebecca. — Sinto uma mão puxando com força meu ombro. Confusa, giro, piscando na claridade, e ergo os olhos.

E, quando meu olhar ganha foco, sou tomada pelo terror puro, frio.

É Elinor.

Dezessete

É isso. Eu estou morta. Nunca deveria ter parado do lado de fora da Tiffany's.

— Rebecca, preciso falar com você — diz Elinor friamente. — Agora mesmo.

Ela está usando um casaco preto comprido e óculos escuros grandes demais, e parece exatamente um membro da Gestapo. Ah, meu Deus, ela descobriu tudo, não é? Ela falou com Robyn. Falou com Alicia. Veio para me levar diante do Commandant e me condenar a trabalhos forçados.

— Eu estou... é... ocupada — digo, tentando voltar para a Tiffany's. — Não tenho tempo para bater papo.

— Isso não é bate-papo.

— Tanto faz.

— É muito importante.

— Certo, olha, pode *parecer* importante — digo desesperadamente. — Mas vamos pôr as coisas em perspectiva. É só um casamento. Comparado a coisas como, você sabe, tratados internacionais...

— Não quero discutir o casamento. — Elinor franze a testa. — Quero falar do Luke.

— Luke? — Encaro-a, pasma. — Por que... você falou com ele?

— Recebi várias mensagens perturbadoras dele na Suíça. E ontem uma carta. Voltei para casa imediatamente.

— O que dizia a carta?

— Eu estou indo ver Luke agora — diz Elinor, me ignorando. — Gostaria que você me acompanhasse.

— É? Onde ele está?

— Acabei de falar com Michael Ellis. Ele foi procurar Luke hoje cedo e o encontrou no meu apartamento. Estou indo para lá agora. Parece que Luke quer falar comigo. — Ela faz uma pausa. — Mas eu queria conversar com você primeiro, Rebecca.

— Comigo? Por quê?

Antes que ela possa responder, um grupo de turistas sai da Tiffany's e por um momento somos submersos. Eu poderia dar no pé, encoberta por eles. Poderia escapar.

Mas agora estou curiosa. Por que Elinor que falar comigo?

A multidão se dissolve e nós nos encaramos.

— Por favor. — Ela balança a cabeça na direção do meio-fio. — Meu carro está esperando.

— Certo. — E dou de ombros minusculamente. — Eu vou.

Assim que estou dentro da limusine elegante de Elinor, meu terror diminui. Enquanto olho seu rosto pálido e impenetrável, sinto um lento ódio crescendo por dentro.

Essa é a mulher que ferrou com Luke. Essa é a mulher que ignorou o próprio filho de quatorze anos. Sentada calmamente em sua limusine. Ainda se comportando como se fosse dona do mundo. Como se não tivesse feito nada de errado.

— Então, o que Luke escreveu na carta? — pergunto.

— Foi... confuso. Uma arenga absurda. Ele parece estar tendo algum tipo de... — Ela faz um gesto régio.

— Colapso? É, está.

— Por quê?

— O que você acha? — respondo, incapaz de evitar um leve sarcasmo na voz.

— Ele trabalha muito. Talvez demais, algumas vezes.

— Não é o trabalho! — digo, incapaz de me controlar. — É você!

— Eu. — Ela franze a testa.

— É, você! É o modo como você o trata!

Há uma longa pausa. Então Elinor diz:

— O que você quer dizer?

Ela parece genuinamente pasma. Ah, pelo amor de Deus. Será que ela é realmente tão insensível?

— Certo... onde eu devo começar? Com sua instituição de caridade! A instituição com a qual ele gastou todas as porcarias das horas em que esteve acordado. A instituição que, pelo que você prometeu, iria beneficiar o perfil da empresa dele. Mas, curiosamente, não beneficiou... porque você ficou com todo o crédito!

Isso foi bom! Por que eu nunca falei o que pensava com Elinor antes?

Suas narinas se abrem ligeiramente e dá para ver que ela está com raiva, mas só diz:

— Essa versão dos acontecimentos é deturpada.

— Não é deturpada. Você usou Luke!

— Ele nunca reclamou da quantidade de trabalho que estava fazendo.

— Ele não reclamaria. Mas você *devia* estar vendo quanto tempo ele estava lhe dando em troca de nada! Você pegou uma funcionária dele, pelo amor de Deus! Quer dizer, só isso poderia colocá-lo em encrenca...

— Concordo.

— O quê? — Eu paro momentaneamente.

— Usar funcionários da Brandon Communications não foi idéia minha. Na verdade, eu fui contra. Foi Luke que insistiu. E, como eu expliquei a Luke, o artigo de jornal não foi minha culpa. Eu recebi a opção de uma entrevista de última hora. Luke não estava disponível. Eu disse ao jornalista muita coisa sobre o envolvimento de Luke e lhe entreguei a literatura promocional da Brandon Communications. O jornalista prometeu ler, mas depois não usou nada. Garanto, Rebecca, isso estava fora do meu controle.

— Besteira! — digo na hora. — Um jornalista decente não ignoraria por completo uma coisa como...

Hmmm. Na verdade... talvez ignorasse. Agora que estou pensando, quando era jornalista eu sempre ignorava metade das coisas que os entrevistados me contavam. Certamente nunca lia nada da estúpida literatura pesada que eles me davam.

— Bem... certo — digo depois de uma pausa. — Talvez isso não fosse totalmente sua culpa. Mas não é o principal. Não é por isso que Luke está tão perturbado. Há alguns dias ele foi procurar fotos de família no seu apartamento. Mas não achou nenhuma. Em vez disso achou algumas cartas do pai dele. Davam a entender que você não queria saber dele na infância. Que você não estava interessada em vê-lo, nem por dez minutos.

O rosto de Elinor se retorce ligeiramente, mas ela fica quieta.

— E isso trouxe de volta um monte de outras coisas realmente dolorosas. Como quando ele veio ver você em Nova York e ficou sentado na porta do seu prédio e você se recusou a reconhecê-lo. Lembra, Elinor?

Sei que estou sendo dura. Mas não me importo.

— Então era ele — diz ela finalmente.

— Claro que era! Não finja que não sabia. Por que acha que ele se mudou para Nova York, para começar? Para impressionar você, claro! Ele é obcecado há anos! Não é de espantar que tenha pirado agora. Para ser honesta, pela infância que ele teve, estou espantado por Luke ter demorado tanto a desmoronar!

Quando paro sem fôlego, ocorre-me que talvez Luke não queira que eu fale de todas as suas neuroses secretas com sua mãe.

Ah, bem, agora é tarde. De qualquer modo, alguém tem de jogar isso na cara de Elinor.

— Ele teve uma infância feliz — diz ela, olhando rigidamente pela janela. Nós paramos num cruzamento e posso ver nos óculos dela o reflexo de pessoas passando pelo carro.

— Mas ele amava você. Ele queria *você*. A mãe. E ao saber que você estava ali, mas não queria vê-lo...

— Ele está com raiva de mim.

— Claro que está! Você o deixou para trás e partiu para a América, sem se importar com ele, tão feliz quanto...

— Feliz. — Elinor vira a cabeça. — Você acha que eu sou feliz, Rebecca?

Paro. Com uma pequeníssima pontada de culpa percebo que nunca me ocorreu pensar se Elinor era feliz ou não. Só pensei na vaca que ela é.

— Eu... não sei — digo finalmente.

— Eu tomei minha decisão. Fiquei firme nela. Isso não significa que não me arrependa.

Ela tira os óculos escuros e eu tento não revelar o choque ao ver sua aparência. A pele está mais esticada do que nunca, e há um ligeiro hematoma em volta dos olhos. Apesar de ter acabado de fazer uma plástica, para mim ela parece mais velha do que antes. E mais vulnerável.

— Eu reconheci Luke naquele dia — diz ela finalmente.

— Então por que não foi falar com ele?

Há silêncio no carro — e então, com os lábios mal se movendo, ela diz:

— Eu fiquei apreensiva.

— Apreensiva? — ecôo incrédula. Não posso imaginar Elinor apreensiva com nada.

— Abandonar um filho é um passo tremendo. Receber um filho de volta na vida é... igualmente significativo. Em particular depois de tanto tempo. Eu não estava preparada para dar esse passo. Não estava preparada para vê-lo.

— Mas você não queria falar com ele? Não queria. conhecê-lo?

— Talvez. Talvez quisesse.

Posso ver um ligeiro tremor logo abaixo de seu olho esquerdo. Será uma expressão de emoção?

— Algumas pessoas acham fácil abraçar novas experiências. Outras, não. Outras se afastam disso. Pode ser difícil para você entender, Rebecca. Sei que você é uma pessoa impulsiva, calorosa. É uma das coisas que admiro em você.

— É, certo — digo com sarcasmo.

— O que quer dizer?

— Qual é, Elinor — digo revirando os olhos. — Não vamos brincar. Você não gosta de mim. Nunca gostou.

— O que faz você pensar que eu não gosto?

Ela não pode estar falando sério.

— Seus porteiros não me deixam entrar na minha própria festa... você tenta fazer com que eu assine um acordo pré-nupcial... você nunca, *jamais*¸ foi gentil comigo...

— Lamento o incidente na festa. Foi um erro dos organizadores. — Ela franze a testa ligeiramente. — Mas nunca entendi sua objeção a um contrato pré-nupcial. Ninguém deveria se casar sem um. — Ela olha pela janela. — Já chegamos.

O caro pára e o motorista vem abrir a porta. Elinor me olha.

— Eu gosto de você, Rebecca. Muito. — Ela sai do carro e seu olhar pousa no meu pé. — Seu sapato está arranhado. Fica parecendo vagabundo.

— Está vendo? — digo exasperada. — Está vendo o que eu quero dizer?

— O quê? — Ela me encara com ar vazio.

Ah, desisto.

O apartamento de Elinor está luminoso com raios do sol da manhã e completamente silencioso. A princípio acho que ela deve estar errada, e que Luke não foi para ali — mas quando entramos na sala de estar eu o vejo. Está parado diante da janela panorâmica, olhando para fora com a testa franzida.

— Luke, você está bem? — digo cautelosamente, e ele gira, em choque.

— Becky. O que está fazendo aqui?

— Eu... esbarrei com sua mãe na Tiffany's. Onde você esteve durante toda essa manhã?

— Por aí. Pensando.

Olho para Elinor. Ela está encarando Luke, com o rosto ilegível.

— De qualquer modo, eu vou indo, certo? — digo sem jeito. — Se vocês dois vão conversar...

— Não — diz Luke. — Fique. Isso não vai demorar muito.

Sento-me no braço de uma poltrona, desejando poder me encolher para dentro dela. Nunca gostei da atmosfera deste apartamento — mas agora está parecendo Room 101 ou sei lá o quê.

— Recebi seus recados — diz Elinor. — E sua carta, que fez muito pouco sentido. — Ela tira as luvas com movimentos bruscos e coloca num aparador. — Não faço idéia do que você está tentando me acusar.

— Eu não estou aqui para acusar você de nada — diz Luke, fazendo um esforço visível para ficar calmo. — Só queria que você soubesse que eu percebi algumas coisas. Uma delas é que eu fui meio... iludido no correr dos anos. Você nunca quis realmente que eu estivesse com você, quis? Mas me deixou acreditar que queria.

— Não seja ridículo, Luke — diz Elinor depois de uma pausa. — A situação era muito mais complicada do que você pode imaginar.

— Você jogou com minhas... minhas fraquezas. Você me usou. E usou minha empresa. Você me tratou como um... — Ele pára, ofegando, e demora alguns instantes para se acalmar. — O que é meio triste é que um dos motivos de eu ter vindo para Nova York era passar algum tempo com você. Talvez conhecê-la tão bem quanto Becky conhece a mãe dela.

Ele sinaliza para mim e eu ergo os olhos, alarmada. Não me coloque nisso!

— Que perda de tempo! — A voz dele endurece. — Nem sei se você ao menos é capaz desse tipo de relacionamento.

Enquanto ele e Elinor se encaram, vejo que são mais parecidos do que já percebi. Os dois têm aquela expressão vazia, amedrontadora, quando as coisas vão mal. Os dois estabelecem padrões impossivelmente altos para si mesmos. E os dois são mais vulneráveis do que querem que o mundo lá fora fique sabendo.

— Você não precisa falar comigo — diz Luke. — Estou indo embora agora. Você não vai me ver nem vai ver Becky de novo.

Minha cabeça pula para cima, em choque. Ele está falando sério?

— Você está falando absurdos — diz Elinor.

— Mandei uma carta de demissão para os conselheiros da Fundação Elinor Sherman. Não deve haver outro motivo para nossos caminhos se cruzarem.

— Você se esqueceu do casamento — diz Elinor rispidamente.

— Não, não esqueci. Não esqueci em absoluto. — Luke respira fundo e me olha. — A partir de agora, Becky e eu vamos fazer arranjos alternativos para o casamento. Naturalmente eu pago qualquer despesa que você tenha tido.

O qu...

O que ele disse? Olho para Luke aparvalhada.

Ele realmente disse o que eu...

Ele realmente...

Estou ficando alucinada?

— Luke — digo, tentando ficar calma; tentando ficar firme. — Deixe-me entender isso... Você está dizendo que quer cancelar o casamento no Plaza?

— Becky, eu sei que ainda não discuti isso com você. — Luke se aproxima e pega minhas mãos. — Sei que você vem planejando esse casamento há meses. É muita coisa pedir que você desista. Mas, nas circunstâncias, eu simplesmente não sinto que possa ir em frente com isso.

— Você quer cancelar o casamento. — Engulo em seco. — Sabia que há uma penalidade financeira?

— Eu não me importo.

— Você... você não se importa?

Ele não se importa.

Não sei se rio ou choro.

— Não é isso que eu quero dizer! — diz Luke, vendo minha expressão. — Eu me importo! Claro que eu me importo conosco. Mas ficar em público, fingindo ser o filho amoroso de... — Ele olha para Elinor. — Seria uma farsa. Degradaria a coisa toda. Você entende?

— Luke... é claro que eu entendo — digo, tentando afastar a empolgação da voz. — Se você quiser o cancelamento, eu fico feliz em concordar.

Não acredito. Estou salva. Estou salva!

— Você está falando sério, não está? — Ele me encara, incrédulo.

— Claro que estou falando sério! Se você quer cancelar o casamento, eu não vou brigar. De fato... vamos cancelar agora mesmo!

— Você é uma garota em um milhão, Becky Bloom. — A voz de Luke está subitamente embargada. — Concordar sem hesitar um segundo...

— Se é o que você quer, Luke — digo simplesmente. — É só isso que me importa.

É um milagre.

Não há outra explicação.

Pela primeira vez na minha vida Deus estava realmente ouvindo. Ou ele ou a deusa Ganesh.

— Você não pode fazer isso. — Pela primeira vez há um tremor de emoção na voz de Elinor. — Não pode simplesmente abandonar o casamento que eu organizei para você. Paguei para você.

— Posso.

— É um acontecimento altamente significativo! Virão quatrocentas pessoas! Pessoas importantes. Amigos meus, da instituição de caridade...

— Bom, você terá de se desculpar.

Elinor dá alguns passos até ele e, para minha perplexidade, vejo que ela está tremendo de fúria.

— Se fizer isso, Luke, eu prometo que nunca mais vamos nos falar.

— Por mim, tudo bem. Venha, Becky. — Ele pega minha mão e eu vou atrás, tropeçando ligeiramente no tapete.

Posso ver o rosto de Elinor se retorcendo de novo, e, para minha extrema perplexidade, sinto uma ligeira pontada de simpatia por ela. Mas então, quando nos viramos e saímos juntos do apartamento, descarto isso. Elinor foi bastante má comigo e com meus pais. Merêce tudo que receber.

Descemos em silêncio. Acho que os dois estamos completamente em estado de choque. Luke levanta a mão chamando um táxi, dá o nosso endereço ao motorista e os dois entramos.

Depois de uns três quarteirões nós nos olhamos. Luke está pálido e tremendo ligeiramente.

— Não sei o que falar — diz ele. — Não acredito que acabei de fazer isso.

— Você foi brilhante — respondo com firmeza. — Ela merecia.

Ele gira no banco e me olha, sério.

— Becky, eu sinto muito sobre o casamento. Sei o quanto você estava ansiosa por ele. Vou compensar. Garanto. Diga como.

Encaro-o, com a mente trabalhando rápido. Certo, eu tenho de fazer essa jogada com muito cuidado. Se der o passo errado, tudo ainda pode desmoronar.

— Então... você ainda quer se casar? Você sabe, em princípio.

— Claro que quero! — Luke está chocado. — Becky, eu amo você. Mais ainda do que antes. De fato, nunca amei você tanto quanto naquela sala. Quando você fez aquele sacrifício incrível por mim, sem hesitar um momento.

— O quê? Ah, o casamento! Sim. — Recomponho minhas feições às pressas. — É, bem. Foi muita coisa para pedir de mim. E hmm... por falar em... casamentos...

Quase não consigo me obrigar a dizer. Sinto como se estivesse tentando equilibrar a última carta em cima da pirâmide. Tenho de colocar do modo exato.

— Como você se sentiria se casando em... Oxshott?

— Oxshott. Perfeito. — Luke fecha os olhos e se recosta no banco, parecendo exausto.

Estou entorpecida de incredulidade. Tudo se encaixou O milagre está completo.

Enquanto descemos a Quinta Avenida eu olho pela janela do táxi, subitamente absorvendo o mundo lá fora. Notando pela primeira vez que é verão. Que faz um dia lindo e ensolarado. Que a Saks fez uma vitrine nova para roupas de banho. Coisinhas que eu não podia ver, quanto mais apreciar, porque estava tão preocupada, tão estressada.

Sinto como se tivesse andado por aí com um peso enorme nas costas durante tanto tempo que esqueci como é andar ereta. Mas agora, finalmente, o fardo foi tirado, e eu posso me levantar e me espreguiçar, e começar a desfrutar a vida. Os meses de pesadelo acabaram. Finalmente posso dormir tranqüila à noite.

Dezoito

Só que não posso.

De fato, não durmo nada.

Muito depois de Luke ter apagado estou olhando para o teto, sentindo-me desconfortável. Há alguma coisa errada. Só não sei direito o quê.

Na superfície, tudo está perfeito. Elinor está fora da vida de Luke de uma vez por todas. Nós podemos nos casar em casa. Não preciso me preocupar com Robyn. Não preciso me preocupar com nada. É como se uma grande bola de boliche tivesse vindo até minha vida e derrubado todas as coisas ruins numa única jogada, deixando somente as boas.

Tivemos um maravilhoso jantar de comemoração, abrimos uma garrafa de champanha e brindamos ao resto da vida de Luke, ao casamento, e um ao outro. Depois começamos a falar sobre onde deveríamos ir na lua-de-mel, e fiz uma veemente defesa de Bali, e Luke disse Moscou, e nós tivemos uma daquelas brigas cheias de risos, quase histéricas, que a gente tem quando está cheia de empolgação e alívio. Foi uma noite maravilhosa, feliz. Eu deveria estar totalmente satisfeita.

Mas agora que estou na cama e minha mente se acomodou, as coisas ficam me incomodando. O modo como Luke estava esta noite. Quase empolgado demais. Com olhos muito brilhantes. O modo como nós dois ficamos rindo, quase maníacos. Como se não ousássemos parar.

E outras coisas. O modo como Elinor estava quando saímos. A conversa que eu tive com Annabel, há tantos meses.

Eu deveria me sentir triunfante. Deveria me sentir vingada. Mas... não. Não me sinto. De algum modo isso não parece direito.

Finalmente, por volta das três da madrugada, saio da cama, vou para a sala e disco o número de Suze.

— Oi, Bex! — diz ela, cheia de surpresa. — Que horas são aí? — Posso ouvir o som fraco da televisão inglesa do café da manhã ao fundo, e pequenos gorgolejos de Ernie. — Meu Deus, desculpe eu ter pegado pesado com você ontem. Estou me sentindo muito mal desde...

— Tudo bem. Honestamente, eu tinha esquecido tudo aquilo. — Abaixo-me nas tábuas do piso, puxando o roupão com força em volta do corpo. — Escuta, Suze. Luke teve uma briga feia com a mãe dele. Ele cancelou o casamento no Plaza. Podemos nos casar em Oxshott, afinal de contas.

— *O quê?* — A voz de Suze explode na linha. — Ah, meu Deus! Isso é incrível! É fantástico! Bex, eu estava tão preocupada! Honestamente, não sabia o que você ia fazer. Você deve estar dançando no teto! Deve estar...

— Estou. Mais ou menos.

Suze pára sem fôlego.

— O que quer dizer com mais ou menos?

— Sei que tudo está resolvido. Sei que é tudo fantástico. — Enrolo o cordão do roupão apertado no dedo. — Mas de algum modo... a sensação não é fantástica.

— O que quer dizer? — Posso ouvir Suze baixando o volume. — Bex, o que há de errado?

— Eu me sinto mal — digo apressadamente. — Estou me sentindo como se... eu ganhei mas não quero ter ganhado. Quer dizer, tudo bem, consegui tudo que eu queria. Luke rompeu com Elinor, ele vai pagar a organizadora do casamento, nós podemos fazer o casamento em casa... Por um lado, isso é fantástico. Mas por outro...

— Que outro lado? Não há outro lado!

— Há. Pelo menos... eu acho que há. — Começo a roer distraidamente a unha do polegar. — Suze, estou preocupada com Luke. Ele realmente atacou a mãe. E agora diz que nunca mais vai falar com ela...

— E daí? Isso não é bom?

— Não sei. É? — Olho para o rodapé por alguns instantes. — No momento ele está todo eufórico. Mas e se começar a sentir culpa? E se isso fizer outro mal a ele no futuro? Sabe, Annabel, a madrasta dele, disse uma vez que se eu tentasse arrancar Elinor da vida de Luke isso iria prejudicá-lo.

— Mas você não a arrancou da vida dele. Foi o próprio Luke.

— Bem, talvez ele tenha prejudicado a si mesmo. Talvez seja como... se ele tivesse cortado o próprio braço, ou algo assim.

— Argh, que nojo!

— E agora há um ferimento enorme, que ninguém pode ver, e vai supurar, e um dia a ferida vai se abrir de novo...

— Bex! Pára com isso! Estou tomando o café da manhã.

— Certo, desculpe. Só estou preocupada com ele. Ele não está bem. E a outra coisa é que... — Fecho os olhos, quase incapaz de acreditar que vou dizer isso. — Eu meio que... mudei de idéia em relação a Elinor.

— Você o *quê*? — guincha Suze. — Bex, por favor, não diga coisas assim! Eu quase larguei o Ernie no chão!

— Eu não *gosto* dela nem nada — digo às pressas. — Mas nós tivemos uma conversa bem longa. E acho que ela talvez ame o Luke. Ao seu próprio modo, estilo geladeira.

— Mas ela o abandonou!

— Eu sei. Mas Elinor lamenta isso!

— Bom, e daí? É muito bom que ela lamente!

— Suze, eu só acho... talvez ela mereça outra chance. — Olho a ponta do meu dedo que está lentamente ficando azul. — Quer dizer... olhe para mim. Eu fiz milhões de coisas estúpidas e impensadas. Deixei pessoas na mão. Mas elas sempre me deram outra chance.

— Bex, você não é nem um pouco como a porcaria da Elinor! Você nunca abandonou seu filho!

— Não estou dizendo que *gosto* dela! Só estou dizendo... — Paro debilmente, deixando o cordão do roupão se desenrolar.

Não sei de fato o que estou dizendo. E não acho que Suze vá entender direito de onde eu estou vindo. Ela nunca cometeu erros na vida. Sempre deslizou tranqüilamente, jamais perturbando alguém, jamais entrando em encrenca. Mas eu, não. Eu sei como é fazer alguma coisa estúpida — ou pior do que estúpida — e depois desejar, acima de tudo, não ter feito.

— Então o que tudo isso significa? Por que você está... — A voz de Suze se endurece, alarmada. — Espera aí, Bex, esse não é o seu modo de dizer que vai se casar em Nova York afinal de contas, é?

— Não é tão simples assim — digo depois de uma pausa.

— Bex... eu mato você. Mato mesmo. Se me disser agora que quer se casar em Nova York...

— Suze, eu *não quero* me casar em Nova York. Claro que não! Mas se nós abandonarmos o casamento agora... vai ser definitivo. Elinor nunca mais vai falar com nenhum de nós dois. Nunca.

— Não acredito. Simplesmente não acredito! Você vai foder com tudo de novo, não vai?

— Suze...

— Justo quando tudo está direito! Justo quando, pela primeira vez na sua vida, você *não está* numa bagunça completa e eu posso começar a relaxar...

— Suze...

— Becky?

Ergo os olhos, espantada. Luke está parado ali, de cueca e camiseta, olhando perplexo e sonolento para mim.

— Você está bem? — diz ele.

— Estou — respondo pondo a mão sobre o fone. — Só estou falando com Suze. Volte para a cama. Não vou demorar.

Espero até ele ter ido e depois chego mais perto do aquecedor, que ainda está soltando um calor débil.

— Certo, Suze, escute. Só... só me escute. Eu não vou foder com nada. Estive pensando muito, e tive a seguinte idéia genial...

Às nove da manhã estou no apartamento de Elinor. Me vesti com muito cuidado e estou usando meu mais elegante casaco estilo enviado diplomático da ONU, com um par de sapatos de bico redondo, anticonfronto. Apesar de não ter certeza de que Elinor realmente aprecia o esforço que fiz. Quando atende à porta, ela parece ainda mais pálida do que o normal e seus olhos são como adagas.

— Rebecca — diz ela em tom pétreo.

— Elinor — respondo igualmente pétrea. Depois me lembro de que vim aqui para ser conciliatória. — Elinor — repito, tentando injetar algum calor na palavra. — Vim para conversarmos.

— Pedir desculpas — diz ela, seguindo pelo corredor.

Meu Deus, é uma vaca mesmo. E, de qualquer modo, o que eu fiz? Nada! Por um momento penso em me virar e ir embora. Mas decidi fazer isso, e vou fazer.

— Na verdade, não — digo. — Só vim conversar. Sobre você. E Luke.

— Ele se arrependeu da grosseria.

— Não.

— Quer pedir desculpas.

— Não! Não quer! Ele está magoado, com raiva e não tem vontade de chegar perto de você de novo.

— Então por que você está aqui?

— Porque... eu acho que seria uma coisa boa se vocês dois tentassem fazer as pazes. Ou pelo menos se falar de novo.

— Não tenho nada a dizer ao Luke. Não tenho nada a dizer a você. Como Luke deu a entender ontem, o relacionamento está encerrado.

Meu Deus, eles são *tão* parecidos!

— Então... você disse a Robyn que o casamento está sendo cancelado? — Este é o meu medo secreto, e prendo o fôlego esperando uma resposta.

— Não. Pensei em dar ao Luke a chance de reconsiderar. Sem dúvida, isso foi um erro.

Respiro fundo.

— Vou convencer Luke a ir em frente com o casamento. Se você pedir desculpas a ele. — Minha voz está meio trêmula. Não posso acreditar que estou fazendo isso.

— O que disse? — Elinor se vira e me encara.

— Você pede desculpas ao Luke e eu digo a ele... bem, basicamente, que você o ama. E vou persuadi-lo a se casar no Plaza. Você terá sua festa grande e elegante para os seus amigos. Esse é o trato.

— Você está... *barganhando* comigo?

— É... sim. — Viro-me para encará-la, e aperto os punhos com força ao lado do corpo. — Basicamente, Elinor, eu estou aqui por motivos completamente egoístas. Luke foi sacaneado por você durante toda a vida. Agora ele decidiu que nunca mais quer vê-la. O que está muito bem. Mas eu estou preocupada com a hipótese de isso não ser o fim. Estou preocupada com a hipótese de, daqui a dois anos, ele decidir subitamente que tem de voltar a Nova York, encontrar você e ver se você é realmente tão má quanto ele acha. E tudo vai começar de novo.

— Isso é absurdo. Como você ousa...

— Elinor, você quer este casamento. Eu sei que quer. Só precisa ser gentil com seu filho e irá tê-lo. Quer dizer, meu Deus, isso não é pedir muito!

Há um silêncio. Gradualmente os olhos de Elinor se estreitam, tanto quanto podem desde a última plástica.

— Você também quer este casamento, Rebecca. Por favor, não finja que é uma oferta puramente altruística. Você ficou tão perplexa quanto Luke quando ele cancelou. Admita. Você está aqui porque quer se casar no Plaza.

— Acha que é por isso que estou aqui? — Encaro-a boquiaberta. — Porque estou chateada porque o casamento do Plaza foi cancelado?

Quase sinto vontade de rir histericamente. Quase quero lhe contar toda a verdade, desde o início.

— Acredite, Elinor — digo finalmente. — Não é por isso que estou aqui. Eu posso viver sem o casamento no Plaza. É, eu estava ansiosa por ele, e era empolgante. Mas se Luke não quer... tudo bem. Eu posso abandonar tudo num instante. Os amigos não são meus. Não é minha cidade. Realmente não me importo.

Há outro silêncio incisivo. Elinor se afasta até um aparador encerado, e, para minha completa perplexidade, pega um cigarro e acende. Ela manteve esse vício com muita discrição!

— Posso convencer o Luke — digo olhando-a guardar a caixa de cigarros. — E você não pode.

— Você é... totalmente inacreditável. Usar seu próprio casamento como instrumento de barganha.

— Sei que sou. Isso é um sim?

Venci. Posso ver no rosto dela. Ela já decidiu.

— Aqui está o que você tem a dizer. — Pego um pedaço de papel na bolsa. — É tudo que Luke precisa ouvir. Você precisa dizer que o ama, o quanto sentiu falta dele quando ele era pequeno, como você achou que ele ficaria melhor na Inglaterra, como o único motivo para não querer vê-lo era o medo de desapontá-lo... — Entrego o papel a Elinor. — Sei que nada disso vai parecer nem remotamente natural. Por isso é melhor começar dizendo: "Essas palavras não me vêm naturalmente."

Elinor olha inexpressiva para o papel. Está respirando com dificuldade, e por um momento acho que vai jogá-lo em mim. Depois, cuidadosamente, ela dobra o papel e coloca no aparador. Será que aquilo é um tremor de emoção embaixo de seu olho? Será que ela está perturbada? Lívida? Ou só desdenhosa?

Simplesmente não consigo entender Elinor. Num minuto acho que está carregando um amor gigantesco e desabrido — e no outro acho que é uma vaca de coração frio. Num minuto acho que me odeia completamente. Depois penso: talvez ela simplesmente não tenha idéia de como se expressar. Talvez, todo esse tempo, tenha mesmo acreditado que estava sendo amigável.

Quer dizer, se ninguém nunca lhe *disse* que modos medonhos ela tem... como ela vai saber?

— O que quis dizer com Luke poderia decidir voltar a Nova York? — diz ela gelidamente. — Vocês estão planejando ir embora?

— Ainda não falamos disso — digo depois de uma pausa. — Mas sim. Acho que isso talvez aconteça. Nova York tem sido ótima, mas acho que não é mais um bom lugar para nós. Luke se esgotou. Ele precisa mudar de ambiente.

Ele precisa ficar longe de você, acrescento em silêncio.

— Sei. — Elinor dá uma tragada no cigarro. — Sabia que eu tinha marcado uma entrevista com o comitê de aprovação deste prédio? Com um esforço considerável.

— Sei. Luke me disse. Mas, para ser honesta, Elinor, nós nunca teríamos morado aqui.

Seu rosto estremece de novo, e dá pra ver que ela está sufocando uma sensação desagradável. Mas qual? Fúria comigo por ser tão ingrata? Perturbação por Luke não ir morar em seu prédio, afinal de contas? Parte de mim está desesperadamente curiosa, quer arrancar sua fachada, xeretar dentro e descobrir tudo sobre ela.

E outra parte, mais sensata, diz: deixa pra lá, Becky. Deixa pra lá.

Mas quando chego à porta não resisto a me virar.

— Elinor, sabia que dentro de cada pessoa gorda há uma pessoa magra querendo sair, não é? Bem... quanto mais penso em você, mais acho que talvez, possivelmente, haja uma pessoa boa dentro de você. Mas enquanto continuar sendo má para as pessoas e dizendo que os sapatos dela são vagabundos, ninguém vai saber.

Pronto. Agora ela provavelmente vai me matar. É melhor eu ir embora. Tentando não parecer que estou correndo, vou pelo corredor e saio do apartamento. Fecho a porta e me encosto nela, com o coração martelando.

Certo. Até aqui tudo bem. Agora o Luke.

— Não consigo entender essa sua idéia de querer ir ao Rockefeller Center. — Luke se recosta no banco do táxi e olha com um muxoxo pela janela.

— Porque nunca fui, certo? Quero ver a vista!

— Mas por que agora? Por que hoje?

— Por que não hoje? — Olho meu relógio e depois examino Luke, ansiosa.

Ele está fingindo que se sente feliz. Está fingindo que se sente liberado. Mas não se sente. Está pensativo.

Superficialmente, as coisas começaram a melhorar um pouquinho. Pelo menos ele não deu mais nenhuma peça de roupa e hoje cedo chegou a se barbear. Mas ainda está longe do que era. Não foi trabalhar, só ficou olhando um programa triplo de antigos filmes em preto-e-branco com Bette Davis.

Curiosamente, eu nunca tinha visto antes a semelhança entre Bette Davis e Elinor.

A verdade é que Annabel estava certa, penso enquanto o observo. Bem, claro que estava. Ela conhece o filho de criação como se fosse o filho de verdade. E sabe que Elinor está bem dentro de Luke, faz parte do seu próprio ser. Ele não pode simplesmente cortá-la e ir em frente. Precisa pelo menos da chance de algum tipo de solução. Mesmo que seja dolorida.

Fecho os olhos e faço uma prece silenciosa a todos os deuses. Por favor, façam com que isso dê certo. Por favor. E então talvez a gente possa riscar uma linha debaixo disso tudo e continuar com a vida.

— Rockefeller Center — diz o motorista, parando, e eu sorrio para Luke, lutando para esconder o nervosismo.

Tentei pensar no local menos provável para Elinor estar — e pensei no Rainbow Room do Rockefeller, onde os turistas vão tomar coquetéis e ficar boquiabertos com a vista de Manhattan. Enquanto subimos de elevador até o sexagésimo quinto andar, estamos ambos em silêncio, e eu rezo desesperadamente para que ela esteja lá, para que tudo dê certo, para que Luke não fique puto demais comigo.

Saímos do elevador... e já posso vê-la. Sentada a uma mesa perto de uma janela, com casaco preto, o rosto em silhueta contra a paisagem.

Quando a vê, Luke leva um susto.

— Becky, que porra... — Ele gira nos calcanhares e eu seguro seu braço.

— Luke, por favor. Ela quer falar com você. Só... dê uma chance.

— Você armou isso? — O rosto dele está branco de raiva — Você me trouxe aqui deliberadamente?

— Tive de fazer isso! De outro modo você não viria. Só cinco minutos. Ouça o que ela tem a dizer.

— Por que diabos eu deveria...

— Eu realmente acho que vocês dois precisam conversar. Luke, você não pode deixar a coisa como deixou. Isso está devorando você por dentro! E não vai melhorar a não ser falando com ela... Venha, Luke. — Afrouxei seu braço e olho-o, implorando. — Só cinco minutos. É só o que peço.

Ele tem de concordar. Se sair agora, estou morta.

Um grupo de turistas alemães veio atrás de nós e eu os observo parando perto da janela, boquiabertos com a vista.

— Cinco minutos — diz Luke finalmente. — Só isso.

Devagar, ele atravessa o salão e senta-se diante de Elinor. Ela olha para mim e assente, e eu me viro, com o coração batendo rápido. Por favor, não deixe que ela ferre com tudo desta vez. Por favor.

Saio do bar e vou até uma sala vazia, onde olho para a janela do chão ao teto, dando para a cidade. Depois de um tempo olho o relógio. Passaram-se cinco minutos e ele ainda não saiu em fúria.

Ela cumpriu o seu lado do trato. Agora tenho de cumprir o meu.

Pego o celular, sentindo-me enjoada de pavor. Isso vai ser difícil. Isso vai ser muito difícil. Não sei como mamãe vai reagir. Não sei o que ela vai dizer.

Mas o fato é que independentemente do que ela diga, do quanto fique furiosa, sei que mamãe e eu vamos continuar gostando uma da outra. Mamãe e eu estamos aí para sempre.

Ao passo que esta pode ser a única chance de Luke se reconciliar com Elinor.

Enquanto ouço o toque, olho para os intermináveis quarteirões e torres prateadas de Manhattan. O sol está brilhando num dos prédios, sendo refletido por outro, exatamente como Luke falou. Para trás e para a frente, jamais escapando. Os táxis amarelos estão tão lá embaixo que parecem brinquedinhos, e as pessoas correndo de um lado para o outro parecem insetos minúsculos. E ali, no meio, está o retângulo verde do Central Park, como um tapete de piquenique estendido para as crianças brincarem.

Olho, hipnotizada com a visão. Eu realmente falei sério com Elinor ontem? Realmente quero que Luke e eu deixemos esta cidade incrível?

— Alô? — A voz de mamãe rompe meus pensamentos, e minha cabeça salta bruscamente. Por um instante estou paralisada de nervosismo. Não posso fazer isso.

Mas tenho de fazer.

Não tenho opção.

— Oi, mamãe — digo finalmente, cravando as unhas na palma da mão. — É... é Becky. Escute, tenho uma coisa para lhe dizer. E acho que você não vai gostar...

SRA. JAMES BRANDON
RIDGE HOUSE
RIDGEWAY
NORTH FULLERTON
DEVON

2 de junho de 2002

Querida Becky

Ficamos um pouco perplexas com o seu telefonema. Apesar de suas garantias de que tudo ficará claro quando você tiver explicado, e que devemos confiar em você, realmente não entendemos o que está acontecendo.

Mas James e eu conversamos muito e finalmente decidimos fazer o que você pede. Cancelamos as passagens para Nova York e alertamos o resto da família.

Becky, querida, espero que tudo isso dê certo.

Com os melhores votos, e com todo o nosso amor por Luke...

Annabel

SECOND UNION BANK
300 WALL STREET
NOVA YORK, NY 10005

Srta. Rebecca Bloom
Apto. B
251 W 11th Street
Nova York
NY 10014

10 de junho de 2002

Cara Srta. Bloom

Muito obrigado pelo convite de casamento endereçado a Walt Pitman.

Depois de algumas discussões decidimos confiar na senhorita. Na verdade Walt Pitman não existe. É um nome genérico, usado para representar todos os nossos gerentes de atendimento aos clientes.

O nome "Walt Pitman" foi escolhido depois de uma ampla pesquisa de grupo, para sugerir uma figura abordável, mas competente. As respostas dos clientes mostraram que a presença contínua de Walt na vida dos nossos clientes aumentou a confiança e a lealdade em mais de 50 por cento.

Agradeceríamos se a senhorita não revelasse esse fato. Se ainda quiser um representante do Second Union em seu casamento, eu ficaria feliz em comparecer. Meu aniversário é em 5 de março e minha cor predileta é azul.

Sinceramente

Bernard Lieberman
Vice-presidente sênior

Dezenove

Tudo bem. Não entre em pânico. Isso vai dar certo. Se eu mantiver a cabeça no lugar e permanecer calma, vai dar certo.

— Nunca vai dar certo — diz a voz de Suze em meu ouvido.

— Cale a boca! — respondo irritada.

— Nunca vai dar certo, nem em um milhão de anos. Só estou avisando.

— Você não deveria estar me avisando! Deveria estar me encorajando! — Baixo a voz. — Enquanto todo mundo fizer o que deve, vai dar certo. Tem de dar.

Estou parada na janela de uma suíte no décimo segundo andar do Plaza, olhando para a Plaza Square logo abaixo. Lá fora faz um dia quente de verão. As pessoas estão espalhadas por ali, de camiseta e bermudas, fazendo coisas normais como contratar carruagens para passear pelo parque e jogar moedas na fonte.

E aqui estou eu, vestida com uma toalha, com o cabelo transformado para além do reconhecimento num estilo "Bela Adormecida", e maquiagem de três centímetros de grossura, andando com os sapatos de cetim mais altos que já vi na vida. (Christian Louboutin, da Barneys. Consegui desconto.)

— O que está fazendo agora? — diz a voz de Suze de novo

— Olhando pela janela.

— Para que está fazendo isso?

— Não sei. — Olho uma mulher com bermuda de jeans sentada num banco e abrindo uma lata de Coca, sem fazer a mínima idéia de que está sendo observada. — Tentando captar a normalidade, acho.

— Normalidade? — Ouço Suze ofegar ao telefone. — Bex, é meio tarde para normalidade!

— Isso não é justo!

— Se a normalidade é o planeta Terra, você sabe onde está agora?

— É... na lua? — sugiro.

— Você está a cinqüenta milhões de anos-luz. Você está... em outra galáxia. Há muito tempo.

— Eu realmente me sinto como se estivesse um pouco num mundo diferente — admito, e me viro para examinar a suíte palaciana atrás de mim.

A atmosfera é calma e pesada de perfume, spray de cabelo e expectativa. Para todo lugar onde olho há luxuosíssimos arranjos de flores, cestos de frutas e chocolates, e garrafas de champanha no gelo. Perto da penteadeira, o cabeleireiro e a maquiadora estão batendo papo enquanto trabalham em Erin. Enquanto isso o fotógrafo está trocando o filme, seu assistente está assistindo a Madonna na MTV e um garçom do serviço de quarto está tirando outra rodada de xícaras e copos.

É tudo muito glamouroso, muito caro. Mas, ao mesmo tempo, o que mais me lembro é de quando me preparava para a peça de teatro na escola. As janelas eram cobertas de pano preto e todos nós nos apinhávamos em volta de um espelho, empolgados demais, e na frente nós ouvíamos os pais entrando, mas não tínhamos permissão de espiar para vê-los.

— O que está fazendo agora? — vem a voz de Suze de novo.

— Ainda olhando pela janela.

— Bem, pare de olhar pela janela! Você tem menos de uma hora e meia!

— Suze, relaxe.

— Como é que eu posso relaxar?

— Está tudo bem. Tudo sob controle.

— E você não contou a ninguém — diz ela, pela milionésima vez. — Nem contou ao Danny.

— Claro que não! Não sou tão estúpida assim! — Vou casualmente para um canto onde ninguém pode me ouvir. — Só Michael sabe. E Laurel. Só isso.

— E ninguém suspeita de nada?

— Nadinha — digo, no momento em que Robyn entra no quarto. — Oi, Robyn! Suze, eu falo com você depois, certo...

Desligo o telefone e sorrio para Robyn, que está usando um conjunto rosa brilhante, um microfone de cabeça com fone de ouvido, e carregando um walkie-talkie.

— Certo, Beckie — diz ela, de modo sério, profissional. — O Estágio Um está completo. O Estágio Dois está acontecendo. Mas temos um problema.

— Verdade? — Engulo em seco. — O que é?

— Ninguém da família de Luke ainda chegou. O pai dele, a madrasta, alguns primos que estão na lista... Você disse que eles tinham falado com você?

— É, falaram. — Pigarreio. — Na verdade... eles acabaram de ligar de novo. Acho que houve um problema com o avião. Eles disseram para colocar outras pessoas no lugar deles.

— Verdade? — O rosto de Robyn fica consternado. — Que pena! Eu nunca soube de um casamento com tantas alterações de último minuto! Uma nova dama de honra... um novo padrinho... um novo oficiante... parece que tudo mudou!

— Eu sei — digo me desculpando. — Sinto muito mesmo, e sei que isso significa um monte de trabalho. Só que de repente pareceu muito óbvio que Michael deveria nos casar, em vez de algum estranho. Quer dizer, ele é um velho amigo, é qualificado para fazer isso, e coisa e tal. Então Luke teve de arranjar um novo padrinho...

— Mas mudar de idéia três semanas antes do casamento! E sabe, o padre Simon ficou muito chateado pela rejeição. Imaginou se teria alguma coisa a ver com o cabelo dele.

— Não! Claro que não! Não tem nada a ver com ele, honestamente...

— E então seus dois pais pegaram sarampo. Puxa, quais são as chances de isso acontecer?

— Eu sei! — Faço uma cara tristonha. — Puro azar.

Há um estalo no walkie-talkie e Robyn se vira.

— Sim — diz ela. — O que foi? Não! Eu disse luz *amarela* radiante! Não azul! Certo, estou indo... — Quando chega à porta, ela olha de volta. — Becky, eu tenho de ir. Só precisava dizer que a coisa ficou tão agitada, com todas as mudanças, e há uns detalhezinhos adicionais que nós não tivemos tempo de discutir. Por isso eu simplesmente fui adiante com eles, certo?

— Tudo bem. Eu confio no seu julgamento. Obrigada, Robyn.

Quando Robyn sai, há uma batida na porta e entra Christina, parecendo absolutamente incrível num Issey Miyake dourado claro e segurando uma taça de champanha.

— Como está a noiva? — diz ela com um sorriso. — Nervosa?

— Na verdade, não.

O que é meia verdade.

De fato é totalmente verdade. Estou além do nervosismo. Ou tudo vai acontecer de acordo com o plano e isso vai dar certo. Ou não, e então vai ser um desastre completo. Não há muita coisa que eu possa fazer.

— Acabei de falar com Laurel — diz Christina, tomando um gole de champanha. — Não sabia que ela estava tão envolvida com o casamento.

— Ah, na verdade não está. É só um favorzinho minúsculo que ela está fazendo para mim...

— Sei. — Christina me olha por cima da taça, e de repente eu me pergunto o quanto Laurel lhe disse.

— Ela contou a você... que favor é? — digo casualmente.

— Ela deu uma leve idéia. Becky, se você fizer isso... — diz Christina. Ela balança a cabeça. — Se você fizer isso, merece o Prêmio Nobel de cara-de-pau. — Ela levanta o copo. — A você. E boa sorte.

— Obrigada.

— Ei, Christina! — Nós duas giramos e vemos Erin vindo na nossa direção. Ela já está com o seu vestido violeta, de dama de honra, o cabelo num coque medieval, olhos iluminados de empolgação. — Esse tema da Bela Adormecida não é um barato? Você já viu o vestido de Becky? Nem acredito que eu sou a dama de honra! Nunca fui dama de honra antes!

Acho que Erin está um pouquinho empolgada demais com sua promoção. Quando lhe contei que minha melhor amiga Suze não podia vir e perguntei se ela queria ser dama de honra, ela abriu o berreiro.

— Ainda não vi o vestido de Becky — diz Christina. — Nem ouso.

— É bem legal! — protesto. — Venha olhar.

Levo-a à suntuosa área de vestir, onde o vestido de Danny está pendurado.

— Está inteiro — observa Christina laconicamente. — É um bom começo.

— Christina — digo. — Isso não é como as camisetas. É de outro nível. Dê uma olhada!

Simplesmente não posso acreditar no trabalho fantástico que Danny fez. Ainda que nunca admita para Christina, eu não estava exatamente achando que ia usar o vestido dele. De fato, para ser perfeitamente honesta, eu estava fazendo provas secretamente num Vera Wang até há uma semana.

Mas uma noite Danny bateu na porta, com todo o rosto iluminado de empolgação. Arrastou-me para cima até seu apartamento, puxou-me pelo corredor e abriu a porta de seu quarto. E eu fiquei sem fala.

À distância parece um vestido de noiva branco, tradicional, com corpete justo, saia rodada, romântica, e cauda comprida. Mas quanto mais perto a gente chega, mais começa a ver os fantásticos detalhes feitos a mão, em toda parte. Os franzidos de brim branco nas costas. As características preguinhas e os arrepanhados de Danny na cintura. As lantejoulas brancas, os strasses e a purpurina espalhados por toda a cauda, como se alguém tivesse esvaziado uma caixa de doces sobre ela.

Nunca vi um vestido de noiva assim. É uma obra de arte.

— Bem — diz Christina. — Vou ser honesta. Quando você disse que ia usar uma criação do jovem Sr. Kovitz, me deu um pouco de preocupação. Mas isso... — Ela toca uma conta minúscula. — Estou impressionada. Presumindo que a cauda não vá cair enquanto você estiver andando para o altar.

— Não vai — garanto. — Andei com ele em nosso apartamento durante meia hora. Nem uma lantejoula caiu!

— Você vai ficar incrível — diz Erin, sonhadora. — Como uma princesa. E naquela sala...

— A sala é espetacular — diz Christina. — Acho que um monte de queixos vão estar caindo.

— Eu ainda não vi — digo. — Robyn não quis que eu entrasse.

— Ah, você deveria dar uma olhada — diz Erin. — Só uma espiadinha. Antes que fique cheia de gente.

— Eu não posso! E se alguém me vir?

— Vá — diz Erin. — Ponha uma echarpe. Ninguém vai saber que é você.

Desço pé ante pé usando uma jaqueta com capuz, emprestada, virando o rosto quando passo por alguém, sentindo-me ridiculamente moleca. Eu vi os projetos do decorador, e quando abro a porta dupla do Terrace Room acho que sei mais ou menos o que estou esperando. Algo espetacular. Algo teatral.

Nada poderia ter me preparado para entrar naquela sala.

É como penetrar em outro mundo.

Uma floresta mágica, prateada, brilhante. Galhos se curvam lá em cima, quando levanto os olhos. Flores parecem estar crescendo de montinhos de terra. Há trepadeiras, frutas e uma macieira cheia de maçãs prateadas, e uma teia de aranha coberta de gotas de orvalho... e aquilo ali são pássaros *de verdade* voando?

Luzes coloridas pintam os galhos e caem sobre as filas de cadeiras. Duas mulheres estão metodicamente espanando migalhas de cada assento estofado. Um homem de jeans está grudando um cabo no carpete. Um homem num equipamento de iluminação está ajustando um galho prateado. Um violinista está tocando pequenas escalas e trinados, e há o som surdo de tímpanos sendo afinados.

É como estar nas coxias de um musical no West End.

Paro na lateral, olhando em volta, tentando captar cada detalhe. Nunca vi nada assim na vida, e acho que nunca mais verei.

De repente vejo Robyn entrando na sala pela outra extremidade, falando no microfone de cabeça. Seus olhos examinam a sala, e eu me encolho na jaqueta com capuz. Antes que ela possa me ver, saio do Terrace Room e pego o elevador para ir ao Grande Salão de Baile.

Quando a porta está para se fechar, duas mulheres idosas, de saia preta e blusa branca, entram.

— Você viu o bolo? — diz uma delas. — No mínimo três mil dólares.

— Quem é a família?

— Sherman — diz a primeira mulher. — Elinor Sherman.

— A, *esse* é o casamento de Elinor Sherman.

A porta se abre e elas saem.

— Bloom — digo, tarde demais. — Acho que o nome da noiva é Becky...

Elas não estavam ouvindo mesmo.

Acompanho-as cautelosamente até o Grande Salão de Baile. O salão enorme, branco e dourado, onde Luke e eu vamos iniciar a dança.

Ah, meu Deus. É ainda maior do que me lembrava. É ainda mais dourado e grandioso. Fachos dos canhões de luz circulam pela sala, iluminando os camarotes e os candelabros. Subitamente mudam para efeitos de estroboscópio, depois luzes piscantes de discoteca, brincando nos rostos dos garçons que dão os últimos toques nas mesas. Cada mesa circular tem um centro ornamentado, feito de uma cascata de flores brancas. O teto foi transformado numa tenda de musselina, enfeitado de luzes minúsculas como fios de pérolas. A pista de dança é vasta e encerada. No palco, uma banda de dez músicos está fazendo passagem de som. Olho em volta atordoada e vejo duas auxiliares do estúdio de bolos de Antoine se equilibrando em cadeiras, enfiando as últimas tulipas de açúcar no bolo de dois metros e quarenta de altura. Em toda parte há o cheiro de flores, velas e expectativa.

— Com licença. — Eu pulo de lado quando um garçom passa empurrando um carrinho.

— Em que posso ajudá-la? — diz uma mulher com crachá do Plaza na lapela.

— Eu só estava é... dando uma olhada... — digo.

— Dando uma olhada? — Seus olhos se estreitam cheios de suspeita.

— É! Para o caso de algum dia eu... é... querer me casar.

E recuo antes que ela possa dizer mais alguma coisa. De qualquer modo, já vi o bastante.

Não sei direito como voltar para a suíte, e este lugar é tão gigantesco que eu posso me perder, por isso volto ao térreo e ando o mais disfarçadamente possível, indo pelo Pátio das Palmeiras até os elevadores.

Quando passo por um nicho com um sofá, paro. Ali está uma cabeça morena e familiar. Uma mão familiar, segurando o que parece um gim-tônica.

— Luke? — Ele se vira e me olha inexpressivo. E de repente percebo que meu rosto está meio escondido. — Sou eu! — sussurro.

— Becky? — diz ele incrédulo. — O que está fazendo aqui?

— Eu queria ver tudo. Não é incrível? — Olho em volta para ver se estou sendo observada, depois me sento na cadeira diante dele. — Você está fantástico.

Ele parece mais do que fantástico. Está completamente estupendo, com um smoking branco imaculado e camisa branca engomada. Seu cabelo escuro está brilhando sob as luzes, e sinto o cheiro familiar de sua loção pós-barba. E quando ele encontra meus olhos, sinto uma coisa se soltar por dentro, como uma bobina se desenrolando. Independentemente do que acontecer hoje — quer eu consiga fazer isso ou não —, nós dois estamos juntos. Nós dois vamos ficar bem.

— A gente não deveria estar se falando, você sabe — diz ele com um sorrisinho. — Dá azar.

— Eu sei — digo, e tomo um gole do seu gim-tônica. — Mas, para ser honesta, acho que agora nós estamos além das superstições.

— O que quer dizer?

— Ah... nada. — Conto até cinco, juntando energia mental, depois digo: — Soube que seus pais se atrasaram?

— É, me disseram. — Luke franze a testa. — Não se preocupe, eles disseram que sem dúvida estariam presentes para ver você indo para o altar.

O que é verdade. A seu modo.

Luke não sabe nada dos meus planos. Já teve muito que enfrentar. Pela primeira vez sou eu que estou no controle.

Sinto que vi um Luke completamente diferente nas últimas semanas. Um Luke mais jovem, mais vulnerável, do qual o resto do mundo não sabe nada. Depois daquele encontro com Elinor ele ficou muito quieto durante um tempo. Não houve qualquer grande jorro emocional; nenhuma cena dramática. De certo modo, ele simplesmente voltou ao normal. Mas ainda está frágil, ainda está exausto. Nem de longe está em condições de voltar ao trabalho. Durante umas duas semanas ele simplesmente dormiu e dormiu, quatorze ou quinze horas por dia. Foi como se dez anos se esforçando demais finalmente estivessem cobrando o preço.

Agora está gradualmente voltando ao que era. Começando a ter de volta aquele verniz de confiança. Aquela expressão vazia quando não quer que as pessoas saibam o que está sentindo. Aqueles modos abruptos, profissionais. Ele andou indo ao escritório na semana passada, e foi como nos velhos tempos.

Mas não totalmente. Porque, apesar de o verniz estar de volta, o ponto é que eu vi por baixo. Vi como Luke funciona. O modo como ele pensa, do que tem medo e o que realmente quer da vida. Antes de tudo isso ter acontecido, nós estávamos juntos há mais de dois anos. Vivemos juntos e fomos um casal bem-sucedido. Mas agora eu o sinto de um modo que nunca senti antes.

— Fico pensando naquela conversa que tive com minha mãe — diz ele, franzindo a testa para a bebida. — No Rainbow Room.

— Verdade? — digo cautelosamente. — O que exatamente...

— Ainda acho confusa.

— Confusa? — pergunto depois de uma pausa. — Como assim?

— Nunca a ouvi falar daquele jeito antes. Não parecia real. — Ele ergue os olhos. — Não sei se deveria acreditar nela.

Inclino-me para a frente e pego sua mão.

— Luke, só porque ela nunca disse essas coisas antes não significa que não sejam verdade.

Isso foi o que eu lhe disse quase todo dia, desde que ele teve o encontro com Elinor. Quero impedir que ele fique pensando nisso. Quero que aceite o que ela disse e seja feliz. Mas ele é inteligente demais para isso. Luke fica quieto alguns instantes, e sei que está repassando a conversa em pensamento.

— Algumas coisas que ela disse pareceram muito verdadeiras, e outras, muito falsas.

— Que partes pareceram falsas? — digo em tom lépido — Só por interesse?

— Quando ela disse que sentia orgulho de tudo que eu tinha feito, desde a fundação da minha empresa até escolher você como mulher. Simplesmente não... não sei... — Ele balança a cabeça.

— Achei isso bastante bom! — retruco antes de poder me impedir. — Quer dizer... você sabe... é uma coisa bem provável de ela dizer...

— Mas então ela disse outra coisa. Disse que não se passou um dia, desde que eu nasci, em que ela não pensou em mim. — Ele hesita. — E pelo modo como ela disse... eu realmente acreditei.

— Ela disse isso? — falei, pasma.

Não havia nada disso no pedaço de papel que eu dei a Elinor. Pego o gim-tônica de Luke e tomo um gole, pensando intensamente.

— Eu realmente acho que ela falou sério — digo por fim.

— De fato... eu sei. O fato é que ela queria dizer que amava você. Mesmo que tudo que ela tenha dito não parecesse completamente natural, era isso que ela queria que você soubesse.

— Acho que sim. — Ele me encara. — Mesmo assim, ainda não me sinto do mesmo modo em relação a ela. Não posso voltar aonde eu estava.

— Não — digo depois de um curto silêncio. — Bem... acho que isso é provavelmente bom.

O feitiço foi quebrado. Luke finalmente acordou.

Inclino-me e lhe dou um beijo, depois tomo outro gole de sua bebida.

— Tenho de ir colocar o vestido.

— Você não vai usar essa linda jaqueta com capuz? — diz Luke, rindo.

— Bem, eu *ia* usar. Mas agora que você viu, terei de arranjar outra coisa, acho... — Levanto-me para ir. E hesito. — Escute, Luke. Se as coisas parecerem meio estranhas hoje, só... deixe correr, certo?

— Certo — diz Luke, surpreso.

— Promete?

— Prometo. — Ele me dá um olhar de lado. — Becky, há alguma coisa que eu deveria saber?

— É... não — digo inocente. — Não, acho que não. Vejo você lá.

Vinte

Não acredito que consegui chegar até este momento. Honestamente, não acredito que esteja realmente acontecendo. Estou usando um vestido de noiva. Estou usando uma grinalda brilhante no cabelo.

Sou uma noiva.

Enquanto sou guiada por Robyn pelos corredores vazios e silenciosos do Plaza, me sinto meio como o presidente dos Estados Unidos num filme de Hollywood.

— A Bela está a caminho — murmura ela ao microfone de cabeça enquanto andamos pelo tapete vermelho e fofo. — A Bela está chegando.

Viramos um corredor e eu me vejo num gigantesco espelho antigo, e sinto uma pontada de choque. Claro que sei como estou. Acabo de passar meia hora me olhando na suíte lá em cima, pelo amor de Deus. Mesmo assim, pegando-me desprevenida, não posso acreditar que aquela garota de véu sou eu. Sou *eu*.

Ah, meu Deus. O que estou fazendo?

Quando vejo as portas do Terrace Room, sinto um choque de pânico, e meus dedos se apertam no buquê. Isso nunca vai dar certo. Eu devo estar louca. Não posso fazer. Quero sair correndo.

Mas não há para onde correr. Não há o que fazer além de ir em frente.

Erin e as outras damas de honra estão esperando, e, à medida que chegamos perto, todas começam a arrulhar sobre o meu vestido. Não faço idéia de quais são os nomes delas. São filhas de amigas de Elinor. Depois de hoje provavelmente nunca mais vou vê-las de novo.

— Orquestra de cordas. A postos para a Bela — está dizendo Robyn em seu microfone.

— Becky! — Levanto os olhos e, graças a Deus, é Danny, usando um casaco de brocado sobre calças de couro e segurando um Programa da Cerimônia em cinza e bronze. — Você está incrível.

— Verdade? Eu estou legal?

— Espetacular — diz Danny com firmeza. Ele ajusta a cauda, recua para olhar, depois pega uma tesoura e corta um pedaço de fita.

— Pronta? — diz Robyn.

— Acho que sim — digo, sentindo-me ligeiramente enjoada.

A porta dupla se abre e eu ouço o burburinho de quatrocentas pessoas se virando nas cadeiras. A orquestra de cordas começa a tocar o tema da *Bela Adormecida*, e as damas de honra começam a seguir pelo corredor entre as cadeiras.

E de repente eu estou andando. Estou entrando na floresta encantada, levada no crescendo da música. Pequenas luzes piscam no alto. Agulhas de pinheiro soltam perfume sob meus pés. Há o cheiro de terra fresca e o som de pássaros cantando, e o murmúrio de uma cascata minúscula. Flores se abrem como por magia quando dou cada passo, e as folhas se desdobram, e as pessoas ficam boquiabertas ao olhar para cima. E posso ver Luke lá na frente, meu belo príncipe, me esperando.

E agora, por fim, começo a relaxar. A saborear.

A cada passo que dou, sinto como se fosse uma primeira bailarina fazendo o arabesque perfeito no Covent Garden. Ou uma estrela de cinema chegando para a cerimônia do Oscar. Música tocando, todo mundo me olhando, jóias no meu cabelo e o vestido mais lindo que já usei. Sei que nunca mais vou experimentar algo assim na vida. Nunca. Quando chego ao fim do corredor, diminuo o passo, respirando a atmosfera, captando as árvores, as flores e o perfume maravilhoso. Tentando gravar cada detalhe na mente. Adorando cada segundo mágico.

Tudo bem. Vou admitir.

Elinor estava certa. Quando tentei salvar este casamento, não estava sendo completamente altruísta. Não estava fazendo isso só para salvar o relacionamento de Luke com sua mãe.

Queria isso para mim. Queria ser uma princesa das fadas por um dia.

Chego ao lado de Luke e entrego o buquê a Erin. Dou um sorriso caloroso para Gary, o novo padrinho de Luke — e então seguro a mão de Luke. Ele a aperta de leve, e eu aperto de volta.

E ali está Michael adiantando-se, usando um terno escuro, vagamente clerical.

Ele me dá um minúsculo sorriso conspiratório, depois respira fundo e se dirige à congregação.

— Meus amados. Estamos reunidos hoje para testemunhar o amor entre dois seres humanos. Estamos aqui para vê-los jurar o amor um pelo outro. E para nos unir a eles na celebração pela alegria de compartilharem esse amor. Deus abençoe todos os que amam, e Deus certamente abençoará Luke e Becky hoje, enquanto eles trocam seus votos.

Ele se vira na minha direção, e posso ouvir o farfalhar das pessoas atrás de mim, tentando enxergar melhor.

— Você, Rebecca, ama Luke? — diz ele. — Promete estar com ele nos bons e nos maus momentos, na riqueza e na pobreza, na doença e na saúde? Você lhe entrega sua confiança agora e para sempre?

— Sim — digo, incapaz de impedir um minúsculo tremor na voz.

— Você, Luke, ama Rebecca? Promete estar com ela nos bons e nos maus momentos, na riqueza e na pobreza, na doença e na saúde? Você lhe entrega sua confiança agora e para sempre?

— Sim — diz Luke com firmeza. — Prometo.

— Que Deus abençoe Luke e Becky, e que eles tenham felicidade, sempre. — Michael faz uma pausa e olha o salão em volta, como se desafiasse alguém a questioná-lo, e meus dedos se apertam nos de Luke. — Que eles conheçam o júbilo da compreensão compartilhada, o deleite de um amor sempre crescente, e o calor da amizade eterna. Agora vamos aplaudir o feliz casal. — Ele sorri para Luke. — Pode beijar a noiva.

Quando Luke se curva para me beijar, Michael começa a aplaudir, decidido. Há uma ligeira pausa indecisa... e então algumas pessoas se juntam, e logo todo o salão está aplaudindo.

Gary está murmurando alguma coisa no ouvido de Luke, e ele se vira para mim, perplexo.

— E a aliança?

— Não fale da aliança — digo através de um sorriso fixo.

Meu coração está batendo tanto que mal posso respirar. Fico esperando que alguém se levante. Que alguém diga: "Espere um minuto aí..."

Mas ninguém faz isso. Ninguém diz nada.

Deu certo.

Encontro o olhar de Michael por um instante — depois viro a cabeça, para ninguém notar. Ainda não posso ficar relaxada. Ainda não.

O fotógrafo se adianta e eu pego o braço de Luke com firmeza, e Erin vem com o meu buquê, enxugando as lágrimas.

— Foi uma cerimônia tão linda! — diz ela. — A parte sobre o calor de uma amizade eterna realmente me pegou. Sabe, porque isso é tudo que eu quero. — Ela segura meu buquê com força encostado no peito. — É tudo que eu sempre quis.

— Bem, sabe, eu tenho certeza que você vai encontrar — digo, e lhe dou um abraço. — Sei que vai.

— Com licença, moça? — diz o fotógrafo. — Se eu pudesse pegar só a noiva e o noivo...

Erin me dá as flores e sai do caminho, e eu adoto minha expressão mais radiante de recém-casada.

— Mas Becky — diz Luke. — O Gary falou...

— Pegue a aliança com Gary — digo sem mexer a cabeça. — Diga que você está realmente embaraçado porque ele foi esquecido, e que nós fazemos isso depois.

Alguns convidados se adiantaram para tirar fotos, e eu encosto a cabeça no ombro de Luke e sorrio feliz para eles.

— Há outra coisa errada — diz Luke. — Michael não nos proclamou marido e mulher. E nós não temos de assinar alguma coisa?

— Ssssh! — Há um flash brilhante, e nós dois piscamos.

— Becky, o que está acontecendo? — Ele me gira para encará-lo. — Nós estamos casados?

— Essa foto é boa! — diz o fotógrafo. — Fiquem assim.

— Nós estamos casados? — Luke examina meu rosto atentamente.

— Bem... Certo — digo com relutância. — Por acaso, não.

Há outro flash ofuscante. Quando meus olhos focalizam de novo, Luke está me olhando incrédulo.

— Nós não estamos casados?

— Olha, só confie em mim, certo?

— *Confiar* em você?

— É! Como você prometeu há cinco segundos! Lembra?

— Eu prometi fazer isso quando pensei que nós íamos nos casar!

De repente a orquestra de cordas inicia a Marcha Nupcial, e uma equipe de auxiliares afastam os convidados com suas máquinas fotográficas.

— Vão — diz uma voz metálica, incorpórea. — Comecem a andar.

De onde, diabos, ela está vindo? As flores estão falando comigo?

De repente meus olhos fazem um zoom até um alto-falante minúsculo, preso num botão de rosa. Robyn plantou um alto-falante no meu buquê?

— Noiva e noivo! Andem!

— Certo! — digo às flores. — Estamos indo!

Agarro com força o braço de Luke e começo a andar pelo corredor entre as cadeiras, voltando pela floresta encantada.

— Nós não estamos casados — diz Luke, incrédulo. — Toda uma porcaria de floresta, quatrocentas pessoas, um enorme vestido branco, e nós não estamos casados.

— Sssh! — digo irritada. — Não conte a todo mundo! Olha, você prometeu que, se as coisas ficassem meio estranhas, ia deixar correr. Bem, deixe correr!

Enquanto andamos de braços dados, raios de sol atravessam os galhos da floresta, pintalgando o chão. De repente há um zumbido e, para minha perplexidade, os galhos começam a recuar estalando, para revelar arco-íris brincando no céu.

Um coro celestial começa a cantar, e uma nuvem fofa desce do céu, onde duas gordas pombas cor-de-rosa estão repousando.

Ah, meu Deus. Tenho de conter um ataque de riso. Isso é demais. Serão esses os minúsculos detalhes adicionais de que Robyn estava falando?

Olho para Luke, e a boca dele está estremecendo de modo suspeito também.

— O que você acha da floresta? — digo toda animada. — É legal, não é? Eles trouxeram bétulas especialmente da Suíça.

— Verdade? De onde eles mandaram as pombas? — Luke espia para elas. — São grandes demais para ser pombas. Devem ser perus.

— Não são perus!

— Perus do amor.

— Luke, cala a boca — murmuro, tentando desesperadamente não rir. — São pombas.

Estamos passando por fileira após fileira de convidados bem-vestidos, todos sorrindo calorosamente para nós, a não ser as garotas, que estão me dando a Olhada de Manhattan.

— Quem diabos são todas essas pessoas? — diz Luke, examinando as fileiras de estranhos sorridentes.

— Não faço idéia — dou de ombros. — Pensei que você conheceria algumas.

Chegamos ao fundo do salão para uma última seção de fotos, e Luke me olha interrogativamente.

— Becky, meus pais não estão aqui. E nem os seus.

— É... não. Não estão.

— Nada de família. Nem aliança. E nós não estamos casados. — Ele faz uma pausa. — Pode me chamar de maluco, mas não era bem assim que eu esperava que nosso casamento fosse.

— Este não é o nosso casamento — digo, e lhe dou um beijo para as máquinas fotográficas.

Nem acredito que estamos conseguindo. Ninguém disse nada. Ninguém questionou nada. Duas pessoas pediram para ver a aliança, e eu simplesmente mostrei rapidamente o aro do meu anel de noivado, virado ao contrário.

Comemos sushi e caviar. Tivemos um incrível jantar de quatro pratos. Brindamos. Tudo aconteceu segundo o plano. Cortamos o bolo com uma gigantesca espada de prata e todo mundo aplaudiu, e então a banda começou a tocar "The Way You Look Tonight" e Luke me guiou até a pista e nós começamos a dançar. E esse foi um dos momentos que vou guardar no meu caderno para sempre. Um redemoinho de branco e ouro, brilho e música, e o braço de Luke em volta de mim, e minha cabeça tonta por causa do champanha, e o conhecimento de que foi isso, esse foi o ponto alto, e logo iria acabar.

E agora a festa está no pique total. A banda está tocando um jazz que não reconheço, e a pista de dança está cheia. No meio da multidão de estranhos bem-vestidos consigo captar alguns rostos familiares. Christina está dançando com seu namorado, e Erin está conversando com um dos padrinhos do noivo. E ali está Laurel, dançando muito energicamente com... Michael!

Bem. É uma idéia.

— Então. Adivinha quantas pessoas pediram meu cartão? — diz uma voz no meu ouvido. Eu me viro e vejo Danny triunfante, com uma taça de champanha em cada mão e um cigarro na boca. — Vinte! Pelo menos! Uma queria que eu tirasse as medidas ali mesmo. Todas acharam o vestido lindo de morrer. E quando eu falei que trabalhei com John Galliano...

— Danny, você nunca trabalhou com John Galliano!

— Eu entreguei uma xícara de café a ele uma vez — diz

Danny na defensiva. — E ele agradeceu. De certa forma foi uma comunicação artística...

— Se você diz. — Rio para ele, feliz. — Fico muito feliz por você.

— Então, você está curtindo?

— Claro!

— Sua sogra está no ambiente dela.

Ambos nos viramos para examinar Elinor, que está sentada à mesa principal, rodeada por damas elegantes. Há um ligeiro brilho em sua bochecha, e ela parece mais animada do que eu já vi. Está usando um longo verde-claro e uma quantidade gigantesca de diamantes, e parece a bela do baile. O que, de certa forma, ela é. Essas são suas amigas. Essa festa é realmente dela, não de Luke ou minha. É um espetáculo maravilhoso. É uma ocasião maravilhosa para se ser um convidado.

E é mais ou menos como me sinto.

Um grupo de mulheres passa conversando alto, e eu ouço trechos das falas.

— Espetacular...

— Muito imaginativo...

Elas sorriem para mim e Danny, e eu sorrio de volta. Mas minha boca está meio rígida. Estou cansada de sorrir para pessoas que não conheço.

— É um casamento fantástico — diz Danny, olhando a sala brilhante em volta. — Realmente espetacular. Se bem que é menos *você* do que eu acharia.

— Verdade? Por quê?

— Não estou dizendo que não seja fantástico. É muito chique, muito luxuoso. Mas só... não é como eu imaginei que seria o seu casamento. Mas eu estava errado — acrescenta ele rapidamente ao ver minha expressão. — Obviamente.

Olho seu rosto magro, cômico, que não suspeita de nada. Ah, meu Deus. Tenho de contar a ele. *Não posso* deixar de contar ao Danny.

— Danny, há uma coisa que você precisa saber — digo em voz baixa.

— O quê?

— Sobre este casamento...

— Oi, crianças!

Paro, cheia de culpa, e me viro. Mas é somente Laurel, toda ruborizada e feliz pela dança.

— Grande festa, Becky — diz ela. — Grande banda. Meu Deus, eu tinha esquecido de como gostava de dançar.

Examino sua aparência numa leve perplexidade.

— Laurel! A gente não enrola a manga de um vestido Yves St Laurent de mil dólares.

— Eu fiquei com calor — diz ela dando de ombros, alegre. — Agora, Becky, odeio dizer. — Ela baixa a voz. — Mas você vai ter de ir embora logo logo.

— Já? — Olho instintivamente para o pulso, mas não estou com relógio.

— O carro está esperando lá fora — diz Laurel. — O motorista tem todos os detalhes, ele vai mostrar onde vocês devem ir no JFK. É um procedimento diferente para os aviões particulares, mas deve dar tudo certo. Qualquer problema, me ligue. — Ela baixa a voz até um sussurro, e eu olho para Danny, que está fingindo não ouvir. — Você deve chegar à Inglaterra com bastante tempo. Realmente espero que tudo dê certo.

Estendo a mão e a abraço com força.

— Laurel... você é uma estrela — murmuro. — Não sei o que dizer.

— Becky, acredite. Isto não é nada. Depois do que você

fez por mim, você poderia ter dez aviões. — Ela me abraça de volta, depois olha o relógio. — É melhor achar o Luke. Vejo vocês daqui a pouco.

Depois de ela ir embora, há um silêncio curto, interessado.

— Becky, será que eu ouvi as palavras "avião particular"? — diz Danny.

— É... é. Ouviu, sim.

— Você vai viajar num avião particular?

— É. — Tento parecer casual. — Vamos. É o presente de casamento de Laurel para nós.

— Ela escolheu o avião particular? — Danny balança a cabeça. — Droga. Sabe, eu estava planejando te dar isso. Estava entre isso e o batedor de ovos...

— Idiota! Ela é presidente de uma companhia aérea.

— Meu Deus. Um avião particular. Então... para onde vocês vão? Ou ainda é um grande segredo? — Olho enquanto Danny dá uma tragada no cigarro e sinto uma onda súbita e gigantesca de afeto por ele.

Eu não quero simplesmente contar a Danny o que está acontecendo.

Quero que ele faça parte disso.

— Danny — digo. — Você está com o seu passaporte em dia?

Levo algum tempo até achar Luke. Ele foi acuado por dois investidores e dá um pulo agradecido assim que apareço. Nós circulamos pelo salão gigantesco e apinhado, despedindo-nos e agradecendo a todos os convidados que conhecemos. Para ser honesta, não demorou muito.

Por fim nos aproximamos da mesa principal e interrompemos Elinor o mais discretamente que podemos.

— Mamãe, estamos indo — diz Luke.

— Agora? — Elinor franze a testa. — É cedo demais.

— Bem... nós vamos.

— Obrigada por um casamento maravilhoso — digo com sinceridade. — Foi realmente incrível. Todo mundo está dizendo como foi maravilhoso. — Curvo-me para beijá-la. — Adeus.

Por que eu tenho o enorme sentimento de que nunca mais vou ver Elinor?

— Adeus, Becky — diz ela, ao seu modo formal. — Adeus, Luke.

— Adeus, mamãe.

Os dois se olham — e por um momento acho que Elinor vai dizer mais alguma coisa. Mas em vez disso ela se curva para a frente com bastante rigidez e dá um beijo na bochecha de Luke.

— Becky! — Sinto alguém me cutucando o ombro. — Becky, vocês ainda não vão! — Viro-me e vejo Robyn, perturbada.

— É... sim. Nós estamos indo. Muitíssimo obrigada por tudo que você...

— Vocês ainda não podem ir!

— Ninguém vai notar — digo, olhando a festa em volta.

— Eles têm de notar! Nós planejamos uma saída, lembra? As pétalas de rosas? A música?

— Bem... talvez a gente possa esquecer a saída...

— Esquecer a saída? — Robyn me encara. — Está brincando? Orquestra! — diz ela ansiosa no microfone de cabeça. — Passe para "Um dia". — Entendido? Passe para "Um dia". Ela ergue o walkie-talkie. — Equipe de luz, a postos com as pétalas de rosas.

— Robyn — digo desamparada. — Honestamente, nós só queríamos sair de fininho...

— Minhas noivas não saem de fininho! Fanfarra — murmura ela ao microfone. — Equipe de iluminação, preparar canhão para a saída.

Há uma súbita fanfarra de trumpetes, e todos os convidados na pista de dança pulam. A luz muda de um ritmo de discoteca para um radiante brilho cor-de-rosa, e a banda começa a tocar "Um dia meu príncipe virá".

— Vão, Bela e Príncipe — diz Robyn, dando-me um leve empurrão. — Vão! *Um* dois três, *um* dois três...

Trocando olhares, Luke e eu vamos para a pista de dança, onde os convidados se separam para nos deixar passar. A música está a toda volta, um canhão de luz nos acompanha, e, de repente, pétalas de rosas começam a cair suavemente do teto.

Na verdade isso é lindo. Todo mundo está sorrindo benevolente, e eu ouço alguns "Aahs" enquanto saímos. O brilho da luz rosada é como estar dentro de um arco-íris, e as pétalas de rosas têm um cheiro maravilhoso ao pousar na nossa cabeça e nos braços e cair no chão. Luke e eu estamos sorrindo um para o outro, e há uma pétala no cabelo dele...

— Pára!

Quando ouço a voz, sinto uma pontada terrível.

A porta dupla se abriu, e ali está ela, parada. Usando conjunto preto e as botas mais altas e pontudas que já vi.

A própria bruxa má.

Todo mundo se vira para olhar, e a orquestra vai parando, insegura.

— Alicia? — diz Luke, perplexo. — O que está fazendo aqui?

— Está tendo um bom casamento, Luke? — diz ela, com um sorrisinho malicioso.

Alicia dá alguns passos para dentro do salão, e eu vejo os convidados se encolhendo enquanto ela passa.

— Venha — digo rapidamente. — Venha e se junte à festa. Nós teríamos convidado você...

— Eu sei o que você está fazendo, Becky.

— Ora, estamos nos casando! — digo, tentando parecer tranqüila. — Não há nenhum prêmio para quem adivinhar isso.

— Eu sei exatamente o que você está fazendo. Tenho amigos em Surrey. Eles andaram verificando as coisas. — Ela me encara triunfante e eu sinto um gelo na coluna.

Não.

Por favor, não.

Não depois de termos chegado tão longe.

— Acho que você tem um segredinho minúsculo que não está contando ao resto dos seus convidados. — Alicia faz uma cara de falsa preocupação. — Isso não é muito educado, é?

Não posso me mexer. Não posso respirar. Preciso de minhas fadas madrinhas, depressa.

Laurel me lança um olhar horrorizado.

Christina pousa sua taça de champanha.

— Código vermelho. Código vermelho — ouço a voz de Robyn estalando no buquê. — Urgente. Código vermelho.

Agora Alicia está caminhando pela pista de dança, demorando-se, adorando a atenção.

— A verdade — diz ela em tom agradável — é que tudo isto é meio uma farsa. Não é, Becky?

Meu olhar salta para trás dela. Dois auxiliares corpulentos, de smoking, estão se aproximando da pista de dança. Mas não chegarão a tempo. Tudo vai se arruinar.

— Tudo parece tão lindo. Tudo parece tão romântico. — Sua voz endurece de repente. — Mas o que as pessoas devem saber é que esse suposto casamento perfeito no Plaza é na verdade uma completa e absoluta... *arrrgh!* — Sua voz sobe até um grito. — Me ponha no chão!

Não acredito. É Luke.

Ele andou calmamente até ela e a levantou sobre o ombro. E agora está carregando-a para fora, como um moleque bagunceiro.

— Me ponha no chão! — grita ela. — Alguém me ajuda, porcaria!

Mas todos os convidados estão começando a rir. Ela chuta Luke com suas botas pontudas e ele levanta as sobrancelhas, mas não pára de andar.

— É uma farsa! — grita ela quando eles chegam à porta. — É uma farsa! Eles realmente não...

A porta bate, interrompendo-a, e há um momento silencioso, chocado. Ninguém se mexe, nem mesmo Robyn. Então, lentamente, a porta se abre de novo e Luke reaparece, esfregando as mãos.

— Não gosto de penetras — diz ele secamente.

— Bravo — grita uma mulher que não reconheço. Luke faz uma pequena reverência, e há uma gargalhada gigantesca, aliviada, e logo toda a sala está aplaudindo.

Meu coração está batendo tão forte que não sei se posso ficar de pé. Quando Luke se junta de novo a mim, pego sua mão e ele aperta a minha com força. Agora só quero ir. Quero ir embora.

Há um burburinho interessado pelo salão, e, graças a Deus, posso ouvir pessoas murmurando coisas como "louca" e "deve estar com ciúme". Uma mulher de Prada da cabeça aos pés está até dizendo, alegre:

— Sabe, aconteceu exatamente a mesma coisa no *nosso* casamento...

Ah, meu Deus, e agora aí vêm Elinor e Robyn, lado a lado como as duas rainhas em *Alice no país das maravilhas*.

— Sinto tanto! — diz Robyn assim que chega perto. — Não deixe isso perturbá-la, querida. Ela é só uma garota triste, cheia de ressentimento.

— Quem *era* ela? — diz Elinor, franzindo a testa. — Você a conhece?

— Uma ex-cliente desapontada — diz Robyn. — Algumas dessas garotas ficam muito amargas. Não faço idéia do que acontece! Num minuto elas são umas coisinhas doces, no outro estão abrindo processos para tudo que é lado! Não se preocupe, Becky. Vamos fazer a saída de novo. Atenção, orquestra — diz ela ansiosa. — Reprise. "Um dia", ao meu sinal. Equipe de luz, a postos com as pétalas de rosas de emergência.

— Você tem pétalas de rosas de emergência? — digo, incrédula.

— Querida, eu cubro qualquer eventualidade. — Ela pisca para mim. — Por isso é que você contrata uma organizadora de casamentos.

— Robyn — digo honestamente. — Acho que você vale cada centavo. — Passo o braço em volta dela e lhe dou um beijo. — Tchau. E tchau de novo, Elinor.

A música cresce no ar outra vez, nós começamos a caminhar de novo, e mais pétalas de rosas começam a cascatear do teto. Realmente tenho de tirar o chapéu para Robyn. As pessoas estão se apinhando em volta e aplaudindo — e será minha imaginação ou elas parecem um pouco mais amigáveis depois do incidente com Alicia? No fim da fila vejo Erin inclinando-se ansiosa para a frente, e eu jogo o buquê em suas mãos estendidas.

E então saímos.

A pesada porta dupla se fecha e estamos no corredor quieto e luxuoso, vazio a não ser pelos dois seguranças, que fazem questão de olhar em frente.

— Nós conseguimos — digo, meio rindo, aliviada; empolgada. — Luke, nós conseguimos!

— Imagino que sim — diz Luke, assentindo. — Muito bem. Agora você poderia me contar que porra está acontecendo?

VINTE E UM

Laurel arranjou tudo perfeitamente. O avião está preparado para nós no JFK, e chegamos a Gatwick mais ou menos às oito da manhã, onde outro carro nos espera. E agora estamos disparando através de Surrey, na direção de Oxshott. Vamos chegar logo! Nem acredito como tudo está correndo tão bem.

— Claro, você sabe qual foi seu grande erro — diz Danny, esticando-se luxuriante no banco de couro do Mercedes.

— O quê? — digo, afastando o telefone e levantando a cabeça.

— Ficar em apenas dois casamentos. Quer dizer, já que vai fazer mais de uma vez, por que não três vezes? Por que não seis vezes? Seis festas...

— Seis vestidos... — intervém Luke.

— Seis bolos...

— Olha, calem a boca! — digo indignada. — Não fiz tudo isso intencionalmente, vocês sabem! Só... aconteceu.

— Só aconteceu — ecoa Danny, zombando. — Becky, não precisa fingir conosco. Você queria usar dois vestidos. Não há vergonha nisso.

— Danny, eu estou falando ao telefone... — Olho pela janela. — Certo, Suze, acho que faltam uns dez minutos para a gente chegar.

— Simplesmente não consigo acreditar que você conseguiu — diz Suze do outro lado da linha. — Não acredito que tudo deu certo! Tenho vontade de sair correndo e contar a todo mundo.

— Bem, não faça isso!

— Mas é tão incrível! Pensar que ontem à noite você estava no Plaza, e agora... — Ela pára, num alarme súbito. — Ei, você ainda não está usando o vestido de noiva, está?

— Claro que não! — Dou um risinho. — Não sou uma imbecil completa. Nós trocamos de roupa no avião.

— E como foi isso?

— Foi *tão* legal! Honestamente, Suze, daqui para a frente só vou viajar de jatinho.

É um dia luminoso de verão, e quando olho pelos campos passando do outro lado da janela sinto um jorro de felicidade. Não acredito que tudo se encaixou. Depois de todos esses meses de preocupação e problemas. Estamos aqui na Inglaterra. O sol está brilhando. E vamos nos casar.

— Sabe, estou meio preocupado — diz Danny, olhando pela janela. — Onde estão todos os castelos?

— Isto aqui é Surrey — explico. — Nós não temos castelos.

— E onde estão os soldados com peles de urso na cabeça? — Ele estreita os olhos. — Becky, tem certeza que isto é a Inglaterra? Tem certeza que aquele piloto sabia aonde estava indo?

— Bastante certeza — respondo pegando meu batom.

— Não sei — diz ele em dúvida. — Isto está me parecendo muito mais a França.

Paramos num sinal de trânsito, e ele baixa a janela.

— *Bonjour* — diz a uma mulher espantada. — *Comment allez-vous?*

— Eu... não sei — diz a mulher, e atravessa a rua correndo.

— Eu sabia — diz Danny. — Becky, odeio lhe dar a notícia... mas isto aqui é a França.

— É Oxshott, seu idiota. E... Ah, meu Deus. Ali está a nossa rua.

Sinto um gigantesco espasmo de nervosismo quando vejo a placa familiar. Estamos quase chegando.

— Certo — diz o motorista. — Elton Road. Que número?

— Número 43. Aquela casa ali — digo. — A que está cheia de balões e estandartes... e tiras prateadas nas árvores...

Cacete. O lugar inteiro está parecendo um parque de diversões. Há um homem trepado na castanheira da frente, esticando fios com lâmpadas entre os galhos, e um furgão branco parado na entrada, e mulheres de uniformes listrados de verde e branco entrando e saindo da casa.

— Parece que estão esperando você, pelo menos — diz Danny. — Você está bem?

— Ótima — digo. E é ridículo, mas minha voz está tremendo.

O carro pára, assim como o outro que vem atrás, que está trazendo toda a nossa bagagem.

— O que não entendo — diz Luke, olhando para toda aquela atividade — é como você conseguiu transferir um casamento inteiro para o dia seguinte. Com três semanas de prazo. Quer dizer, a gente está falando de fornecedores, da banda, de um milhão de profissionais diferentes e ocupados...

— Luke, isto aqui não é Manhattan — digo, abrindo a porta do carro. — Você vai ver.

Quando saímos, a porta da frente se abre, e ali está mamãe, com calças xadrez e um suéter onde está escrito MÃE DA NOIVA.

— Becky! — grita ela, e vem correndo me abraçar.

— Mamãe. — Abraço-a de volta. — Está tudo certo?

— Tudo sob controle, acho! — diz ela, meio agitada. — Tivemos um problema com os arranjos de mesa, mas vamos cruzar os dedos, eles já devem estar vindo... Luke! Como vai? Como foi a reunião financeira?

— Foi... é... muito bem. Muito bem mesmo, obrigado. Só lamento ter causado tanto incômodo com os arranjos para o casamento...

— Ah, tudo bem! — diz mamãe. — Admito que eu fiquei meio abalada quando Becky telefonou. Mas acabou não dando muito problema! A maioria dos convidados ia ficar mesmo para o almoço do domingo. E Peter, da igreja, foi tremendamente compreensivo, e disse que geralmente não fazia casamentos no domingo, mas que nesse caso faria uma exceção...

— Mas e... os serviços de bufê, por exemplo? Não estava tudo marcado para ontem?

— Ah, Lulu não se incomodou! Não foi, Lulu? — diz ela a uma das mulheres de listras verdes e brancas.

— Não! — diz Lulu toda animada. — Claro que não. Olá, Becky! Como vai?

Ah, meu Deus! É Lulu, que costumava me levar para o grupo de escoteiras.

— Oi! Não sabia que você estava trabalhando com bufê!

— Ah, bem. — Ela faz um gestozinho autodepreciativo. — É só para ficar ocupada, verdade. Agora que os filhos cresceram...

— Sabe, o filho de Lulu, Aaron, é da banda! — diz mamãe com orgulho. — Toca teclado! E sabe?, eles são muito bons! Ensaiaram "Unchained Melody" especialmente...

— Olha, prove só isto! — diz Lulu, enfiando a mão numa bandeja coberta de folha de alumínio e pegando um canapé.

— É o nosso novo folhado tailandês. Estamos muito satisfeitos com ele. Você sabe, os folhados estão muito na moda atualmente.

— Verdade?

— Ah, sim. — Lulu assente como quem sabe das coisas. — *Ninguém* serve mais tortinhas sem tampa. Quanto aos *vol-au-vents*... — Ela faz uma careta. — Já eram.

— Você está certíssima — diz Danny com os olhos brilhantes. — O *vol au vent* está morto. O *vol-au-vent* é podre, sabe? Posso perguntar o que você acha do pãozinho de aspargos?

— Mamãe, este é Danny — intervenho rapidamente. — Meu vizinho, lembra?

— Sra. B., é um prazer conhecê-la — diz Danny, beijando a mão de mamãe. — A senhora não se importa por eu ter vindo com Becky?

— Claro que não! — diz mamãe. — Quanto mais, melhor! Agora, venham ver a tenda!

Enquanto damos a volta no quintal, meu queixo cai. Uma gigantesca tenda de listras prateadas e brancas está plantada no gramado. Em todos os canteiros de flores está escrito "Becky e Luke" em amores-perfeitos. Há luzes minúsculas penduradas em cada arbusto disponível. Um jardineiro uniformizado está polindo uma nova fonte de granito, outra pessoa está varrendo o pátio, e dentro da tenda posso ver um monte de mulheres de meia-idade sentadas num semicírculo, segurando cadernos.

— Janice está dando as orientações às meninas — diz mamãe, baixinho. — Ela realmente entrou nessa de organizar casamentos. Quer começar a fazer isso profissionalmente.

— Agora — ouço Janice dizendo, enquanto nos aproximamos. — As pétalas de rosas de emergência vão estar numa cesta de prata perto da Coluna A. Todas vocês poderiam anotar isso por favor em suas plantas-baixas...

— Sabe, acho que ela vai ser um sucesso — digo pensativamente.

— Betty e Margot, vocês podem se encarregar dos arranjos de lapela. Annabel, poderia por favor cuidar do...

— Mamãe? — diz Luke, olhando incrédulo para a tenda.

Ah, meu Deus. É Annabel! A madrasta de Luke, sentada ali, junto com as outras.

— Luke! — Annabel olha em volta e todo o seu rosto se ilumina. — Janice, com licença um momento...

Ela corre até nós e envolve Luke num abraço apertado.

— Você está aqui. Fico feliz em vê-lo. — Ela examina ansiosa o rosto dele. — Você está bem, querido?

— Estou ótimo. Acho. Muita coisa andou acontecendo...

— Imagino — diz Annabel, e me dá um olhar incisivo. — Becky. — Ela estende um dos braços e me abraça também. — Vou bater um longo papo com vocês mais tarde — diz em meu ouvido.

— Então... você está ajudando no casamento? — diz Luke à sua mãe.

— Ah, por aqui todo mundo tem de colaborar — diz mamãe, animada. — Agora Annabel é uma de nós!

— E cadê o papai? — diz Luke, olhando em volta.

— Foi comprar uns copos extras com o Graham — diz mamãe. — Aqueles dois realmente se entenderam. Bom, quem quer uma xícara de café?

— Vocês estão se dando muito bem com os pais de Luke! — digo, acompanhando mamãe para a cozinha.

— Ah, eles são ótimos! — diz ela toda feliz. — Realmente um charme. Já convidaram a gente para passar um tempo em Devon. Gente boa, normal, pé no chão. Não como... aquela mulher.

— Não. Eles são muito diferentes de Elinor.

— Ela não pareceu nem um pouco interessada no casamento — diz mamãe, com a voz ligeiramente indignada. — Sabe, ela nem respondeu ao convite!

— Não?

Droga. Eu pensei que tinha mandado uma resposta por Elinor.

— Vocês andaram se encontrando com ela recentemente?

— É... não. Não muito.

Levamos uma bandeja de café para cima, ao quarto de mamãe, e ao abrir a porta damos com Suze e Danny sentados na cama, com Ernie no meio, sacudindo os pezinhos cor-de-rosa. E, pendurado na porta do guarda-roupa do outro lado, o vestido de casamento de mamãe, branco e cheio de babados como sempre.

— Suze! — exclamo, dando-lhe um abraço. — E o lindíssimo Ernie! Ele está tão *grande*... — Curvo-me para lhe dar um beijo na bochecha, e ele me dá um enorme sorriso de gengivas.

— Você conseguiu. — Suze ri para mim. — Muito bem, Bex.

— Suze estava me mostrando seu vestido de noiva, a herança de família, Sra. B. — diz Danny, levantando as sobrancelhas para mim. — É... bastante especial.

— Esse vestido é um verdadeiro sobrevivente! — exclama mamãe, deliciada. — Nós pensamos que estava arruinado, mas todo o café saiu!

— Que milagre! — diz Danny.

— E hoje cedo mesmo o Erniezinho tentou jogar purê de maçã nele...

— Ah, verdade? — digo olhando para Suze, que fica ligeiramente ruborizada.

— Mas por sorte eu tinha coberto com plástico! — diz mamãe. Ela estende a mão para o vestido e sacode os babados, com os olhos ligeiramente cor-de-rosa. — Esse é um momento com o qual eu estive sonhando por muito tempo. Becky usando meu vestido de noiva. Eu sou uma boba, não sou?

— Não é bobagem — digo, e lhe dou um abraço. — Para isso existem os vestidos de noiva.

— Sra. Bloom, Becky descreveu o vestido para mim — diz Danny. — E honestamente posso dizer que ela não fez justiça. Mas a senhora se incomodaria se eu fizesse algumas alterações minúsculas?

— De jeito nenhum! — diz mamãe, e olha o relógio. — Bom, eu tenho de ir. Ainda preciso achar aqueles arranjos de mesa!

Quando a porta se fecha, Danny e Suze trocam olhares.

— Certo — diz Danny. — O que vamos fazer com isso?

— Você poderia cortar as mangas, para começar — diz Suze. — E todos aqueles babados no corpete.

— Quer dizer, quanto do original a gente precisa manter? — Danny ergue os olhos. — Becky, o que você acha?

Não respondo. Estou olhando pela janela. Dá pra ver Luke e Annabel andando pelo jardim, com as cabeças juntas, conversando. E ali está mamãe falando com Janice, sinalizando para a cerejeira florida.

— Becky? — diz Danny de novo.

— Não toque nele — digo, girando.

— O quê?

— Não faça nada com ele. — Sorrio para o rosto pasmo de Danny. — Deixe como está.

Às dez para as três estou pronta. Estou usando o vestido estilo croquete de salsicha. Meu rosto foi maquiado por Janice como Noiva Radiante de Primavera, com o tom rebaixado apenas ligeiramente com um lenço de papel e água. Tenho uma guirlanda de cravos cor-de-rosa no cabelo, que mamãe encomendou junto com o buquê. A única coisa remotamente chique são os sapatos Christian Louboutin, que nem dá para ver.

E não me importo. Estou exatamente como quero.

Tiramos fotos perto da cerejeira florida, e mamãe chorou em toda sua maquiagem "Elegância de Verão" que teve de ser retocada. E agora todo mundo foi para a igreja. Só restamos eu e papai, esperando para sair.

— Pronta? — diz ele, quando um Rolls-Royce branco chega ronronando à entrada.

— Acho que sim — digo com a voz ligeiramente falhando.

Eu vou me casar. Vou me casar de verdade.

— Você acha que eu estou fazendo a coisa certa? — digo, só um pouco de brincadeira.

— Ah, acho que sim. — Papai olha o espelho do corredor e ajeita a gravata de seda. — Eu me lembro de ter dito à sua mãe no dia em que conheci Luke: "Este aí vai estar à altura de Becky." — Ele encontra meu olhar no espelho. — Eu estava certo, meu amor? Ele está à sua altura?

— Não totalmente — rio para ele. — Mas... está chegando lá.

— Bom. — Papai sorri de volta. — É provavelmente tudo que ele pode esperar.

O motorista está tocando a campainha e, quando abro a porta, olho o rosto debaixo do quepe. Não acredito. É meu antigo instrutor de direção, Clive.

— Clive! Oi, como vai?

— Becky Bloom! — exclama ele. — Bem, eu nunca... Becky Bloom, se casando! Então você passou na prova?

— Hmm... sim. Acabei passando.

— Quem imaginaria? — Ele balança a cabeça, maravilhado. — Eu chegava em casa e dizia à minha mulher: "Se aquela garota passar na prova, eu sou um ovo frito." E então, claro, quando a coisa chegou...

— É, bem, de qualquer modo...

— Aquele examinador disse que nunca viu nada igual. O seu marido já viu você dirigir?

— Já.

— E ainda quer casar com você?

— Quer! — digo incomodada.

Honestamente. Este é o dia do meu casamento. Eu não deveria ser lembrada das provas estúpidas que aconteceram há anos.

— Vamos entrar? — diz papai, cheio de tato. — Olá, Clive. Prazer em vê-lo de novo.

Descemos até a entrada de veículos, e quando chegamos ao carro eu olho de volta para a casa. Quando voltar aqui serei uma mulher casada. Respiro fundo e entro no carro.

— Pááááara! — diz uma voz. — Becky! Pára!

Congelo aterrorizada, com um pé dentro do carro. O que aconteceu? Quem descobriu? O que eles sabem?

— Não posso deixar você ir em frente com isso!

O quê? Isso não faz sentido. Tom Webster, o vizinho, está vindo rapidamente para nós, de fraque. O que ele acha que está fazendo? Ele deveria ser o recepcionista na igreja.

— Becky, não posso ficar parado olhando — diz ele ofegante, plantando uma das mãos no Rolls-Royce. — Esse pode ser o maior erro da sua vida. Você não pensou direito.

Ah, pelo amor de Deus.

— Pensei, sim — digo, e tento afastá-lo do caminho. Mas ele agarra meu ombro.

— Ontem à noite eu percebi. Nós pertencemos um ao

outro. Você e eu. Pense nisso, Becky. A gente se conhece a vida inteira. A gente cresceu juntos. Talvez a gente tenha demorado um tempo para descobrir os verdadeiros sentimentos um pelo outro... mas a gente não merece uma chance?

— Tom, eu não tenho nenhum sentimento por você. E vou me casar daqui a dois minutos. Então pode sair do meu caminho?

— Você não sabe o que está fazendo! Não conhece a realidade do casamento! Becky, diga honestamente. Você realmente se vê passando o resto dos dias com Luke? Dia após dia, noite após noite? Hora após hora interminável?

— Sim! — digo perdendo a estribeira. — Vejo! Eu amo demais o Luke e quero passar o resto dos meus dias com ele. Tom, custou muito tempo e esforço para eu chegar a este momento. Mais do que você possa imaginar. E se não sair do meu caminho agora mesmo e me deixar ir para o casamento... eu mato você.

— Tom — intervém papai. — Acho que a resposta é não.

— Ah. — Tom fica quieto um momento. — Bem... certo. — Ele dá de ombros, abalado. — Desculpe.

— Você nunca teve nenhum sentido de tempo, Tom Webster — diz Clive cheio de desprezo. — Lembro da primeira vez em que você entrou num retorno. Quase matou nós dois, quase mesmo!

— Tudo bem. Não faz mal. Podemos ir agora? — Entro no carro arrumando o vestido em volta de mim, e papai entra ao meu lado.

— Tom, quer uma carona até a igreja?

— Ah, obrigado. Vai ser fantástico. Ei, Graham — diz ele sem jeito ao meu pai enquanto entra. — Desculpe.

— Tudo bem, Tom — diz meu pai, dando-lhe um tapinha nas costas. — Todos temos nossos pequenos momentos.

— Ele faz uma careta para mim, por cima da cabeça de Tom, e eu contenho um risinho.

— Então. Estamos prontos? — diz Clive, virando-se no banco. — Alguma mudança de idéia súbita? Mais alguma declaração de amor de última hora? Alguma curva inesperada no caminho?

— Não! — digo. — Nada mais. Vamos logo!

Quando chegamos à igreja os sinos estão tocando, o sol está brilhando e alguns convidados de última hora chegam correndo. Tom abre a porta do carro e corre pelo caminho sem olhar para trás, enquanto eu afofo minha cauda para os olhares admirados dos passantes.

Meu Deus, é muito divertido ser noiva. Vou sentir falta disso.

— Tudo pronto? — diz papai, me entregando o buquê.

— Acho que sim. — Rio para ele e pego seu braço estendido.

— Boa sorte — diz Clive, depois assente. — Há alguns retardatários ali.

Um táxi preto está parando na frente da igreja, e as portas dos passageiros se abrem bruscamente. Olho em frente, incrédula, imaginando se estou sonhando, quando Michael sai, ainda com a roupa que usou no Plaza. Ele estende a mão de volta para o táxi, e no instante seguinte Laurel aparece, ainda no seu Ives St Laurent, com as mangas enroladas.

— Não deixe a gente atrasar você! — diz ela. — A gente se enfia em qualquer lugar...

— Mas... mas que diabo vocês estão *fazendo* aqui?

— Olha a língua — diz Clive, reprovando.

— Qual é o sentido de controlar cem jatos particulares se a gente não pode ir para onde quer? — diz Laurel, enquanto vem me abraçar. — De repente a gente decidiu que queria ver você se casar.

— De verdade — diz Michael no meu ouvido. — Tiro o chapéu para você, Becky.

Quando eles desapareceram dentro da igreja, papai e eu vamos até a varanda onde Suze está esperando empolgada. Está com um vestido azul-prateado e carregando Ernie, que usa um macacão combinando. Quando olho dentro da igreja, posso ver os rostos de todos os meus familiares reunidos; todos os meus velhos amigos; todos os amigos e parentes de Luke. Sentados lado a lado, todos reluzindo, felizes e cheios de expectativa.

O órgão pára de tocar e eu sinto uma pontada de nervosismo.

Finalmente está acontecendo. Estou finalmente me casando. De verdade.

Então começa a Marcha Nupcial e papai aperta meu braço, e começamos a ir para o altar.

Vinte e Dois

Estamos casados.

Estamos casados de verdade.

Olho a brilhante aliança que Luke enfiou no meu dedo na igreja. Depois olho em volta. A tenda está luzindo no crepúsculo de verão, a banda está tocando uma versão precária de "Smoke Gets in Your Eyes" e as pessoas estão dançando. E talvez a música não seja tão boa quanto no Plaza. E talvez os convidados não estejam tão bem-vestidos. Mas eles são nossos. São todos nossos.

Tivemos um belo jantar composto de sopa de agrião, costelas de carneiro e pudim de verão, e tomamos um monte de champanha e o vinho que mamãe e papai compraram na França. E então papai bateu com o garfo num copo e fez um discurso sobre Luke e eu. Disse que ele e mamãe costumavam falar sobre o tipo de homem com quem eu me casaria, e que sempre discordavam em tudo, menos numa coisa: "ele tem de se manter sobre os próprios pés". Então olhou para Luke, que obedientemente se levantou e deu uma pirueta, e todo mundo explodiu em gargalhadas. Papai disse que tinha passado a gostar muito de Luke e dos pais dele, e que isto era mais do que um casamento, era uma união de famílias. E depois disse que sabia que eu seria uma esposa muito leal e que sempre lhe daria apoio, e contou a história de quando eu tinha oito anos e escrevi à Downing Street indicando meu pai para ser primeiro-ministro — e uma semana depois escrevi de novo perguntando por que eles não tinham respondido — e todo mundo riu de novo.

Então Luke fez um discurso sobre como nós nos conhecemos em Londres quando eu era jornalista de economia, e como ele me notou na minha primeira entrevista coletiva, quando eu perguntei ao diretor de RP do banco Barclays por que eles não faziam capas chiques para os talões de cheques, como as dos celulares? E então ele confessou que começou a me mandar convites para eventos de RP mesmo quando não eram importantes para a minha revista, só porque eu sempre animava as ocasiões.

(Ele nunca me contou isso. Mas agora tudo faz sentido! Por isso eu vivia sendo convidada para aquelas coletivas estranhas sobre corretagem de commodities e sobre o estado da indústria do aço.)

Por fim, Michael se levantou, se apresentou em sua voz calorosa e quente e falou sobre Luke. Sobre como ele é fantasticamente bem-sucedido mas de como agora precisa de alguém ao seu lado, alguém que realmente o ame pela pessoa que ele é e que o faça parar de levar a vida tão a sério. Depois disse que era uma honra conhecer meus pais, e que eles foram tão amigáveis e receptivos a dois completos estranhos que pôde ver de onde eu recebi o que ele chamou de "brilho Bloom", de felicidade afável. Que ele tinha me visto enfrentar algumas situações bastante complicadas, e que não entraria em detalhes, mas que eu tivera alguns enormes desafios para enfrentar e que, de algum modo, tinha conseguido resolver todos.

Sem usar um cartão Visa, acrescentou, e houve a maior gargalhada de todas, pela tenda inteira.

E então ele disse que já havia comparecido a muitos casamentos, mas que nunca tinha sentido a alegria que estava sentindo agora. Sabia que Luke e eu éramos feitos um para o outro, e que gostava demais de nós dois, e que nós não sabíamos como tínhamos sorte. E, se fôssemos abençoados com filhos, eles também não saberiam como tinham sorte.

O discurso de Michael quase me fez chorar.

E agora estou sentada com Luke na grama. Só nós dois, longe de todo mundo por um momento. Meus sapatos Christian Louboutin estão todos manchados de grama, e os dedos de Ernie, cobertos de morango, deixaram sua marca no corpete. Acho que estou uma bagunça total. Mas estou feliz.

Acho que nunca estive tão feliz na vida.

— Então — diz Luke. Em seguida se recosta apoiado nos cotovelos e olha o céu azul que vai escurecendo. — Nós conseguimos.

— Nós conseguimos. — Minha grinalda de flores está começando a cair sobre o olho, por isso eu a solto cuidadosamente e ponho na grama. — E sem baixas.

— Sabe... parece que as últimas semanas foram um sonho estranho. Eu estive fechado no meu mundo cheio de preocupação, sem idéia do que estava acontecendo na vida real. — Ele balança a cabeça. — Acho que quase saí dos trilhos.

— *Quase?*

— Certo, então. Eu saí dos trilhos. — Ele se vira para mim, com os olhos escuros brilhando à luz que vem da tenda. — Eu devo muito a você, Becky.

— Você não me deve nada — digo surpresa. — Agora nós estamos casados. É como se... tudo fosse uma conta conjunta.

Um estrondo vem da lateral da casa. Levanto a cabeça e vejo papai colocando nossas malas no carro. Tudo pronto para irmos.

— Então — diz Luke, acompanhando meu olhar. — Nossa famosa lua-de-mel. Já posso saber para onde vamos? Ou ainda é segredo?

Sinto um espasmo de nervosismo. Aí vem. A última parte do meu plano. A última cereja em cima do bolo.

— Certo — digo, e respiro fundo. — Lá vai. Eu estive pensando muito em nós, recentemente, Luke. Sobre estarmos casados, sobre onde deveremos morar. Se devemos ficar em Nova York ou não. O que deveríamos fazer... — Paro, procurando cuidadosamente as palavras. — E o que percebi é... que não estou pronta para me acomodar. Tom e Lucy tentaram se acomodar cedo demais, e olha o que aconteceu com eles. E eu adoro o Erniezinho, mas vendo o que foi para Suze... percebi que também não estou pronta para um neném. Ainda não. — Levanto os olhos, apreensiva. — Luke, há muitas coisas que eu nunca fiz. Eu nunca viajei de verdade. Nunca vi o mundo. Nem você.

— Você morou em Nova York.

— Nova York é uma cidade fantástica, e eu adoro. Mas há outras cidades ótimas, em todo o mundo. Quero vê-las também. Hong Kong... e não somente cidades! — Abro os braços. — Rios... montanhas... todas as paisagens do mundo...

— Certo — diz Luke achando divertido. — Então, estreitando tudo isso para uma lua-de-mel...

— Certo. — Engulo em seco. — Eu fiz o seguinte. Troquei por dinheiro todos os presentes que nós ganhamos em Nova York. Candelabros estúpidos, bules de chá e coisas do tipo. E... comprei duas passagens de primeira classe para uma viagem ao redor do mundo.

— Ao redor do mundo? — Luke parece genuinamente pasmo. — Está falando sério?

— É! Ao redor do mundo! — Cruzo os dedos com força.

— Nós podemos demorar quanto tempo quisermos. Só três semanas ou... — Olho-o, tensa de esperança. — Um ano.

— Um ano. — Luke me encara de volta. — Você está brincando.

— Não estou brincando. Eu disse a Christina que posso voltar ou não para trabalhar na Barneys. Por ela, tudo bem. Danny vai liberar nosso apartamento para nós e colocar tudo num depósito...

— Becky! — Luke balança a cabeça. — É uma bela idéia. Mas eu não posso simplesmente sair por aí e...

— Pode. Você pode! Está tudo acertado. Michael vai ficar de olho no escritório de Nova York. O escritório de Londres está andando sozinho, de qualquer modo. Luke, você pode fazer isso. Todo mundo acha que você deveria.

— Todo mundo?

Conto nos dedos.

— Seus pais... meus pais... Michael... Laurel... Clive, meu antigo instrutor de direção.

Luke me encara.

— Clive, seu antigo instrutor de direção?

— Certo — digo apressadamente —, não se incomode com ele. Mas todo mundo cuja opinião você respeita. Todos acham que você precisa de uma folga. Você esteve trabalhando tanto, durante tanto tempo... — Inclino-me para a frente, séria. — Luke, esta é a hora. Nós ainda somos novos. Antes de termos filhos. Visualize só. Nós dois, percorrendo o mundo. Vendo coisas incríveis. Aprendendo com outras culturas.

Há um silêncio. Luke olha para o chão, franzindo a testa.

— Você falou com Michael — diz ele finalmente. — E ele realmente estaria disposto a...

— Ele estaria mais do que disposto. Ele está entediado de morar em Nova York sem fazer nada a não ser caminhadas!

Luke, ele disse que, mesmo que você não fique longe, você precisa de uma longa folga para respirar. Precisa de férias de verdade.

— Um ano — diz Luke coçando a testa. — Isso é mais do que férias.

— Pode ser menos tempo. Ou mais! O fato é que nós podemos decidir enquanto viajamos. Sem amarras, sem compromissos, sem nada para nos prender...

— Becky, meu amor — chama papai do carro. — Tem certeza que eles vão deixar você levar seis malas?

— Tudo bem, nós pagamos o excesso de bagagem... — Eu me viro de novo para Luke. — Anda. Que tal?

Luke não diz nada durante alguns instantes — e meu coração se aperta. Tenho a sensação horrível de que ele vai reverter ao antigo Luke. Velho, viciado em trabalho, com um único propósito em mente, o Luke corporativo.

Então ele ergue a cabeça — e ali está um pequeno sorriso maroto em seu rosto.

— Eu tenho opção?

— Não. — Agarro sua mão, aliviada. — Não tem.

Nós vamos viajar ao redor do mundo! Vamos ser viajantes!

— Essas duas últimas estão muito leves! — grita papai, e balança as malas no ar. — Há alguma coisa nelas?

— Não, estão vazias! — Viro-me para Luke, brilhando de deleite. — Ah, Luke, vai ser tão fantástico! Esta é nossa única chance de ter um ano de folga. Um ano de simplicidade. Só nós. Mais nada!

Há uma pausa. Luke me olha, com a boca se repuxando.

— E vamos levar duas grandes malas vazias porque...

— Bem, nunca se sabe. Talvez a gente pegue umas coisinhas no caminho. Os viajantes sempre devem apoiar as economias locais... — Paro quando Luke começa a rir.

— O quê? — digo, indignada. — É verdade!

— Eu sei. — Luke enxuga os olhos. — Eu sei que é. Becky Bloom, eu amo você.

— Agora eu sou Becky Brandon, lembre-se! — respondo, olhando para minha linda aliança nova. — Sra. Rebecca Brandon. — Mas Luke balança a cabeça.

— Só há uma Becky Bloom. Nunca deixe de ser ela. — Ele pega minhas mãos e me olha com uma estranha intensidade. — Independentemente do que você faça, nunca deixe de ser Becky Bloom.

— Bem... certo — digo, perplexa. — Não vou deixar.

— Becky! Luke! — A voz de mamãe vem do outro lado do gramado. — Está na hora de cortar o bolo! Graham, acenda as luzinhas das árvores.

— Cer-to! — grita papai.

— Estamos indo! — grito de volta. — Só me deixe colocar a grinalda de novo.

— Deixe que eu coloco. — Luke pega a grinalda de flores cor-de-rosa e coloca na minha cabeça com um pequeno sorriso.

— Eu pareço estúpida? — digo, fazendo uma careta.

— Sim. Muito. — Ele me dá um beijo, depois se levanta e me ajuda a ficar de pé. — Venha, Becky B. Sua platéia está esperando.

E quando as luzes minúsculas começam a piscar em volta de nós, voltamos pela grama sob o crepúsculo até a festa do casamento, a mão de Luke apertando a minha com força.

CONTRATO PRÉ-NUPCIAL

Entre Rebecca Bloom e Luke Brandon

22 de junho de 2002

(Continuação)

5. Conta bancária conjunta

5.1 A conta conjunta será usada para gastos necessários com despesas domésticas. A definição de "Despesas domésticas" deve incluir saias Miu Miu, sapatos e outros itens de vestuário considerados essenciais pela Noiva.

5.2 A decisão da noiva em relação a essas despesas deverá ser definitiva em todos os casos.

5.3 As questões relativas à conta conjunta não devem ser jogadas pelo Noivo sobre a Noiva sem aviso, e sim submetidas por escrito, com um período de 24 horas para resposta.

6. Datas significativas

6.1 O Noivo deve se lembrar de todos os aniversários de nascimento e casamento, e deve marcar essas datas com presentes de surpresa*

6.2 A Noiva deve demonstrar surpresa e deleite diante das escolhas do Noivo.

7. Lar conjugal

A Noiva deve fazer o máximo de tentativas, dentro de suas possibilidades, para manter ordem e arrumação na casa. ENTRETANTO a incapacidade de cumprir esta cláusula não deve ser vista como rompimento do contrato.

8. Transporte

O Noivo não deve comentar o talento de motorista da Noiva.

9. Vida social

9.1 A Noiva não deve exigir que o Noivo se lembre dos nomes e da história romântica passada de todos os amigos dela, inclusive os que ele não conhece.

9.2 O Noivo deve fazer todo o esforço para deixar de lado uma parte significativa de cada semana para lazer e atividades relaxantes.

9.3 Fazer compras será definido como atividade relaxante.

*Os presentes de surpresa devem abarcar os itens marcados discretamente pela Noiva em catálogos e revistas, a ser deixados espalhados no lar conjugal nas semanas anteriores às datas mencionadas.

Este livro foi composto na tipologia Bernhard Modern, em corpo 12,5/15,5, e impresso em papel off-set 90g/m² no Sistema Cameron da Divisão Gráfica da Distribuidora Record.